ONZE LIEVE VROUWE VAN DE PIJN

ELENA FORBES BIJ DE BEZIGE BIJ

Sterf met mij

Elena Forbes

Onze Lieve Vrouwe van de Pijn

Vertaling Titia Ram

2008
DE BEZIGE BIJ
AMSTERDAM

Cargo is een imprint van
uitgeverij De Bezige Bij, Amsterdam

First published in Great Britain by Quercus Books

Oorspronkelijke titel *Our Lady of Pain*
Oorspronkelijke uitgever Quercus Books
Omslagontwerp Studio Jan de Boer
Omslagillustratie Eryk Fitkau, Getty Images
Foto auteur Vibeke Dahl
Vormgeving binnenwerk Aard Bakker
Druk Bariet, Ruinen
ISBN 978 90 234 2919 7
NUR 305

www.uitgeverijcargo.nl

Proloog

Het was zeven uur 's ochtends, maar zo donker dat het net zo goed middernacht had kunnen zijn. Sneeuwvlokken dwarrelden als motten in de oranje gloed van de lantaarnpalen, vervaagden het skeletachtige silhouet van de bomen en nestelden zich op de dikke laag sneeuw die al op de grond lag. De hekken van Holland Park waren net een paar minuten open en ze bleef er even tussen staan, jogde verder op de plaats en rekte haar benen terwijl ze om zich heen keek, haar adem een wit wolkje dat werd meegevoerd in de lucht. Er was niemand, het enige teken van leven waren de verse voetsporen van de beheerder, die van het hek richting zijn kantoor liepen. Het licht dat daar brandde vormde een vage veeg in de verte. Ze kneep haar oogleden halfdicht en dacht dat ze zijn gedaante in de verte zag, maar wist het niet zeker.

Het park lag open en uitnodigend voor haar. Aan de ene kant leidden speelveldjes heuvelafwaarts naar Kensington High Street. Aan de andere waren de zwarte toppen van de bomen die de rand van het bos achter de muren van Holland House markeerden net zichtbaar. Het landschap was bijna onherkenbaar, de contouren zachter, de herkenningspunten verstopt onder een uniforme zee van blauwig wit, vreemd luminescent onder de donkere hemel. Ze genoot van wat ze zag en rende rustig het lange, brede pad op, hoorde de dikke laag poederachtige sneeuw onder haar voeten kraken. De muziek in haar koptelefoontje vulde haar hoofd; de pompende baslijn, het liedje dat rond en rond ging. IJsnaaldjes prikten in haar gezicht en de kou sijpelde door haar gympen en kleding. Dat maakte haar niets uit; ze dreef nog op het tij van de alcohol van de avond ervoor en had het gevoel dat ze kon vliegen. Ze was stuurloos, maar het was het waard geweest.

Ze liep langs de ornamentele hekken van Holland House, langs de gehavende ruïnes er net achter en de landschapstuin in, langs de bevroren patronen van de heggetjes die rond de lege bloembedden stonden. Ze klom de trap naar de noordelijke tuin op en rende richting het bos. Ze rook de bacon die werd gebakken in de jeugdherberg vlakbij en voelde een steek van honger door zich heen gaan. Nog een minuut of tien en dan was ze klaar; ze zou zichzelf belonen met een Engels ontbijt in een van de eetcafés aan Holland Park Avenue.

Eenmaal in het bos aangekomen versmalde het pad en de boomtoppen boven haar hingen over, vormden een tunnel. De weinige lantaarns stonden ver uit elkaar en wierpen hun zwakke poelen van licht op het pad eronder, verlichtten de boomstammen en struiken die er vlakbij stonden. Verderop, in de dikke ondergroei, was alles zwart. Ze vergrootte haar passen en dwong zichzelf sneller te gaan, de heuvel af. De ijskoude lucht deed pijn aan haar longen en haar adem kwam in korte, bijna pijnlijke stootjes. Ze was al moe; elke pas kostte moeite. Toen ze bijna helemaal beneden was struikelde ze, en ze viel op de harde grond. Ze snakte naar adem, hijgde, schoot in de lach om haar eigen onoplettendheid, rolde op haar rug en staarde omhoog naar de bewolkte hemel, liet de dikke, vederachtige sneeuwvlokken smelten op haar gezicht. Haar oordopjes waren uitgevallen en het viel haar op hoe stil het was, hoe het wel leek of de sneeuw elk geluid deed versterven. Behalve haar eigen ademhaling hoorde ze alleen ergens in de verte een vogel in een boom en het doffe razen van de auto's op de rondweg om het park.

Even later duwde ze zichzelf met haar ellebogen tot zit, rekte haar kuiten en voeten om stijfheid te voorkomen. Ze veegde de dikke laag sneeuw uit haar haar en van haar kleding en pakte haar oordopjes. Toen ze wilde opstaan zag ze dat een stel van haar schoenveters los was. Ze boog zich voorover om ze opnieuw te strikken en hoorde het scherpe geluid van een tak die vlak achter haar brak. Toen zei iemand zacht haar naam.

1

'Werk je bij Moordzaken?' vroeg Sarah, en ze trok haar donkere wenkbrauwen op alsof het een idioot idee was. 'Hoe is dat? Ik bedoel... waar je mee te maken krijgt, wat je allemaal ziet... Jezus, dat lijkt me gruwelijk.' Ze maakte een vaag handgebaar in de lucht terwijl de woorden bijna ademloos uit haar mond tuimelden.

Mark Tartaglia leunde zwaar achterover in zijn stoel en koos zijn woorden zorgvuldig. 'Wat kan ik daarover zeggen? Het is inderdaad behoorlijk gruwelijk, maar iemand moet het doen.'

Ze zaten samen aan een kant van de eettafel in de keuken van het huis van zijn zus Nicoletta in Islington. Hij nam een grote slok wijn en zijn blik concentreerde zich even op de donkere houten keukenkast die tegen een van de muren stond. Hij kwam bijna tot het plafond en al het andere meubilair in de ruimte leek er piepklein door. Hij was ooit van zijn grootmoeder geweest, en was vele jaren daarvoor gered uit de eerste kruidenierszaak die zijn familie in Edinburgh had gehad. Kenmerkend voor de rest van het huis stonden ook de planken van deze kast propvol met serviesgoed, snuisterijen, kleiwerkjes van de kinderen en kunst. Overal tussen stonden familiefoto's, inclusief een van hem, die was genomen met kerst, waar hij op stond met een waterige blik in zijn ogen, een wijnglas in de ene hand en een knalbonbon in de andere, met een belachelijk roze papieren hoedje op zijn hoofd.

Aan de andere kant van de ruimte stond Nicoletta in een

wolk van stoom en theatraal gekletter van pannen het hoofdgerecht klaar te maken. Ze droeg een eenvoudig, strak donkerblauw met wit omslagjurkje dat, vond hij, een beetje te veel benadrukte hoe mager en pezig ze was. Haar lange, steile zwarte haar zat in een losse knot op haar hoofd gespeld en ze zag er met haar zwaaiende armen terwijl ze rondliep en kletste uit alsof ze een orkest dirigeerde. Haar echtgenoot John stond, met een afzichtelijk roze bloemetjesschort voor en zijn mouwen opgerold, naast haar om haar orders op te volgen, zijn bleke hoofd glanzend van transpiratie.

Zoals meestal waren ze die zondagochtend met zijn allen, inclusief zijn neef en nicht, naar de mis geweest. Gianni en Elisa zaten nu aan de andere kant van de tafel en speelden Ik-zie-ik-zie-wat-jij-niet-ziet met Carlo en Anna, de kinderen van Nicoletta en John. Carlo, vier jaar oud, zat op schoot bij Gianni, die hem hielp met de woorden terwijl Anna, van bijna zes, naast Elisa zat. Hun hoge, lachende stemmen weerkaatsten van het lage plafond en schoten scherp door het brakke hoofd van Tartaglia. Normaal gesproken vond hij het heerlijk hen te zien, maar hij had nauwelijks geslapen en de avond ervoor veel te veel gedronken in een poging zichzelf te verdoven.

'Doe je alleen moordzaken?' vroeg Sarah even later.

Tartaglia concentreerde met moeite zijn blik en keek haar aan. 'Ik hoor mezelf niet eens denken in die herrie. Wat zei je?'

Sarah kreeg een kleur. 'Sorry. Ik vroeg of je alleen moordzaken doet. Het was niet mijn bedoeling om zo verbaasd te klinken. Maar ik zit de hele dag met mijn neus in de boeken tussen de studenten, terwijl jij... jij...'

'Dat geeft niets,' onderbrak hij haar voor ze verder ging. 'Dat ben ik gewend. Ik vertel meestal maar niet wat ik doe, tenminste niet als ik iemand voor het eerst zie, maar je overviel me ermee.'

'Sorry.' Ze glimlachte verlegen. 'Is het net als op televisie? Zoals in *The Bill*, of *Frost*?'

'Nee. Het is heel anders. We werken niet vanuit een politiebureau. We hebben niet eens cellen, verhoorkamers of mensen in uniform. We werken in een gewoon kantoor en, zoals je al zei, houden we ons uitsluitend met moord bezig.'

'Oké. Dus jullie zijn een soort eliteteam?'

'We zijn wel specialisten, als je dat bedoelt.'

'Het klinkt allemaal vreselijk interessant, echt waar.'

Ze zag er nog steeds gegeneerd uit, alsof ze iets grofs had gezegd. Hij vond het naar dat ze zich ongemakkelijk voelde en wilde net een of ander vaag cliché mompelen toen Nicoletta naar de tafel kwam lopen met een schaal spinazie à la crème.

'Mark is brigadier,' zei ze terwijl ze de schaal op een onderzetter schoof. Ze schudde wild met haar handen en blies even op haar vingertoppen. 'Hij heeft al heel veel interessante zaken gedaan. Vraag hem er maar naar.'

Sarah glimlachte vaag.

'Kan ik echt niets doen?' vroeg Tartaglia, en hij maakte aanstalten op te staan.

'Nee, echt niet,' zei Nicoletta opgewekt voordat ze zich omdraaide en terugliep naar het fornuis.

Normaal gesproken hielp iedereen een handje mee als hij bij Nicoletta en John ging eten. Ze zei altijd dat dat het hele idee was achter samen lunchen, en hij nam over het algemeen een groot deel van de afwas voor zijn rekening. Maar deze keer was het anders. Ze had hem nog net niet aan zijn stoel vastgebonden, had zijn neef en nicht expres helemaal aan de andere kant van de tafel gezet, waardoor hij was gedwongen al zijn aandacht op Sarah te richten. Over een paar jaar werd hij veertig en Nicoletta was niet van plan iets aan het toeval over te laten, des te meer omdat ze vond dat hij een nogal laconieke aanpak had wat betreft romantiek.

Hij nam Sarah niets kwalijk; die was hopelijk niet op de hoogte van het gekonkel. Vergeleken bij het kleurrijke palet aan vriendinnen van Nicoletta die de voorgaande jaren aan hem waren gepresenteerd was ze eerlijk gezegd heel aantrekkelijk, met mooie hazelnootbruine ogen en een prachtig figuur. Als ze geen vriendin van zijn zus was geweest, of als hij haar ergens anders had ontmoet, zou hij misschien een poging hebben gewaagd. Maar zijn pet stond er niet naar en hij had geen enkele zin naar de pijpen van zijn zus te dansen.

Hij zag dat Sarahs wijnglas leeg was, reikte over de tafel en schonk haar het laatste beetje wijn in, waarbij hij zorgvuldig zorgde dat hij de droesem niet meeschonk.

Ze glimlachte. 'Dank je. De wijn is heerlijk. Is het een Italiaanse?'

Hij keek op het etiket en knikte. 'Siciliaanse merlot. Ik zal even een nieuwe pakken.'

Hij was dankbaar dat hij een excuus had even zijn benen te strekken en stond op, met de lege fles in zijn hand. Hij keek terloops door het beslagen raam naar de besneeuwde tuin. Er lag uitzonderlijk veel sneeuw, maar geen enkele weersomstandigheid verraste hem eigenlijk nog. Zelfs nu hij in de vochtige warmte in de keuken stond, rilde hij al als hij ernaar keek. Hij had een hekel aan de winter, vooral aan februari, de koudste, donkerste maand van het hele jaar, als hij het gevoel had dat het nooit meer lente zou worden.

Hij liep naar het aanrecht, waar John groente afgoot terwijl Nicoletta het geroosterde vlees uit de ovenschaal op een snijplank overhevelde. Tartaglia leunde over haar schouder en inhaleerde de sterke geur van truffels, paddenstoelen en knoflook. Het was een overbekende geur; het recept zoals gebruikelijk van zijn moeder.

'Lamsvlees?'

'Lamsvlees. En nu zitten.' Ze keek hem niet eens aan en joeg hem ongeduldig weg met haar handen, een gebaar dat hem ook aan zijn moeder deed denken.

'Alsjeblieft, neem deze maar mee,' zei John met een medelevende glimlach terwijl hij de lege wijnfles aannam en Tartaglia een volle gaf, die al was ontkurkt. 'Hoe vind je hem?'

'Lekker.'

'Hij komt van een kleine boer bij Palermo. Je vader importeert hem sinds kort in Groot-Brittannië en heeft ons voor de kerst een kistje gegeven.'

'Was hij maar zo gul voor mij. Hij denkt dat ik het verschil tussen bocht en echte wijn niet kan proeven.'

'Dat kun je ook niet. En ga nu maar weer zitten,' snauwde Nicoletta terwijl ze hem met een elleboog opzij duwde met een stapel borden in haar handen.

Tartaglia liep terug naar de andere kant van de tafel, met een grote boog om zijn neefje en nichtje heen, die om de een of andere reden ineens zaten te ruziën.

'Waar hadden we het ook weer over?' vroeg hij terwijl hij naast Sarah ging zitten en probeerde het geschreeuw te negeren.

Ze keek toe hoe hij hun glazen volschonk. 'Waarom denk jij dat mensen zo gebiologeerd kunnen raken door verhalen over seriemoordenaars? Het is allemaal zo afschuwelijk en angstaanjagend, en toch liggen de winkels er vol mee en zie je op televisie niets anders.'

Tartaglia knikte bedachtzaam. Het was een vraag die hij zichzelf al heel vaak had gesteld. 'Volgens mij vinden mensen het leuk om zichzelf bang te maken. Een seriemoordenaar is gewoon een moderne boeman, een vleesgeworden nachtmerrie. Het feit dat sommigen nooit worden gepakt maakt de mythe alleen maar groter. Godzijdank zijn ze vrij zeldzaam, in Engeland. De meeste moorden waarmee we te maken krijgen zijn veel afgezaagder.'

'Toch moet het bizar zijn. Moord is per slot van rekening niet iets wat je ooit hoopt mee te maken. Vind je het niet raar dat jij er zoveel ziet?'

Hij haalde zijn schouders op. 'Raar' zou hij het zelf niet noemen.

'Ik vind wat ik in de krant lees al erg genoeg, vooral als er kinderen bij zijn betrokken. Maar voor jou is het dagelijkse kost. Ik zou geen oog meer dichtdoen.'

'Dat lukt mij ook niet altijd.'

Sarah keek hem vragend aan over haar glas heen, en hij zag dat ze hoopte dat hij er meer over zou zeggen. Maar wat moest hij dan vertellen? Wilde ze echt horen hoe sommige zaken hem zo bezighielden dat hij er niet van kon slapen, hoe hij sommige beelden maar niet uit zijn hoofd kreeg? Als hij heel eerlijk was, was hij nooit gewend geraakt aan moord, was het hem nog steeds niet gelukt zich volledig immuun te maken voor de gruwel en duisternis van wat hij zag, of de persoonlijke tragedies en het domino-effect waartoe moord altijd leidde. Maar hij voelde geen enkele behoefte daar tijdens de lunch met iemand die hij nauwelijks kende een boom over op te zetten.

'Het is moeilijk onder woorden te brengen,' zei hij in de hoop dat hij over iets anders kon beginnen, hoewel hij eigenlijk geen idee had waarover ze het dan moesten hebben. Ze hadden het al uitgebreid over haar werk gehad – ze was net als Nicoletta docente aan de vakgroep Moderne Letterkunde van het Londense University College – en er was niet spontaan een ander gesprek ontstaan.

Ze keek hem geamuseerd aan. 'Nou, gezien de omstandigheden vind ik dat je er behoorlijk normaal uitziet.'

Hij nam een slokje wijn. 'Dank je. Als dat tenminste een compliment is.'

'Dat is het. Als ik je beroep had moeten raden, had ik het nooit bedacht.'

'Zie ik er niet uit als een agent? Nu ben ik teleurgesteld. Het is het enige werk dat ik ooit heb gehad, behalve dan in de winkel van mijn ouders, vroeger in de schoolvakanties.'

Ze schudde glimlachend haar hoofd. 'Je bent absoluut niet wat ik me bij een politieman voorstel, tenminste niet een echte. Je bent veel te...' Ze aarzelde en zag er weer een beetje gegeneerd uit. 'Nou ja, op de televisie zien ze er veel te goed uit, toch? En ze lossen de misdaad altijd op.'

Hij knikte. 'Dat is in het echte leven jammer genoeg heel anders.'

Er klonk een harde gil van de andere kant van de tafel, gevolgd door het geluid van brekend glas. Hij keek op en zag dat Gianni Carlo en Anna met geweld uit elkaar hield terwijl Elisa naar de gootsteen rende om een doekje te pakken om de bende op te ruimen.

'Anna en Carlo, als jullie je niet gedragen ga je naar je kamer,' zei Nicoletta terwijl ze steels richting haar broer en Sarah keek en naar de tafel liep met twee grote witte schalen met polenta en gesneden lamsvlees, bedekt met een laagje paddenstoelen. Ze zette ze voorzichtig neer zodat er geen sap over de rand zou lopen en veegde gehaast haar handen aan haar schort af.

'Vertel Sarah eens over een paar van je zaken,' zei ze tegen Mark terwijl ze een plukje haar achter haar oren veegde en terugliep naar het fornuis. 'Vertel eens over die bruidegom,' schreeuwde ze van de andere kant van de keuken.

Hij staarde haar aan, verbijsterd dat ze die zaak bij naam wist, maar ze keek niet naar hem, was alweer met iets anders bezig. Die zaak was te recent en te pijnlijk, en een die bijdroeg aan zijn slapeloosheid de laatste tijd, hoewel hij dat nooit tegen haar zou zeggen. Hij en zijn collega Sam Donovan waren bijna omgekomen tijdens hun poging de moordenaar te pakken die bekendstond als 'de Bruidegom'. Tartaglia had de dood nog nooit van zó dichtbij in de ogen gekeken. Als hij dacht aan wat er had kunnen gebeuren kreeg hij het er nog benauwd van, en de film van gebeurtenissen speelde zich nog steeds elke nacht in zijn hoofd af.

'Ik neem aan dat Mark op zijn vrije zondag geen zin heeft om over zijn werk te praten,' zei John terwijl hij naar de tafel liep met een enorme kan water en een hand vol opscheplepels. 'Er is zo rugby. Heb je tijd?'

Tartaglia wilde net antwoorden toen hij zijn telefoon in zijn zak voelde trillen. Hij trok hem tevoorschijn en zag dat het inspecteur Carolyn Steele was. Hij stond snel op van tafel, bijna blij met de onderbreking.

'Sorry, dat is mijn werk,' zei hij met een verontschuldigend schouderophalen tegen Sarah. Hij rende langs Nicoletta, die net aan kwam lopen met nog meer eten.

'Hé, Marco,' riep ze hem achterna, 'je gaat toch niet weg, hè?'

Hij negeerde haar en liep de gang in, duwde de deur dicht met zijn voet voordat hij zijn telefoon openklapte.

'Waar ben je?' vroeg Steele, haar stem zacht en helder tegen de achtergrond van geroezemoes uit de keuken achter hem.

'Bij mijn zus. In Islington. We gingen net lunchen.'

'Mooi,' zei Steele, alsof ze die laatste zin niet had gehoord. 'Dat is redelijk in de buurt. Je moet direct naar Holland Park. Dood met verdachte omstandigheden. Sam is er al met de forensisch coördinator. Ze wachten op je op de parkeerplaats aan Abbotsbury Road, tussen Kensington High Street en Holland Park Avenue.'

De Ducati kwam slippend tot stilstand op het bevroren wegdek en het voorwiel kwam terecht tegen een berg aan de kant geveegde sneeuw. Tartaglia zette licht en motor uit en stapte af. Hij deed zijn helm af en het viel hem op hoe donker het was, hoewel het vroeg in de middag was. Holland Park was in zijn geheel afgesloten en de parkeerplaats was vrijgemaakt; de enige auto's die er stonden waren van de politie en de forensische dienst.

Hij zag hoofdagent Sam Donovan in een verre hoek staan. Ze was met iemand aan de telefoon en stond naast een groepje agenten in uniform van het wijkbureau, bij de geopende achterklep van een busje. Een van hen deelde plastic bekertjes uit en er werd een thermosfles met iets heets erin doorgegeven. Aan de kleur te zien was het tomatensoep.

Toen ze hem aan zag komen lopen, zwaaide Donovan kort naar hem. Ze zei nog een paar woorden en klikte haar telefoon dicht.

'Jij bent er snel,' zei ze terwijl ze energiek op hem af stapte door de sneeuw.

Haar korte bruine haar stond in stekelige plukjes omhoog in de koude lucht en haar ogen waren vochtig, met een veeg uitgelopen mascara onder één ervan. Ze had een zwart-wit geblokt jasje aan dat zo te zien totaal ongeschikt was voor de weersomstandigheden, en droeg een felgekleurde oranjerode sjaal om haar nek.

'Er was niet veel verkeer op de weg. Iedereen zit vast te lunchen.'

Hij liep achter haar aan een steile, gladde trap op het park in, en zag dat ze voor de verandering eens een rok aanhad, en nog een heel korte ook, nauwelijks langer dan haar jasje, hoewel hij niet veel van haar slanke benen kon zien, aangezien die grotendeels in een paar enorme regenlaarzen waren gehuld.

'Vertel het eens,' zei hij toen ze boven waren gekomen en hij zich afvroeg waarom ze zich zo had opgetut op een zondag.

'Het slachtoffer is een vrouw, eind twintig of begin dertig. Ze is helemaal uitgekleed. We hebben nog geen identificatie gevonden en de doodsoorzaak is onduidelijk. Er wordt in de omgeving gezocht naar kleding of eigendommen, maar ze hebben nog niets gevonden. De Rechercheondersteuning is navraag aan het doen bij Vermiste Personen.'

'Wie is de forensisch coördinator?'

'Nina Turner. Ik heb haar net gesproken.'

'Mooi,' antwoordde hij. Nina was getrouwd met een andere brigadier van bureau Barnes, waar hij werkte, en ging over het algemeen grondig te werk. 'Waar is ze?' Hij had haar niet gezien op de parkeerplaats.

'Ze is een hondenteam aan het regelen, maar ze komt over een minuut of tien naar de plaats delict. Laten we maar gaan, het is best een eind lopen.'

Ze passeerden restaurant Belvedere en staken het grasveld naar het bos over. Hij was een paar zomers geleden voor het laatst in Holland Park geweest, toen hij met Nicoletta, John en een stel vrienden naar een openluchtopera was gegaan. Iets van Verdi of Donizetti, iets lyrisch en Italiaans. Hij herinnerde zich het schrille schreeuwen van de pauwen nog, dat af en toe boven de muziek uit had geklonken, en de hitte; hij had gezweet als een otter in zijn colbert met stropdas onder die benauwde overkapping. Hij keek om zich heen; het was onherkenbaar en hij vond het jammer dat hij geen tijd had om de winterpracht goed in zich op te nemen.

Het sneeuwde al een paar dagen en de grond en elk horizontaal oppervlak waren bedekt met een dikke witte laag, op sommige plaatsen wel een halve meter hoog. Veel was onaangeroerd, hoewel er voetstappen van meerdere mensen stonden op het pad waar zij ook liepen, met wat zo te zien sporen van hondenpoten waren, die hier en daar de verte in verdwenen. Hoewel het die nacht zwaar had gesneeuwd was het park die dag gewoon open, en hij vroeg zich af hoeveel mensen het hadden verstoord voordat de omgeving was afgesloten.

'Jezus, wat is het koud,' zei Donovan terwijl ze haar kin dieper in de vouwen van haar sjaal duwde. 'Ik haat de winter.'

'Ik ook. Wie heeft het lichaam gevonden?'

'Een stel kinderen dat vanochtend verstoppertje deed.' Ze was een beetje buiten adem en had moeite hem bij te houden. 'Die arme jongens zijn zich natuurlijk een ongeluk geschrokken. Dokter Browne onderzoekt nu het lichaam.'

'Arabella? Wat heeft ze voor bui?'

Ze glimlachte. 'Het is zondag en ze heeft haar lunch gemist.'

'Ze is niet de enige,' zei hij smachtend.

Ze keek hem vragend aan.

'Ik was bij Nicoletta,' voegde hij toe. Hij had om de een of andere reden het gevoel dat hij haar een uitleg schuldig was. 'We zouden net gaan beginnen.'

Ze keek hem medelevend aan. 'Arme jij. En ze is nog wel zo'n enthousiaste kokkin. Probeert ze je weer aan iemand te koppelen?'

'Uiteraard.'
'En?'
'Niets,' zei hij nadrukkelijk, waarop ze weer begon te glimlachen. 'Een vriendin van haar werk. Ene Sarah. Heel aardig...'
'Maar niet jouw type?'
'Nee. Ik was eerlijk gezegd blij dat Steele belde.'
Ze ploeterden in stilte door de sneeuw en liepen het bos in. Hij vroeg zich af of ze aan die ene keer dacht dat hij haar had meegenomen om bij Nicoletta te lunchen, een paar maanden geleden, om haar op te vrolijken na de Bruidegomzaak. Misschien was zijn opmerking genoeg om een nare herinnering bij haar los te maken en hij keek van opzij naar haar, maar zag niets aan haar gezichtsuitdrukking.
De bomen aan beide kanten van het pad stonden dicht op elkaar, met een mengeling van rododendrons, hoge hulstbomen, en bladverliezende boomsoorten waarvan de kale takken een dak boven hun hoofden vormden. Tartaglia bedacht hoe ongelooflijk landelijk en stil het hier was, geen huis of weg in zicht. Als er geen houten hek langs beide kanten van het pad had gestaan hadden ze net zo goed echt op het platteland kunnen zijn in plaats van midden in Londen. Er lagen vrij veel bomen, die waren omgewaaid in de stormen van de afgelopen periode. Sommige lagen nog waar ze waren gevallen en andere waren al gedeeltelijk in blokken gezaagd. Een, die zo te zien meer dan dertig meter hoog was, met een enorme met klimop begroeide stronk, was aan een kant op het houten hek gevallen. De gigantische, bevroren wortels staken als een reusachtige hand de lucht in.
De grond was oneffen en ze waren pas een paar meter op weg toen Donovan uitgleed, waarbij een voet uit een laars schoot. Hij greep haar vast en kon nog net voorkomen dat ze viel.
'Dank je,' zei ze, en ze schudde de sneeuw van haar rode kous voordat ze haar laars weer aantrok en verder liep. 'Mijn

voeten zijn net ijspegels, ik voel ze niet eens meer, laat staan dat ik nog grip heb in die laarzen.'

'Ze zijn wel het enige praktische wat je vandaag aanhebt,' zei hij, en hij vroeg zich nogmaals af waar ze was geweest.

Ze schoot in de lach. 'Ik heb ze geleend van een agent in uniform. Ik had geen tijd om naar huis te gaan, dus ik kon kiezen: deze aantrekken of mijn nieuwe laarzen verzieken.'

Een windvlaag blies een douche van ijsdeeltjes uit een tak boven zijn hoofd in zijn gezicht en hij had het ineens vreselijk koud, ondanks zijn zware leren pak en laarzen. Hij hoorde een helikopter in de verte, en Donovan en hij keken omhoog. Hoewel het niet meer sneeuwde was het onheilspellend donker, en hij herinnerde zich dat hij op het weerbericht had gehoord dat er nog meer sneeuw zou gaan vallen.

'Ongelooflijk, hoe snel de aasgieren erbij zijn,' zei ze terwijl het geluid van de helikopter harder werd.

'Iemand heeft natuurlijk zoals gewoonlijk meteen de pers gebeld. Ik hoop maar dat hun uitzicht wordt versperd.'

'Nina zei dat ze er niets van kunnen zien. Maak je geen zorgen.'

Een minuut later zagen ze een flikkering van elektrisch licht tussen de dikke takken voor zich, en ze hoorden stemmen. Ze volgden het pad naar een grote open plek, waar meerdere paden samenkwamen, als spaken in een wiel. Er stonden een paar houten bankjes omheen alsof het een veelbezochte plaats was om even te gaan zitten, hoewel hij zich daar niets bij kon voorstellen, nu het zo duister was en je alleen kale bomen zag. Ook hier was al door veel mensen over de paden gelopen, hoewel de sneeuw ernaast nog onaangeroerd was. Een paar agenten in uniform van het wijkbureau stonden op een kluitje voor de binnenste kordon te stampvoeten om een beetje warm te blijven. Daarachter kropen enkele in het blauw geklede forensisch onderzoekers op handen en knieën over de grond, op zoek naar sporen in de sneeuw.

'Het lichaam ligt daar,' zei Donovan. Ze bleef vlak bij de

afzettape staan, die zich uitstrekte over het pad en naar een groot afgezet gebied vol bomen een meter of zes verderop liep. Hij zag het puntje van de forensische tent net boven wat dikke, hoge begroeiing uitsteken.

'Hoe kom ik daar in godsnaam binnen?'

'Er is een opening aan de rechterkant. Nina zou zo moeten komen. Als je me verder niet nodig hebt, ga ik terug naar de parkeerplaats om te informeren of ze al weten wie het is. Ik bel wel even als er nieuws is.'

Tartaglia schreef zich in bij de wachter in uniform en trok een beschermend pak, handschoenen en overschoenen aan voordat hij onder de tape door liep en langs de rand van het afgezette gebied over de planken die er waren neergelegd door de forensisch onderzoekers om het pad te beschermen, tot hij bij de opening in het hek kwam. Hij bleef even staan en staarde het dichtbegroeide bos in. Zelfs op dit moment van de dag was het er donker, en je zag niet veel vanaf het pad. Behalve dat je misschien over het hoge hek kon klauteren leek de opening de enige manier om erachter te komen. Het gat was amateuristisch dichtgemaakt met kippengaas, en er staken een paar geknakte houten spaken door, als uitstekende botten. Zo te zien aan de plukjes haar die op meerdere plaatsen aan het gaas hingen, werd de opening veel door honden en andere dieren gebruikt. Hij stapte er voorzichtig overheen en baande zich moeizaam een weg door de diepe sneeuw over de verborgen lagen begroeiing en gevallen takken.

De kleine tent stond midden in het omheinde stuk verstopt achter een hulstbosje. Binnen bewoog iemand, een silhouet tegen het felverlichte doek. Hij tilde de flap op en botste bijna tegen het brede achterwerk van dokter Browne, die bij iets op de grond knielde. Er stond een man met een fototoestel naast haar.

'Graag een paar close-ups uit die hoek,' blafte Browne tegen de fotograaf terwijl ze met een gehandschoende hand ergens naar wees. 'En ook van de andere kant, voordat we haar omdraaien. En dan nog een paar van haar handen en voeten voordat ik de zakjes erom doe.'

De fotograaf liep naar het lichaam en begon te klikken. Elke flits verlichtte de tent en doorboorde Tartaglia's hoofd als een mes, liet hem achter in een echo van lichtvlekken voor zijn ogen.

'Goedemiddag, dokter Browne,' zei hij, en hij knipperde een paar keer met zijn ogen in een poging zijn blik te concentreren, hoewel de fotograaf en Browne zijn zicht volledig blokkeerden en er dus niet veel te zien was.

Browne draaide zich half om en tuurde omhoog naar Tartaglia door haar halvemaansglazen, die net zichtbaar waren tussen de capuchon van haar pak en masker.

'Fijn dat jij er ook eindelijk bent,' zei ze chagrijnig.

'Heb ik er zo lang over gedaan?'

'Als je hier in die godvergeten kou staat lijkt elke minuut een uur.' De fotograaf stond nog steeds te klikken en ze draaide zich naar hem om. 'Kun je ons een paar minuten geven, John? Rechercheur Tartaglia wil even genieten van onze bosnimf en het is hier een beetje vol.'

'Prima,' zei John opgewekt terwijl hij zijn camera liet zakken. 'Roep maar als u klaar bent.' Hij liep de tent uit.

'Het is wel een heel interessante,' zei Browne, die met piepende adem overeind kwam. 'Wat een schrale troost is voor het feit dat ik mijn zondagse lunch ben misgelopen. Kijk maar.'

Ze stapte opzij. Hij zag in het felle licht van de elektrische lamp het naakte lichaam van een jonge vrouw. Ze zat geknield in de sneeuw, haar hoofd helemaal voorovergebogen tot het de sneeuw raakte, haar gezicht bijna volledig verborgen achter haar hoogblonde haar, dat als zeewier in warrige sprieten naar beneden stak. Hij volgde de delicate lijn van haar schouders, de gladde bogen van haar rug, heupen en billen, die bijna lichtgevend glinsterden in het lamplicht. Haar armen en benen waren onder haar lichaam gevouwen en verdwenen in de sneeuw. Hij zag even een deels gebeeldhouwde marmeren buste voor zich, zo bleek dat het moeilijk te onderscheiden was waar het lichaam ophield en de sneeuw begon. Hij kreeg het al koud als hij naar haar keek.

Toen zijn ogen zich aan het licht hadden aangepast zag hij de vage rozerode livor-mortisvlekken op haar nek, schouders en rug, net zichtbaar onder de glinsterende ijskorst.

'Dus ze is hier neergelegd,' mompelde hij, en hij keek Browne aan. 'Heeft u haar zo aangetroffen?'

'Min of meer. Voor zover ik het kan zien heeft ze ook lijkvlekken op de achterkant van haar armen en benen, dus ze heeft een paar uur op haar rug gelegen, hoewel ze in deze houding is geposteerd voordat de vlekken helemaal waren gefixeerd.'

'Enig idee hoe ze is verplaatst?'

'Met deze temperatuur is dat moeilijk te zeggen. Aan de kleur van de hypostase te zien is de omgevingstemperatuur hier of ergens anders laag gebleven. Zoals je weet kan ik onmogelijk ergens een exacte uitspraak over doen, maar ik durf wel te gokken dat ze tussen de twaalf en zesendertig uur na haar dood is verplaatst. En het wordt nog interessanter, wat je kunt zien als je haar beter bekijkt.' Ze trok haar brede wenkbrauwen op om haar punt te benadrukken.

Hij deed geïntrigeerd een stap naar voren en knielde neer naast de onbekende vrouw, veegde zorgvuldig wat haar uit haar gezicht en bestudeerde wat hij ervan kon zien. Haar voorhoofd rustte op haar handen, haar ogen waren open en staarden leeg naar de grond, wimpers en wenkbrauwen witbevroren. Ze was zo te zien eind twintig, begin dertig, maar dat was moeilijk in te schatten.

'Jezus,' zei hij toen hij nog wat haar uit haar gezicht veegde. Haar handen waren aan de polsen strak met tape vastgebonden, samengevouwen alsof ze bad.

'Haar knieën en enkels zijn ook met tape gebonden,' zei Browne. 'Hoewel we dat in het lab pas goed kunnen bekijken.'

Hij knikte automatisch, was nog geconcentreerd op de handen van de vrouw. Haar nagels waren gemanicuurd, maar niet gelakt, en ze droeg geen ringen of andere sieraden.

'Enig idee wat de doodsoorzaak is?' vroeg hij terwijl hij met zijn blik nog op de vrouw gericht opstond. Iets aan haar pose gaf hem meteen het gevoel dat het een symbolische was, hoewel hij niet kon bedenken waaraan ze hem deed denken. Het beeld vergrendelde zich in zijn geest terwijl hij zich afvroeg wie ze was, en of ze een echtgenoot, of familie of vrienden had die haar misten.

Browne sloeg grommend haar armen over haar dikke buik over elkaar. 'Niet echt, behalve dat ze dit duidelijk niet zelf heeft gedaan.'

'Dat verrast me. Geen zichtbare verwondingen?'

'Wat beurse plekken in het gezicht en een paar diepe krassen rond de mond. Voor zover ik het kan inschatten is ze mogelijk verkracht. Als we haar hebben omgedraaid zal ik uitstrijkjes maken. Maar het volledige onderzoek zal moeten wachten tot in het mortuarium. Het is ook veel eenvoudiger om daar de tape om haar armen en benen op vingerafdrukken te onderzoeken, en ik kan geen volledig onderzoek doen tot die eraf is. Als we hier langer blijven, vriezen we dood.'

'En u controleert of er speekselresten op de tape zitten?'

'Natuurlijk,' zei Browne nadrukkelijk. 'Maar ik zie hier niemand moeilijk doen met een schaar. We kijken in het lab meteen of er tandafdrukken op staan. Je weet maar nooit.'

'Als we ervan uitgaan dat ze de hele tijd in de openlucht heeft gelegen, kunnen we neem ik aan niet zeggen of ze hier is vermoord of alleen achtergelaten?'

Browne schudde haar hoofd. 'De sneeuw onder haar is ongeveer dertig centimeter dik en toen we hier aankwamen lag er een centimeter of twaalf op haar, die niet was beroerd. Ik neem aan dat die van vannacht is.'

'Dus ze ligt hier al minstens een etmaal?'

'Minstens. Ze heeft ook sporen van bladschimmel in haar

haar. De enige open plek is bij die hulst. Misschien lag ze daar eerst. Ik heb er iemand naartoe gestuurd om monsters te nemen.'

'Het is niet eenvoudig om aan deze kant van het hek te komen, zelfs overdag niet. En er is hier niets te zien. Zijn er sporen dat ze is gesleept of getrokken?'

'Behalve die beurse plekken en schrammen is het lichaam intact. Ze is hier óf zelf naartoe gekomen – en ik ben het met je eens dat dat onwaarschijnlijk is – of ze is hiernaartoe gedragen, dood of levend.'

Tartaglia knikte. 'Wat betekent dat we op zoek zijn naar iemand die in staat is om een volwassen vrouw van...' Hij keek naar het lichaam in de sneeuw en probeerde haar lengte in te schatten. 'Gemiddelde bouw en lengte. Een kilo of vijftig tot vijfenvijftig, zo te zien.' Browne knikte instemmend. 'Niet eenvoudig,' ging Tartaglia verder, 'met dat hek en de sneeuw. Enig idee wanneer ze is gestorven?'

Browne fronste haar wenkbrauwen. 'Je weet dat ik normaal gesproken...'

'Ja, dat weet ik. Wanneer is ze voor het laatst gezien? Wanneer is het lichaam gevonden?' Zoals de meeste pathologen die hij kende was Browne notoir onwillig de tijd van overlijden in te schatten. 'Mag het vandaag iets preciezer, dokter?'

Browne haalde diep en piepend adem en zette haar handen op haar voluptueuze heupen. 'Nou, aangezien ik zo'n vreselijk goede bui heb vandaag... De eerste sneeuw is donderdag gevallen, dus in ieder geval ergens in de afgelopen drie dagen.'

'Dat helpt enorm.'

'Onderbreek me niet. Ik wilde gaan zeggen dat het naar mijn mening minder is dan dat. Ze heeft de omgevingstemperatuur en de rigor is net begonnen, hoewel die zwak is vanwege de kou. Tenzij ze in een vrieskist is bewaard, waar we dan in het lab achter komen, neem ik aan dat ze niet langer dan twee dagen dood is. Ik weet dat jullie graag precieze details horen, maar meer kan ik er niet over zeggen tot na de obductie, vanavond, en die levert niet met zekerheid meer op.'

'Dank u,' zei hij met een waarderende glimlach, die Browne beantwoordde met een kort knikje. 'Bel maar als u me bij de post mortem nodig heeft. Verder nog iets?'

'Ja. Je zult dit ook wel willen zien.' Ze boog zich piepend voorover en pakte een bewijszakje, dat op de grond naast haar koffer tussen nog wat zakjes en haar medische instrumenten lag. Ze stak het naar Tartaglia uit. 'Iemand heeft hier een levendige fantasie.'

Hij zag door het doorzichtige plastic een gekreukeld velletje papier met tekst, die er gecentreerd getypt op stond:

Haar ogen, zo koud als juwelen
verzachten heel even; een kreet
De armen zo zwaar, ze bevelen
haar lippen, zo rood en zo wreed
als die zijn vergaan, o pylades
wat blijft er dan nog, wat zal zijn
Mystieke en somb're Dolores
O, Vrouwe van Pijn?

'Dat viel uit haar mond toen ik haar onderzocht,' zei Browne. 'Vreemde plaats voor een slecht gedicht, vind je niet?'

'Nou. Het is in ieder geval nogal theatraal.'

'*Crime Scene Investigation* heeft heel wat op zijn geweten, als je het mij vraagt.'

Tartaglia knikte en bleef zijn blik op het papiertje gericht houden in een poging iets te maken van de vreemde beeldspraak. Was het een grap, of had het echt betrekking op de dode vrouw? Het rinkelen van zijn telefoon onderbrak zijn gedachten. Het was Donovan.

'Er is iemand als vermist opgegeven,' zei ze. 'Het ziet ernaar uit dat we weten wie het is. Ze heet Rachel Tenison. Ze was galeriehoudster en is donderdag aan het eind van de middag voor het laatst op haar werk in het West End gezien. Haar zakenpartner heeft haar vrijdag als vermist opgegeven toen ze niet voor een belangrijke lunchafspraak kwam opdagen. De leeftijd en beschrijving kloppen precies en ze woont vlak bij het park.'

2

Tartaglia stond iets voor zeven uur die avond voor het rood bakstenen appartementencomplex aan Campden Hill, waar Rachel Tenison had gewoond. Hij kwam linea recta van de obductie, die in volle gang was, toen Nina Turner hem had gebeld dat ze nu de woning van het slachtoffer met hem kon bekijken. Hoewel het lichaam nog niet officieel was geïdentificeerd, werd haar identiteit bevestigd door foto's op haar paspoort en rijbewijs en werd haar flat behandeld als potentiële plaats delict. De stoep en straat voor het pand waren afgezet en het verkeer werd omgeleid. Hij baande zich een weg door de groep bewoners en verslaggevers die voor de tape stonden, en een agent van de uniformdienst schreef hem in. Hij stak de weg over, liep de trap op en de grote mahoniehouten voordeur van het pand in. De hal was na de duisternis buiten verblindend verlicht door een enorme koperen kroonluchter en er hing een aangenaam sterke chemische geur: metaalpoetsmiddel of meubelwas, hij wist het niet zeker. De vloer en trap waren bekleed met een ingetogen blauw, dik tapijt, de crèmekleurige hoogglansmuren waren zo te zien net geverfd, en al het beslag glom of het net was gepoetst.

Donovan stond te wachten, al helemaal aangekleed in een forensisch pak. Achter in de hal was een omkleedruimte geïmproviseerd en ze wachtte terwijl hij snel een pak aantrok.

'Haar flat is op de vijfde verdieping,' zei ze toen hij klaar was, en ze leidde hem naar wat eruitzag als een stokoude kooilift die in het trappenhuis was genesteld. 'Er zijn vrijdagmiddag wat agenten van de uniformdienst van het wijkbureau geweest, nadat Rachel Tenison als vermist was opgegeven.'

'Dat is snel,' antwoordde hij terwijl hij het hek opensjorde en de lift in liep. Er werden in Londen aan de lopende band mensen als vermist opgegeven, maar er waren heel veel redenen waarom mensen op stap gingen en vergaten iemand te vertellen waar naartoe. Over het algemeen zat er niets sinisters achter, en bijna iedereen kwam gewoon weer thuis zonder dat er iets mis was geweest.

Hij gooide het hek dicht en Donovan drukte op het knopje voor de vijfde verdieping. 'Dat zal wel komen doordat ze in Kensington woonde,' zei ze, en ze drukte nog een keer op het knopje, aangezien er niets gebeurde. 'En die zakenpartner wist aan welke touwtjes hij moest trekken. De portier heeft hen binnengelaten, maar er waren geen braaksporen en alles zag er onaangeroerd uit, dus ze zijn weer vertrokken.'

De lift kwam met een schok tot leven en begon langzaam omhoog te klimmen.

'Nou, het past wel precies in de tijdlijn die ik uit dokter Browne heb kunnen lospeuteren,' zei Tartaglia, die wenste dat hij de trap had genomen. De laatste keer dat hij met een kooilift was gegaan had hij meer dan een uur tussen twee verdiepingen vastgezeten. 'Als ze in het park is omgebracht, betekent dat dat ze er een dag of twee heeft gelegen. Gezien de locatie en de sneeuw verrast het me dat ze zo snel is gevonden. Er is geen bewijs van verzet of iets verdachts in de flat?'

'Nee. Niets.'

'En camerabewaking?'

'Er hangt een camera bij de voordeur, maar die neemt alleen op als iemand op een bel drukt, en hij filmt geen mensen die het pand verlaten. De nooduitgangen kunnen alleen van binnen naar buiten open en daar hangen geen camera's. Wightman is naar de gemeente om te vragen wat er op straat hangt.'

'In deze wijk zal dat niet veel zijn.'

Ze waren in een dure woonwijk, niet ver van de winkels en cafés in Notting Hill Gate en Kensington High Street. Normaal gesproken werd dit soort wijken niet geteisterd door meer dan wat autodiefstal, kleine inbraak en nu en dan een door een junk gepleegde overval. Hoewel slachtoffers steen en been klaagden over de gebrekkige politiebescherming, was er niet genoeg geld en wilde de gemeente het niet verspillen aan camera's die alleen materiële eigendommen in de gaten hielden.

De lift kwam op de vijfde verdieping trillend tot stilstand en Tartaglia trok zo snel hij kon het hek open om te voorkomen dat het gevaarte zich zou bedenken, waarbij zijn vingers bijna klem kwamen. Hij liet Donovan eerst uitstappen en liep achter haar aan de gang in. Donovan bleef staan bij een houten paneeldeur en klopte aan. Er werd even later opengedaan door de lange, slanke Nina Turner, de forensisch coördinator, gekleed in een forensisch pak met overschoenen. Haar lange zwarte haar was volledig bedekt door de capuchon van haar pak en het enige wat hij boven het masker van haar gezicht kon zien was een paar goed gevormde, donkere wenkbrauwen boven amandelvormige bruine ogen.

'We schieten al op,' zei ze met een gedempte stem, en ze liet hen de warme flat binnen. 'We hebben het lichtonderzoek gedaan en foto's gemaakt van vingerafdrukken die we daarbij zagen, maar tot dusverre hebben we niets interessants gevonden. We hebben op verscheidene plaatsen uitstrijkpreparaten genomen en zijn net begonnen met het poederen van de oppervlakken.'

'Fijn.' Hij keek naar het marmeren bijzettafeltje bij de deur. Er stond een lege blauw-witte porseleinen schaal op. Ernaast lagen een opgevouwen exemplaar van *The Independent* en een keurig stapeltje ongeopende post.

'Alles is van vrijdag,' zei Nina. 'Niets persoonlijks, alleen rekeningen en abonnementen, maar we nemen het voor de zekerheid toch maar mee.'

'Enig idee wie het hier heeft neergelegd?'

'Er ligt een briefje op de keukentafel, van ene Leonora. Er staat op dat ze vrijdag vierenhalf uur heeft schoongemaakt. Ik neem aan dat zij de post van beneden heeft meegenomen, en voor zover ik het kan zien is ze hier grondig te werk gegaan. Meters beige tapijt en geen stofje te vinden. Die vrouw verdient een medaille.'

'We moeten haar zien te vinden. Hebben we een agenda of pda van het slachtoffer?'

Nina schudde haar hoofd. 'Bij de voordeur stond een handtas, met de portemonnee van het slachtoffer erin. Er zit ongeveer honderd pond in en een stapel pasjes, rijbewijs et cetera, en de gebruikelijke vrouwenonzin. Maar geen pda of mobieltje. En er staat ook nergens een computer, hoewel er wel een aansluiting is, en in de logeerkamer staat een printer.'

'En er zijn geen braaksporen?' vroeg Donovan.

Nina schudde haar hoofd. 'De sleutels van het slachtoffer missen ook, dus misschien dat iemand zichzelf heeft binnengelaten. Maar als dat zo is, kan ik er geen sporen van vinden.'

'Misschien heeft ze om de een of andere reden al haar spullen op kantoor laten staan,' zei Donovan.

'Regel maar wat met Nick,' antwoordde Tartaglia. 'We moeten haar zakenpartner vragen of die er iets over weet.'

Donovan knikte en greep in haar jaszak naar haar telefoon.

'Er stonden wat gebruikte bekers en glazen in de afwasmachine,' zei Nina, die met hem de gang door liep. 'Moeten we alles op vingerafdrukken nalopen? Zo te zien zijn het de enige objecten in het hele huis die de schoonmaakster niet rigoureus onder handen heeft genomen.'

'Graag. Verder nog iets?'

'Tot nu toe niets ongebruikelijks. Weet je zeker dat je wilt rondkijken?'

'Je kent me. Ik wil een indruk krijgen van wie ze was, van wat voor leven ze leidde.'

Hij liep achter Nina aan de woonkamer in, waar een kleine forensisch onderzoekster de deurkruk stond te poederen. Het was een grote kamer, met drie hoge ramen, bijna van de vloer tot het plafond, elk met een smeedijzeren balkonnetje ervoor. Hij liep naar een van de ramen en staarde de donkere, bewolkte hemel in. Het was weer gaan sneeuwen en er waaiden dikke vlokken langs het raam, die zich op de al dikke laag sneeuw op het balkon nestelden. Er stond gegarandeerd nog steeds een clubje vasthoudende verslaggevers beneden op de stoep, maar die kon hij niet zien. Hij keek de heuvel af tussen de huizen door en zag in de verte auto's over Kensington High Street kruipen, hun lichten schitterend in de mistige lucht als een ketting elfenlichtjes. Hij dacht aan Rachel Tenison, zoals hij haar die middag voor het eerst in het park had gezien, zo wit en delicaat, knielend in de sneeuw als een prachtige, ontluikende bloem.

Even later draaide hij zich om. De ruimte was spaarzaam ingericht, met een mengeling van antieke en moderne meubels. De gordijnen waren neutraal, de muren in ongeveer dezelfde tint, en behalve op de achtermuur, die van vloer tot plafond vol hing met boekenplanken, was er in de hele kamer geen kleur te bekennen. Boven de schoorsteenmantel hing een groot, donker landschap van olieverf, in een zwaar vergulde lijst; de enige decoratie. Neutraal, dat was hoe hij de ruimte zou beschrijven. De kamer leek wel een dure hotelsuite, niet iemands thuis. Hij liep naar de boekenkast, die ook nietszeggend en functioneel was. Hij stond vol met een standaardverzameling klassiekers, moderne fictie uit de top tien, een mengeling biografieën en een grote rij kunstboeken. Het enige opmerkelijke was dat de boeken op categorie en vervolgens alfabetisch waren gerangschikt. Zo deed hij dat thuis ook, maar hij zag maar zelden kasten van mensen die er ook zo over dachten.

Op een tafeltje naast een van de banken stond een collectie foto's in zilveren lijstjes, de enige persoonlijke spulletjes in de kamer. Aan de kleding en kapsels te zien waren de meeste foto's minstens tien jaar oud. Hij dacht op één ervan de dode vrouw te herkennen, toen ze een jaar of twintig was, en het viel hem op hoe aantrekkelijk ze was, wat hij in het park helemaal niet had opgemerkt, hoewel hij wist dat de dood de neiging had iedereen tot een generiek wassenbeeld te maken. Ze stond naast een lange, serieus uitziende man met donker haar. Zo te zien was hij ouder, en hij had zijn arm beschermend om haar heen geslagen. Ze keek glimlachend naar hem op.

'Heeft ze een relatie?' vroeg hij terwijl hij zich naar Nina omdraaide, die vlak achter hem stond.

'Niet volgens de portier, die beneden woont. Volgens hem woont ze alleen. Ik heb ook geen kleding of andere spullen van een tweede bewoner gevonden. Wil je even in de slaapkamer kijken?'

'Ja. Misschien dat die wat meer over haar vertelt. Deze kamer zegt me helemaal niets.'

Hij liep achter haar aan terug de gang in, waar Donovan nog aan het bellen was, en liep naar de slaapkamer achterin. Toen hij er binnenkwam, zag hij zichzelf en Nina gereflecteerd in een serie spiegelkasten, waarmee een hele muur was bedekt. Achter hen stond een gigantisch houtgesneden hemelbed met donkerrode gordijnen. Hij draaide zich om, verrast zo iets dramatisch in de flat aan te treffen. Het bed was opgemaakt, het linnengoed schoon en wit, een bleekgouden sprei over het voeteneind gedrapeerd. Op de vloer bij het voeteneinde stond een mooie, ouderwetse dekenkist, bekleed met verweerd zwart leer en versierd met rijen dof geworden koperen nagels. Behalve het bed was het het enige meubelstuk in de ruimte met karakter, en het stak erg af. Hij vroeg zich af wat erin zat en boog zich voorover om hem te openen, maar hij zat óf op slot, óf het deksel zat klem.

'Ik ben nog geen sleutel tegengekomen,' zei Nina.

'Forceer hem maar niet, tenzij je geen keus hebt,' zei hij terwijl hij er nog steeds naar keek, nieuwsgierig waarom hij op zo'n prominente plaats stond en op slot was. 'Hij is prachtig.'

Op een leunstoeltje en een stel nachtkastjes met lampjes na was de kamer verder leeg. Er lagen wat boeken op de nachtkastjes, er stond een wekker op, maar wat hem het meeste opviel was de afwezigheid van schoenen of kleding, of andere gebruikelijke alledaagse voorwerpen. Hij had nog nooit zo'n nette kamer gezien.

'Gek, hè?' zei hij tegen Nina. 'Het lijkt wel of hier niemand woont, vind je niet? Het zou zo een theaterdecor kunnen zijn, hoewel dan iemand vast de moeite had genomen het persoonlijker aan te kleden.'

Nina knikte. 'We zullen het beddengoed meenemen, maar volgens het briefje in de keuken zijn de lakens vrijdag naar de wasserette gegaan.'

'Jammer,' zei hij en hij liep naar een deur in de hoek van de kamer.

Hij deed het licht aan en keek een kleine badkamer in. Witte handdoeken hingen netjes opgevouwen aan een rek en de weinige potjes en flesjes stonden in een keurige rij op de kalkstenen wastafel, een paar grote flessen parfum en een schaaltje met zeep op het glazen plankje erboven. Ook hier was het bijna klinisch, zonder de gebruikelijke vrouwelijke attributen. Hij zag zichzelf in de spiegel en merkte op dat hij zwarte kringen onder zijn ogen had, en dat hij zich die ochtend had vergeten te scheren. Jammer dan, bedacht hij met een zucht terwijl hij het licht uitklikte en zijn hoofd de slaapkamer weer in trok. Het was zondag, hoor.

Nina stond op de gang te wachten.

'En dan zeggen ze dat ík obsessief netjes ben,' zei hij. 'Maar dit is wel erg extreem. Ik heb nog nooit zo'n badkamer of slaapkamer van een vrouw gezien. Waar zijn al die spulletjes die jullie zo essentieel vinden, al die dingen waar je niet zonder kunt leven...' Hij was even stil en dacht terug aan de legers flesjes, brouwseltjes en vreemde, onbekende medicijnen en smeersels die zijn badkamer in het verleden van tijd tot tijd hadden overgenomen.

'Dat is een cliché,' snauwde Nina. 'Niet alle vrouwen zijn slordig.'

'Maar deze is niet normaal, en dat zegt een heleboel over Rachel Tenison. Heb je haar kleren al gezien?'

'Ik heb alleen even snel gekeken: alles is duur, maar onopvallend smaakvol, niets opzichtigs. Zoals je je wel kunt voorstellen lijken alle planken wel of ze in een kledingwinkel thuishoren. Alles ligt op kleur gesorteerd, kun je dat geloven? Als we klaar zijn met poederen, bekijken we het goed.'

Hij slaakte een gefrustreerde zucht. Hij begon de anonimiteit van de flat en het gebrek aan menselijke aanwezigheid verontrustend te vinden. Er was geen persoonlijkheid. Niets. Wat voor vrouw kon zo leven? Hij kon zich niets bij haar voorstellen.

Hij wreef over zijn kin, keek nog even de ruimte in en besloot dat het tijd was om door te gaan. 'Laat de rest ook maar even zien, hoewel dat vast geen nieuwe inzichten geeft.'

Toen ze de slaapkamer uit liepen kwam er een lange, pezige forensisch onderzoeker aanlopen, met een grote tas en een fototoestel over zijn schouder.

'Ik ben bijna klaar,' zei hij met een gedempte stem tegen Nina. 'Ik ga nu de slaapkamer doen.'

'Mooi. En kun je als je klaar bent Jan gaan helpen met poederen? Waar is Dave?'

'In de studeerkamer; hij pakt de paperassen en het antwoordapparaat in.'

Hij liep langs hen heen op de smalle gang en Nina leidde Tartaglia terug de gang door naar een kamer aan de andere kant. Behalve dat er in een hoek bij het raam een eenpersoonsbed stond werd hij zo te zien gebruikt als kantoor, met een eenvoudig modern bureau, een stoel en een archiefkast. Toen ze binnenkwamen, kroop er net een forensisch onderzoeker met een hand vol kabels onder het bureau vandaan.

'En?' vroeg Nina.

'Negen berichten sinds vrijdag,' zei de man, die opstond en de draden lostrok, die hij vervolgens om een klein antwoordapparaat wikkelde. 'Drie keer opgehangen, vier telefoontjes van ene Selina, die zich afvraagt waar ze is, en één van ene Liz, die zegt dat ze verlaat is maar er aankomt. Ik heb alle namen en tijden genoteerd.' Hij gaf Tartaglia een vel papier van het bureau aan. 'Ik zal op kantoor meteen een volledige transcriptie voor u maken.'

'Dank je,' zei Tartaglia, die het vel opvouwde en in zijn zak stak.

Hij hoorde in de verte wat hij aannam dat de voordeurbel was.

'Ik ga wel even kijken wie dat is,' zei Nina.

Tartaglia liet de forensisch onderzoeker achter om het kluwen kabels onder het bureau te ontrafelen, liep naar het raam en keek naar buiten. Nu zag hij de verslaggevers wel: ze stonden nog steeds in een kluitje bij de tapeafzetting. Hij zag in de verte de donkere boomtoppen van de bomen in Holland Park. Hij vroeg zich af wat ze daar had gedaan. Of was ze er na haar dood naartoe gebracht?

Hij draaide zich om en wilde net vertrekken toen hij zes grote, ingelijste, korrelige zwart-witfoto's zag, die de achtermuur grotendeels in beslag namen. Het waren allemaal afdrukken van naakte mannen met een masker op. Op sommige bedekte het masker het hele gezicht, op andere alleen de bovenste helft. De mannen waren gespierd, bijna té, en poseerden met verschillende interieurs op de achtergrond, vakkundig geportretteerd, met een zinderende sfeer, bedoeld om te prikkelen. Hij liep er geïntrigeerd naartoe en bestudeerde ze nauwkeuriger. Elke afdruk was in de hoek gesigneerd en genummerd, duidelijk onderdeel van een beperkte oplage, en hij vroeg zich af hoeveel zoiets zou kosten. Vast een klein kapitaal. De sfeer deed hem denken aan een ansichtkaart van Herb Ritts, van een goed bedeelde man op een motorfiets, die een vriendinnetje hem eens voor de grap had gestuurd. De bestuurder moest hem voorstellen, hoewel hij op een Harley in plaats van een Ducati zat, niet dat zij het verschil zou zien. Hoewel de foto's beslist niet pornografisch waren, waren ze wel de eerste tekenen van een persoonlijkheid in een verder nietszeggende flat en daardoor een vreemd tableau. Nog gekker was dat ze achter de deur van de studeerkamer hingen, bijna verstopt, hoewel Rachel Tenison er zittend aan haar bureau met de deur dicht van had kunnen genieten. Het deed hem denken aan die film van Stanley Kubrick, *Eyes Wide Shut*. Hij vroeg zich net af wat voor soort vrouw dergelijke afbeeldingen zou kiezen toen Nina haar hoofd om de deur stak.

'Ik denk dat je even moet komen, Mark,' zei ze. 'Er staat beneden een mevrouw die zegt dat ze voor Rachel Tenison komt. Ze hadden een eetafspraak. Ze weigerde te vertrekken, dus ze hebben haar binnengelaten. Sam Donovan is er al naartoe.'

Hij trof de vrouw zittend op de onderste trede van de dik beklede trap in de hal aan. Ze zat met gebogen hoofd zacht te huilen. Ze had een lange, zwarte jas aan die het grootste deel van haar benen bedekte en als een rok over een paar treden boven haar lag gedrapeerd. Ze had haar handen tegen haar gezicht geduwd en het enige wat hij kon zien was een bleek driehoekje voorhoofd onder een berg lang blond haar.

Donovan zat naast haar met een arm om haar schouders. 'De portier is even een borrel halen,' zei ze terwijl ze naar hem opkeek. 'Dit is Liz Volpe. Ze is een goede vriendin van Rachel Tenison. Ze hadden vanavond een eetafspraak.'

'We moeten met haar praten,' zei hij zacht, met het geluid van gedempt huilen op de achtergrond. 'Ik zal even vragen of we de flat van de portier mogen gebruiken.'

Even later zaten ze rond het gaskacheltje van de portier in zijn woonkamer in het souterrain. De deur was dicht, en de portier stond er vast achter, in de hoop iets van het gesprek op te vangen. Het was onaangenaam heet in de kleine ruimte en Tartaglia stond bij het raam, dat hij een stukje had opengedaan om wat frisse lucht binnen te laten. Donovan zat naast Liz Volpe op de bank; er stond een doos tissues tussen hen in. Een groot glas whisky had zijn werk gedaan en Liz Volpe begon weer een beetje kleur op haar wangen te krijgen.

'Ze was mijn beste vriendin,' mompelde ze bijna tegen zichzelf terwijl ze wat tranen van haar gezicht veegde en langzaam haar hoofd schudde. 'Ik kan het niet geloven.'

Het waren de eerste woorden die hij haar duidelijk hoorde spreken. Haar stem was laag en een beetje hees, alsof ze verkouden was. 'U zei net dat ze behalve een stiefbroer geen naaste familie heeft?' zei Donovan, en ze wachtte op antwoord. Liz leek verloren in haar eigen wereld en niets te horen.

'We moeten die broer zo snel mogelijk zien te vinden,' zei Tartaglia.

Even later knikte Liz. 'Patrick. Patrick Tenison. Het parlementslid.' Ze snakte naar adem als een vis op het droge.

'Heeft u zijn telefoonnummer?' vroeg hij terwijl hij een zucht onderdrukte, die naar boven kwam omdat hij de naam herkende. Een lijk in Holland Park was al nieuws op zich, maar betrokkenheid van een parlementslid bij een moordonderzoek betekende extra, ongewilde persaandacht. Hij zag de man niet voor zich, maar als hij het zich goed herinnerde had hij een of andere functie in het schaduwkabinet.

Liz boog zich voorover en zocht iets in een grote, overvolle handtas, die bij haar voeten op de vloer lag. Papieren, sleutels, make-up en muntgeld vielen op de vloer terwijl ze bezig was. 'Mijn adresboekje... zit in mijn tas. Ergens.' Ze maakte een vaag handgebaar en ging met een diepe zucht achteroverzitten, alsof de poging te veel voor haar was. Ze sloeg haar armen strak over elkaar.

'Ik zoek het wel even,' zei Donovan, die de tas pakte, hem op schoot zette en erin begon te wroeten.

'Ik weet dat dit geen prettig moment is, na wat u net heeft gehoord,' zei Tartaglia, die wenste dat hij haar niet lastig zou hoeven vallen. 'Maar we moeten u een paar vragen stellen.'

Er kwam geen reactie en even later vervolgde hij: 'Heeft u enig idee wat mevrouw Tenison in Holland Park deed?'

Hij wist weer niet zeker of ze hem had gehoord. Hij wilde net de vraag in andere woorden stellen toen ze nogmaals langzaam knikte. 'Joggen... hardlopen... elke ochtend voordat ze naar haar werk ging... vroeger samen met mij... sinds we klein waren... zou vanochtend gaan... maar met die sneeuw... besloten thuis te blijven.' Haar gezicht was half verstopt achter een gordijn van haar en ze sprak zo zacht dat hij haar nauwelijks verstond en stukjes miste van wat ze zei. Maar hij begreep waar het ongeveer over ging.

'En u had vanavond een afspraak met haar?'

Ze knikte langzaam.

'Wanneer heeft u haar voor het laatst gesproken?'

Ze leunde achterover en staarde naar het plafond, alsof het antwoord daar hing. Haar ogen stroomden weer vol tranen en ze deed ze dicht, wreef met haar handen over haar natte gezicht en legde ze over haar ogen. 'Vorige week. Donderdag, denk ik. Ja, donderdag.'

'En daarvoor?'

'Een tijdje niet,' mompelde ze. 'Ik was er niet.'

'Ik zal u voor nu verder met rust laten. Rechercheur Donovan kan u wel even thuisbrengen, maar we zullen u morgenochtend vroeg nogmaals, en diepgaander, moeten spreken. Als u uw gegevens aan rechercheur Donovan wilt geven...' Hij was nog steeds niet overtuigd dat hij overkwam. Hij knielde op de vloer zodat hij haar recht kon aankijken en zei: 'Het spijt me dat ik u dit moet vragen, maar kunt u iemand bedenken die mevrouw Tenison kwaad zou willen doen?'

Haar handen gleden van haar gezicht en ze staarde hem geschokt aan, alsof hij iets onvoorstelbaars had gezegd. Tegen het verhitte roze van haar huid waren haar ogen van een buitengewone kleur blauw.

'Heeft u enig idee?' herhaalde hij, maar ze gaf geen antwoord.

‘Nee,’ fluisterde ze toen, en ze verborg haar gezicht weer achter haar handen.

Hij stond op, trok een visitekaartje uit zijn zak en legde het voor haar op de salontafel. ‘U kunt me altijd bellen als u nog iets bedenkt. Dan nemen we in ieder geval morgenochtend contact met u op.’

Toen hij de kamer uit was en de deur achter zich sloot, ging zijn mobieltje. Het was dokter Browne; ze was net klaar met de obductie. Hij wendde zich van de portier af, die met een mok thee in zijn hand hoopvol in het piepkleine halletje stond, en luisterde geconcentreerd.

‘Oké. Ik kom eraan.’ Hij klapte zijn telefoon dicht en beende de flat uit voordat de portier kans had iets te vragen.

3

Hij trof dokter Browne, nog in haar operatieschort, bij een koffieautomaat in de gang in de kelder van het mortuarium aan.

'Ik wil zwarte, maar dat verrekte ding blijft me maar met melk geven,' zei Browne zonder op te kijken. Ze drukte ongeduldig op een paar knoppen en het apparaat kwam zoemend tot leven. Tartaglia zag meerdere plastic bekertjes koffie met melk op de tafel ernaast staan.

Wagners *Siegfried* galmde de gang door uit de open deur van Brownes kantoor een paar meter verderop. Tartaglia was een operaliefhebber, vooral van Italiaanse, maar van Wagner, en met name *Siegfried*, begreep hij niets. Het herinnerde hem aan een vriendin die hij ooit had gehad, een operazangeres met wie hij de hele serie *In de ban van de ring* had moeten kijken voordat ze met hem naar bed wilde. Typisch, dat Browne van die muziek hield.

'Shit,' blafte Browne, die haar vingers brandde terwijl ze een overvol bekertje uit het apparaat peuterde. 'Koffie?'

'Nee, dank u.'

Browne nam een slokje en trok een gezicht. 'Gelijk heb je, hij is niet te drinken. Normaal gesproken blijf ik uit de buurt van die machine, maar mijn koffiezetapparaat is kapot. Loop je even mee naar mijn kamer?'

Ze gebaarde met haar hand en beende de gang door, haar schoenzolen knarsend op het linoleum en Tartaglia in haar kielzog. Ze leidde hem een kamertje zonder ramen binnen, waarvan één muur was bedekt met planken vol medische naslagwerken en paperassen. De enige versiering was een glanzende kalender boven een archiefkast. De foto voor februari was er een van een stevige wildstamppot met Parmezaanse kaas en aardappel, vergezeld van het recept, en aangezien Tartaglia sinds het ontbijt nauwelijks iets had gegeten, liep het water hem in de mond.

Op een stapel dossiers op het bureau lagen de resten van naar azijn ruikende fish-and-chips op een vet geworden krantenpagina. Browne liet zich met een zucht die bijna een grom was in een brede stoel achter haar bureau zakken en pakte een afstandsbediening uit een lade, waarmee ze de muziek uitzette. Ze gebaarde Tartaglia tegenover haar plaats te nemen, propte een paar slap geworden frietjes in haar mond, pakte de krant en gooide hem in de prullenbak.

'Zoals ik aan de telefoon al opmerkte,' zei ze terwijl ze haar mond en vingers vluchtig afveegde aan een papieren servetje voordat dat ook in de prullenbak verdween, 'is de doodsoorzaak verstikking.'

'Is ze gewurgd?'

Browne leunde achterover in haar stoel en begon langzaam van de ene naar de andere kant te wiegen terwijl ze haar handen losjes ineensloeg en op haar buik legde. 'Het tongbeen is gebroken, maar er zitten geen zichtbare verwondingen in de hals, dus het is niet met de hand gedaan. Het kan zijn gebeurd door een zware klap, maar ik denk eigenlijk, gezien andere aanwijzingen die we hebben aangetroffen, dat ze in een soort armklem is gehouden.'

'Van achteren...'

De patholoog knikte. 'Het slachtoffer heeft schaafwonden onder de kin van een scherp object.'

'Iets aan de kleding van de moordenaar?'

'Mogelijk.'

'Of een horloge, of een of ander sieraad.'

Browne gromde nogmaals en perste haar kleine, roze lippen samen. 'Mogelijk, of een metalen knoop of manchetknoop. Ze heeft ook diepe schaafwonden op haar gezicht, die aangeven dat ze zich heeft verweerd.'

'Dus de moordenaar staat achter haar,' zei hij terwijl hij de scène voor zich probeerde te zien, 'met zijn onderarm om haar hals om haar onder controle te houden. Ze probeert zichzelf los te wrikken en haalt haar gezicht open.'

'Zo zal het ongeveer zijn gegaan.' Browne haalde haar schouders op; ze zat nog steeds te wiegen. 'We hebben haar nagels schoongemaakt.'

'Laten we dan maar hopen dat ze de moordenaar heeft gekrabd.' De kans dat een man een armklem zou gebruiken om een vrouw in bedwang te houden was groter, maar je had niet heel veel kracht nodig om iemand zo om te brengen; je moest alleen op de goede plaats drukken en in staat zijn het slachtoffer in bedwang te houden. 'Is ze verkracht?'

'Ante-mortemkneuzingen op de dijen en vagina suggereren dat wel, hoewel het zoals je weet moeilijk is daar met zekerheid een uitspraak over te doen. Ze heeft ook kneuzingen op haar hals en borsten, die kunnen betekenen dat ze is gebeten of dat er iemand hard aan haar heeft gezogen. We hebben geprobeerd er speeksel af te schrapen, maar de sporen zijn niet duidelijk genoeg om een gebit aan tonen. Gek genoeg zijn al die kneuzingen een paar uur of langer voor haar dood ontstaan.'

Hij fronste zijn wenkbrauwen. 'Weet u dat zeker?'

Browne hield op met wiegen en sloeg haar armen over elkaar. 'Absoluut. De blauwe plekken zijn te goed zichtbaar.'

'Dus het is mogelijk dat de verkrachting en de moord los van elkaar staan.'

'Dat is niet duidelijk.'

Tartaglia wreef over zijn kin en probeerde het te begrijpen. 'Maar hoe groot is de kans dat je eerst wordt verkracht, en vervolgens vermoord, door twee verschillende mensen, en dat binnen een paar uur?' vroeg hij, bijna aan zichzelf. 'Het moet dezelfde persoon zijn geweest... Of ze is niet verkracht.'

Browne haalde haar schouders op alsof dat haar om het even was. 'Zoals ik al zei is het onduidelijk. Maar ik kan je wel vertellen dat ze naar drank stonk toen ik haar openmaakte. Je zult voor het precieze promillage op het toxicologisch rapport moeten wachten, maar ik durf wel te stellen dat ze hem flink had zitten toen ze stierf.'

'Dus ze is ladderzat en heeft ruige seks, gewenst of ongewenst. Een paar uur later wordt ze vermoord en ligt ergens op haar rug. Even later komt de moordenaar terug en posteert het lichaam waar we het hebben gevonden.'

'Dat is het wel ongeveer, ja.'

'Was ze al dood toen ze werd vastgebonden?'

Browne tuurde hem bedachtzaam aan van over haar brillenglazen. 'Dat is ook niet met zekerheid te zeggen. Je ziet aan de binnenkant van haar armen dat ze in bedwang is gehouden, en ze heeft schaafwonden op enkels en polsen die ook wijzen op dwang. Ze zijn niet van de tape, maar van iets scherpers. Gezien de kleur van de kneuzingen en de zwellingen zijn die ook van een paar uur voor haar dood.'

'Kan het een touw zijn geweest?'

'Nee. Het was harder en scherper. Ik zou eerder denken dat er handboeien zijn gebruikt.'

'Wat aansluit bij de gedachte dat ze is verkracht.'

Browne knikte. 'Er was nauwelijks zwelling rond de tape aan polsen en enkels, dus ik denk dat ze al dood was, of bijna, toen de tape werd gebruikt.'

Hij begreep het nog steeds niet en dacht terug aan Rachel Tenisons flat. 'We hebben in haar appartement geen sporen van een gevecht of verkrachting aangetroffen. Misschien is ze ergens anders gedood, vervolgens vastgebonden met die tape en later in het park gedumpt, hoewel ik niet zou weten hoe je ongezien een lichaam zo ver het park in zou kunnen slepen. En waarom zou je die moeite doen?'

Browne staarde hem uitdrukkingsloos aan. 'Daar wil ik niet over speculeren.'

Aangezien hij echt geen idee had wat er was gebeurd, wilde hij haar net vragen dat tóch te doen toen zijn telefoon ging. Het was Donovan.

'Ik heb de stiefbroer gevonden, Patrick Tenison,' zei ze. 'Hij was op weg terug naar Londen van uit zijn kiesdistrict, waar hij woont. Hij wacht over een uur op je in zijn flat.'

Het appartement van Patrick Tenison was op de bovenste verdieping van een hoog, omgebouwd negentiende-eeuws pand in Westminster, vlak bij de Houses of Parliament. Tenison drukte op de zoemer om Tartaglia binnen te laten en stond bij zijn voordeur op hem te wachten toen hij de lift uit kwam. Tenison was nonchalant gekleed, in een bruine broek van ribfluweel en een geruit overhemd zonder stropdas. Hij was lang en goed gebouwd, met een breed gezicht en heel kort donker haar. Tartaglia zag meteen dat hij de oudere versie was van de man op de foto in de flat van Rachel Tenison.

Hij stak zijn hand uit naar Tartaglia. 'Kom binnen, rechercheur. Sneeuwt het weer?' Hij keek terloops naar Tartaglia's natte leren jack en helm terwijl hij hem het kleine halletje binnenliet.

'Het is net weer begonnen. En hard ook.'

'Als u wilt kunt u uw jas daar te drogen hangen.' Tenison wees naar wat haken bij de voordeur. 'Het maakt niet uit als de vloer nat wordt. Het tapijt moet vervangen, maar de huisbaas is er nog steeds niet aan toe gekomen.'

Tartaglia legde zijn helm op de vloer en ritste zijn jack open. Hij haalde zijn pen en blocnote uit de zak, schudde het jack uit en hing het op. Hij liep achter Tenison aan een kleine zitkamer met laag plafond in aan het einde van de gang. In een hoek van de kamer stond een tafeltje met drank en Tenison schonk een groot glas cognac met spuitwater voor zichzelf in.

'U ook iets drinken?' Tenisons stem klonk vlak, uitgeblust.

'Nee, dank u.' Tartaglia ging zitten en keek om zich heen in de te kleine kamer.

Er hingen saaie schilderijen aan de muur, en de kamer was ingericht met nepantiek en een havermoutkleurig tapijt. Het zag eruit als een goedkope bedrijfswoning en niet een plek waar Tenison veel tijd doorbracht, gezien het gebrek aan boeken of persoonlijke bezittingen. Onder de overhangende dakrand waren twee ramen, en Tartaglia zag door de open luiken de glinsterende lichten en silhouetten van de gebouwen langs de Theems, en het reuzenrad London Eye.

'Kunt u me vertellen wat er is gebeurd?' vroeg Tenison terwijl hij met een glas in zijn hand op Tartaglia af kwam lopen en tegenover hem in een leunstoel ging zitten. 'De agenten die bij me thuis zijn geweest... Ze zeiden dat ze onder verdachte omstandigheden is gestorven, dat ze is gewurgd. Ze vertelden dat ze in Holland Park is gevonden.' Hij sprak zacht, elk woord nauwkeurig gearticuleerd, alsof hij moeite deed zijn spraak onder controle te houden. Hij zette zijn glas aan zijn lippen en dronk het in drie teugen leeg.

'Inderdaad,' zei Tartaglia op zijn hoede. 'Heeft u enig idee wat ze daar deed? Het is maar een steenworp van waar ze woonde, dus ik vroeg me af...'

'Ze ging er over het algemeen 's ochtends hardlopen. Ze was gek op dat park. Het is de reden dat ze die flat heeft gekocht.'

Dat sloot aan bij wat Liz Volpe had gezegd en Tartaglia maakte een aantekening. 'Ging ze ook lopen als het slecht weer was?'

'Juist dan. Ze had het park graag voor zichzelf.' Tenison zette zijn lege glas neer en wreef in zijn ogen. 'Weet u wat zo gek is? Ik heb haar altijd gewaarschuwd dat ze niet alleen moest gaan rennen. Ik heb gezegd dat het gevaarlijk was, maar ze trok zich van mij niets aan.' Hij keek op en zijn bruine ogen zochten het gezicht van Tartaglia. 'Wat is er gebeurd?'

'Het spijt me, maar daar kan ik op het moment niet op ingaan.'

'U kunt me toch wel íets vertellen?' Tenison staarde hem nog aan. 'Is ze... Is ze verkracht? Was het een seksuele moord?'

'Daar kan ik nu echt niets over zeggen,' zei Tartaglia resoluut. Het was logisch dat Tenison meer wilde weten, maar hoe minder hij, of wie dan ook die een band had met Rachel Tenison, erover wist, hoe beter. Iedereen in haar onmiddellijke familie- en vriendenkring was verdacht, tot de alibi's waren bevestigd.

'Ik begrijp het,' zei Tenison, en hij fronste zijn wenkbrauwen alsof hij niet blij was met het gebrek aan helderheid. 'Heeft u enig idee wie het heeft gedaan?'

'Het is nog veel te vroeg om daar een uitspraak over te kunnen doen, meneer Tenison. Het is een van de redenen waarom ik hier ben. Heb ik goed begrepen dat u haar enige naaste familielid bent?'

Tenison knikte. 'Ik ben haar stiefbroer. Mijn vader is met haar moeder getrouwd toen Rachel drie was. Ze heeft toen onze achternaam aangenomen.'

'Leven ze nog?'

Hij schudde zijn hoofd. 'Ze zijn omgekomen in een autoongeluk toen Rachel twaalf was. Ik woonde toen bij mijn moeder. Ze heeft Rachel onderdak aangeboden; ze kon nergens anders naartoe.' Tenison sprak ongeëmotioneerd, alsof hij een buitenstaander was, maar iedereen ging op zijn eigen manier met een shock om. Tartaglia kreeg de indruk dat zijn afstandelijke manieren enkel een mechanisme waren om zijn zelfbeheersing te bewaren.

'Nergens? En Rachels vader dan?'

'Die heeft ze nooit gekend. Hij heeft haar moeder kort na Rachels geboorte verlaten en ze hebben niets meer van hem vernomen. Hij heeft nooit meer contact opgenomen. Voor hetzelfde geld is hij ook dood.'

Tartaglia, die uit een grote, warme familie kwam van wie iedereen hem onder dergelijke omstandigheden liefdevol zou hebben willen opnemen, werd geraakt door de gedachte dat een twaalfjarig meisje op de wereld achterbleef met alleen een stiefbroer en zijn moeder. Hij zag Rachel Tenison weer voor zich zoals hij haar had aangetroffen, zo fragiel en gebroken, en voelde een hevige steek van verdriet, en het plotselinge, irrationele verlangen haar te beschermen, ook al was ze dood.

'U zult het lichaam moeten identificeren,' zei hij, zijn blik nog op Tenisons uitdrukkingsloze gezicht gericht.

Tenison knikte. 'Alles waarmee ik kan helpen.'

'Heeft u enig idee waarom iemand uw zus zou willen doden, meneer Tenison?'

Tenison sloot zijn ogen even, haalde zijn neus op en schudde zijn hoofd. 'Rachel was een zeer speciale, getalenteerde vrouw,' zei hij, plotseling geëmotioneerd. 'Ze had geen vijanden. Iedereen die haar kende hield van haar.'

'En vrienden, of vriendinnen? Was er iemand met wie ze een extra sterke band had?'

'Dat zou u aan Liz moeten vragen. Liz Volpe. Die kent Rachel het langst. Rachel kwam bij haar in de klas toen ze bij ons kwam wonen.'

'Verder nog iemand?'

Tenison zuchtte. 'De meeste van Rachels andere vriendinnen zijn getrouwd en hebben kinderen. Hun leven heeft een heel andere wending genomen dan het hare en een deel van hen woont niet meer in Londen. Rachel was peetmoeder van een paar van hun kinderen, maar ik heb niet de indruk dat ze hen vaak zag.'

'Wie zag ze wel? Ik neem aan dat ze niet altijd thuiszat.'

'Rachel stak veel energie in haar werk, rechercheur. Het was als een huwelijk, of een kind. Ze had niet veel tijd over voor andere dingen.'

'Was ze succesvol?'

'Enorm.'

'Neem me niet kwalijk dat ik erover begin, maar ik heb de indruk dat mevrouw Tenison zeer bemiddeld was.'

'Ze heeft wat geld en vastgoed van haar moeder geërfd, en heeft alles in haar zaak geïnvesteerd. Ze heeft ongelooflijk hard gewerkt en goede zaken gedaan. Ze behoort tot Londens tophandelaren in schilderijen van Oude Meesters.'

'Weet u wie haar notaris is?'

Tenison keek verward. 'Denkt u dat iemand het voor het geld heeft gedaan?'

'Daar hebben we op dit moment geen idee over. U kent het cliché... We moeten overal rekening mee houden.'

Tenison knikte langzaam. 'Crowther en Phillips, aan Lincoln's Inn Fields, maar u kunt zich de moeite besparen daar te gaan praten. Ik ben Rachels executeur-testamentair. Afgezien van een paar kleine donaties aan goede doelen laat ze haar aandelen in de zaak na aan Richard Greville, haar zakenpartner. Haar flat met inhoud, op familiebezittingen na, gaat naar Liz Volpe. De rest van haar activa worden in een trust geplaatst voor mijn kinderen, James en Lorna.'

'Laat ze u niets na?' vroeg hij verbaasd, en hij begon in zijn blocnote te schrijven.

'Dat wilde ik niet.' Tenison perste zijn lippen op elkaar alsof hij niet van plan was er verder nog iets over te zeggen.

'Kent een van de begunstigden de inhoud van het testament?'

'Luister, rechercheur,' zei hij nadrukkelijk terwijl hij met zijn ellebogen op zijn knieën voorover leunde. 'Geen van hen zou Rachel vermoorden om haar geld.'

'Geeft u alstublieft antwoord op mijn vraag, meneer Tenison. Ik moet alles nalopen, alles uitsluiten.'

Tenison leunde zuchtend achterover op de bank. 'Oké. Voor wat het waard is: ik weet vrij zeker dat ze niet op de hoogte zijn. Rachel was erg in zichzelf gekeerd en zou zoiets voor zichzelf houden. En waarom zou ze het vertellen? Ze dacht niet aan doodgaan. Dat testament is er als verstandige voorzorg. We hadden nooit gedacht dat zoiets als dit zou gebeuren.'

'Wanneer is het testament geschreven?'

'Een paar jaar geleden. Die man bij Crowther en Phillips zal u wel precies kunnen vertellen wanneer.'

Tartaglia schreef in zijn blocnote dat iemand dat even moest gaan vragen. 'Had u een goede band met mevrouw Tenison?'

De vraag leek Tenison te verrassen en hij gaf niet direct antwoord. 'Ja, we hadden een goede band. Heel goed.' Hij stond zuchtend op en liep naar het raam, staarde voor zich uit naar buiten. Hij zag er fysiek leeg uit, alsof zijn vulsel eruit was gelopen. Het was echt opmerkelijk, voor een man van zijn lengte en postuur. 'Ik heb verder geen broers en zussen, en zij had die ook niet,' zei hij. 'Ik ben zeven jaar ouder, maar er is in de loop der jaren een hechte band tussen ons ontstaan, hoewel we nooit echt samen onder één dak hebben gewoond. Ik heb altijd het gevoel gehad dat ik haar moest beschermen. Ze was zo'n lief, fragiel poppetje toen ze bij ons kwam wonen. Ze zei alleen het hoognodige, durfde nergens haar mening over te geven en had er een hekel aan het huis te verlaten, alsof ze bang was dat er dan iets vreselijks zou gebeuren. Mijn moeder werd er gek van.'

'Maar jullie gaven veel om elkaar?' vroeg Tartaglia zacht.

'Ja. Heel veel. Ik...' Tenisons stem ebde weg en hij wreef ruw met zijn handen over zijn gezicht.

'Zagen jullie elkaar vaak?'

Tenison haalde zijn neus op en draaide zich snuivend naar Tartaglia om. 'We hadden een paar gemeenschappelijke vrienden. Ik heb mijn vrouw, Emma, via haar leren kennen. Ze studeerden samen aan de universiteit.'

'Waar is uw vrouw, meneer Tenison?'

'In Hampshire. We hebben een huis in mijn kiesdistrict. Ze woont er met de kinderen. Ik kom alleen naar Londen voor mijn werk.'

'Was ze afgelopen vrijdag thuis?'

'Voor zover ik weet. Denkt u dat ze toen...'

'Nogmaals, dat weten we nog niet. Mevrouw Tenison is vrijdagmiddag door iemand van haar werk als vermist opgegeven. Ze is donderdag rond zes uur 's avonds voor het laatst gezien. We gaan natuurlijk nog proberen te achterhalen wat ze daarna heeft gedaan, maar gezien het feit dat ze 's ochtends graag hardliep in het park, ziet het ernaar uit dat ze vrijdag is aangevallen. Kunt u me alstublieft vertellen wat u die dag heeft gedaan?'

Tenison keek hem verbijsterd aan. 'Ik?'

'Het zijn gewoon routinevragen die we iedereen moeten stellen.'

Hij zuchtte vermoeid. 'Natuurlijk. Het spijt me. Natuurlijk moet u alles nagaan. Vrijdag? Ik was hier, alleen natuurlijk, tot een uur of acht. Toen heb ik een trein naar Hampshire genomen, en ik heb het grootste deel van de dag vergaderd. Ik ben nu net pas terug in Londen.'

Tartaglia maakte een aantekening. Als ze preciezer wisten hoe de gebeurtenissen waren verlopen en wisten wanneer ze ongeveer was gestorven, zouden ze alles grondig nalopen. 'Nog even over het motief: besprak mevrouw Tenison haar relaties weleens met u?'

'Hoe bedoelt u, die met mannen?'

'Ja.'

'Niet echt.'

'Maar ze had ze wel?'

'Voor zover ik weet niets serieus, zeker niet recent.'

'Meneer Tenison, uw zus was in de dertig en een aantrekkelijke vrouw. Er moet een keer iemand zijn geweest. Ze moet minnaars hebben gehad.'

Tenison staarde hem zonder iets te zeggen aan.

'Het is heel belangrijk,' voegde Tartaglia toe.

'Oké, rechercheur. Ik hoor wat u zegt.' Hij liep terug naar de bank en plofte neer, benen gestrekt voor zich uit. 'Heeft u Richard Greville al gesproken?'

'Haar zakenpartner? Er is contact opgenomen, maar hij is in het buitenland.'

'Ze hebben lang een verhouding gehad, als je het zo kunt noemen. Richard was haar baas bij Christie's. Ze konden het zo goed met elkaar vinden, om het zo maar te zeggen, dat ze samen een zaak zijn begonnen.'

'Maar ze zijn niet meer bij elkaar?'

'Voor zover ik weet al een tijdje niet meer.'

'Was het een serieuze relatie?'

'Op een bepaald moment volgens mij wel. Het probleem was dat Richard al was getrouwd.'

'En hij wilde niet bij zijn vrouw weg?'

'Nee. En ik weet ook niet zeker of Rachel dat wel wilde.'

'Hoe bedoelt u?'

Tenison fronste zijn wenkbrauwen, alsof hij zijn mond voorbij had gepraat. 'Ik had gewoon de indruk dat ze tevreden was met de situatie zoals die was.'

Tartaglia had het gevoel dat er meer achter Tenisons woorden zat, maar dit was niet het moment om daarnaar te gaan vissen. 'En Richard Greville?'

Tenison haalde zijn schouders op. 'God mag het weten. Ik neem niet aan dat Rachel zijn eerste affaire was, of zijn laatste. Hij is al een jaar of twintig met Molly getrouwd en volledig van haar afhankelijk, op een rare manier. Zij geeft hem de veiligheid en ondersteuning die hij nodig heeft om zijn gang te kunnen gaan. Dat zou Rachel hem nooit hebben gegeven.'

'Wie heeft de relatie verbroken?'

'Rachel, neem ik aan, hoewel het voor zover ik weet niet met vuurwerk gepaard is gegaan. Het was gewoon klaar.'

'Was Greville er verbitterd over?'

'Niet dat ik weet.'

Zoals Tenison het zei, klonk het allemaal zo open en eenvoudig, maar Tartaglia's ervaring was dat affaires maar zeer zelden zo waren, en dat ze over het algemeen niet eindigden met twee tevreden partijen. Tenison was óf naïef, óf hij vertelde niet het hele verhaal.

'Wist de echtgenote van Greville dat hij een verhouding had met uw zus?'

Tenison haalde diep adem, alsof hij het daar liever niet over had. 'Sommige mensen kunnen hun eigen neus niet zien, maar Molly is heel scherp. Ze moet het geweten hebben, hoewel Richard waarschijnlijk stom genoeg was, en ijdel genoeg, om te denken dat ze niets doorhad. Maar ik zie haar Rachel niet vermoorden, als u dat bedoelt.'

'Waarom niet?'

'Wat zou het voor zin hebben? Die affaire was verleden tijd.' Zijn toon was kortaf en afwijzend.

Tartaglia bestudeerde Tenison even. Hij vroeg zich af of zijn reactie voortkwam uit preutsheid of eenvoudigweg afkeuring. Objectief gezien was hij een aantrekkelijke man, maar zijn uitstraling had iets wat een beetje week en bekrompen overkwam, alsof hij een zwak karakter had.

'Weet u dat zeker?'

'Absoluut.'

'Ik krijg de indruk dat u niet dol bent op Richard Greville.'

Tenison haalde zijn schouders op. 'Dat is ook zo. En ik was er ook niet blij mee dat Rachel wat met hem had, zowel zakelijk als privé. Maar daar kun je mensen niets over zeggen, zeker mensen als Rachel niet. Je moet ze hun eigen fouten laten maken en hopen dat ze ervan leren.'

Tenison pakte zijn glas en stond op om het bij te vullen, alsof hij van gespreksonderwerp wilde veranderen.

'En met wie ging ze nadien om?' vroeg Tartaglia, die nog lang niet klaar was.

'Ik heb echt geen idee. Sorry,' zei Tenison stijf, over zijn schouder, terwijl hij zijn drankje stond te mengen.

'Heeft ze het over niemand gehad?'

'Waarom zou ze? Ik was haar oppas niet, en als broer was ik vast de laatste met wie ze zoiets zou bespreken.'

Daar zat wat in. Tartaglia dacht aan zijn eigen liefdesleven, of eigenlijk het gebrek daaraan, en knikte. Zijn hart over dat onderwerp bij Nicoletta uitstorten zou het laatste zijn wat hij zou doen. Hoewel vrouwen over het algemeen over vertrouwelijkere dingen praatten.

Hij vroeg Tenison nogmaals: 'Maar u weet zeker dat de relatie met Richard Greville voorbij was?'

'Absoluut,' zei Tenison, die met een halfvol glas terugliep naar de bank en weer moeizaam ging zitten. 'Ik ken Rachel. Ze zou nooit naar Richard zijn teruggegaan, al had hij haar op zijn knieën gesmeekt en haar de hele wereld aangeboden.'

Tartaglia werd verrast door hoe resoluut Tenison klonk, en door de intense blik in zijn ogen. 'Misschien heeft ze het u niet verteld.'

Tenison schudde ferm zijn hoofd. 'Niemand kende mijn zus beter dan ik, rechercheur. Er was bij Rachel geen weg terug.'

Het was ruim na middernacht toen Tartaglia thuiskwam in Shepherd's Bush. Behalve een kat die over straat rende was het stil. Alle ramen waren donker; iedereen lag allang in bed. Hij zette de motor af, duwde de Ducati over het bevroren pad de voortuin in en zorgde dat het hek niet achter hem dicht kletterde. Hij parkeerde de motor uit zicht achter de heg, zette het alarm aan en trok de plastic hoes eroverheen die hij achter de vuilnisbakken had liggen. Zijn appartementje was op de begane grond van een pand dat in een wirwar van woonstraten stond, in de buurt van Hammersmith Broadway. Hij vond het een fijne wijk, met de vele winkeltjes en goedkope restaurantjes aan de hoofdweg, en een stel leuke pubs op loopafstand. Gemak was alles als je alleen woonde en er werkuren als die van hem op nahield.

De solide gebouwde, laat-victoriaanse rijtjeshuizen stonden een stukje van de straat vandaan achter muurtjes en ondiepe voortuinen. Hun eenvoudige roodbakstenen voorgevels en ruime afmetingen hadden iets geruststellends, met de grote erkers op twee verdiepingen en puntgevels op de zolder. Iemand uit zijn familie had eens gezegd: 'Georgian als het mooi moet zijn en victoriaans voor comfort,' en hij bedacht vaak hoe waar dat was. De meeste panden in de straat waren omgebouwd tot appartementen, sommige van de woningbouwvereniging, de rest als koopflats, en een paar ervan werden nog in hun geheel als woonhuis gebruikt. Aan beide kanten van de weg stonden kersenbomen, de takken nu kaal en vol sneeuw. Over een paar weken zouden ze vol uitbundige roze bloesem zijn, waardoor de straat een bijna magische sfeer kreeg.

Hij deed de gemeenschappelijke voordeur open en liet zichzelf via de kleine gemeenschappelijke hal zijn flat binnen, die direct toegang gaf tot de woonkamer. Hij klikte het licht aan en trok de oude houten luiken dicht, waarmee het oranje licht van de lantaarnpaal recht voor zijn raam werd buitengehouden. Het waren de oorspronkelijke luiken; toen hij er net woonde was hij dagen bezig geweest om de lagen verf eraf te krabben en ze weer functioneel te krijgen. Hij had ook zo veel mogelijk andere oorspronkelijke elementen in ere hersteld, had de oude hardhouten vloer geschuurd en gelakt, en achter de betimmerde schoorsteenmantel de oude witmarmeren schouw vandaan gehaald. Hij had de open haard weer werkzaam gemaakt, hoewel de eerste poging tot een haardvuur had geresulteerd in een kamer vol rook... de schoorsteen was decennia lang niet geveegd.

De centrale verwarming was een paar uur geleden afgeslagen en het was fris in de kamer, er hing een bijna ijzige kou in de lucht. Hij liep snel naar de stookruimte in de gang en drukte hem weer aan, trok toen in de woonkamer zijn jas uit. Hij speelde het enige bericht op het antwoordapparaat af terwijl hij zijn stropdas lostrok. Het was Nicoletta, die vroeg waarom hij zo plotseling weg moest en wat hij van haar vriendin Sarah vond. Het leek wel dagen geleden in plaats van uren. Misschien had hij beter zijn best moeten doen met Sarah. Er waren momenten als dit, als hij 's avonds, moe en alleen, verlangde naar het gezelschap en de fysieke aanwezigheid en warmte van een vrouw. Maar een vriendin van Nicoletta was geen goed idee.

Hij luisterde even naar haar stem, de toon van vermoeide verwijten bijna verdronken in het gebabbel van de kinderen. Toen hij genoeg had gehoord, verwijderde hij de boodschap zonder hem verder af te luisteren. Waarom vatte ze alles toch altijd zo persoonlijk op? Hij voelde een bekende steek van irritatie door zich heen gaan en vroeg zich af waarom ze toch maar niet in staat was te begrijpen wat zijn werk inhield, of dat een nieuwe moordzaak belangrijker was dan een familielunch. Nu hij weer aan het eten dacht drong het plotseling tot hem door dat hij vreselijke honger had: hij had het het grootste deel van de dag gedaan op weinig meer dan koffie en een stuk of vijf sigaretten. Hij wist dat hij even moest slapen voor de instructies van zeven uur – het zou weer een lange dag worden – maar hij moest wat eten voordat hij naar bed ging.

Hij liep de keuken in, trok de kastjes en koelkast open en pakte een zakje aardappels, eieren en Parmezaanse kaas. Hij zag op het label dat de aardappels uit Cyprus kwamen, waar het ongetwijfeld al lente was. Hij waste ze snel en kookte ze in de schil voordat hij ze in plakjes sneed en in olijfolie bakte tot ze goudbruine randjes hadden. Hij klopte de eieren, schonk ze met de geraspte kaas in de pan en liet de indrukken van die dag nog eens de revue passeren.

Hij hoopte na alles wat dokter Browne had gezegd dat het lab iets interessants zou vinden, mogelijk zelfs DNA. Maar dat zou allemaal nog even op zich laten wachten. Ondertussen was het belangrijk dat ze een tijdlijn kregen. Na wat hij had gehoord leek het aannemelijk dat Rachel Tenison op vrijdagochtend zoals altijd was gaan hardlopen in het park en daar mogelijk haar moordenaar had ontmoet. Maar doordat de aanval, als het dat was geweest, en de moord een paar uur na elkaar hadden plaatsgevonden, was het allemaal niet erg eenvoudig.

Hij zette de frittata nog even onder de grill voor een extra knapperig korstje en legde hem op een bord, sneed hem in puntjes, voegde zout en peper en nog wat kaas toe, gevolgd door een grote klodder ketchup. Zijn moeder zou geschokt haar armen in de lucht hebben gegooid. Tomatenketchup? Marco, hoe dúrf je? Hij hoorde haar stem bijna, en zag de gezichtsuitdrukking van walging die daarbij hoorde. Hij glimlachte bij de gedachte, liep met zijn bord en een flesje bier naar de woonkamer en at met zijn bord op schoot.

Hij was al snel klaar met eten, zette zijn bord neer, strekte zijn benen voor zich uit en legde zijn hielen op de rand van de salontafel. Hij stak een sigaret op en genoot even van de verrassende stilte om dit uur, hartje Londen; hij had een paar dagen geleden nog een vos horen blaffen. Zijn gedachten dreven terug naar de zaak. Moorden door een vreemdeling waren over het algemeen opportunistische, lukrake gebeurtenissen, met alle gebruikelijke kenmerken van een chaotische, zieke geest. Maar de manier waarop Rachel Tenisons lichaam was gekneveld, bijna ritualistisch, betekende dat er nauwkeurige voorbereidingen waren getroffen. En dan was er dat vreemde gedicht. Wat de moordenaar er ook mee had bedoeld, het was duidelijk een weloverwogen boodschap.

Ze hadden nog geen idee of ze in haar flat was vermoord, of in het park, of waar dan ook, hoewel het park, hoe meer hij erover nadacht, de meest logische plek leek. Dat hij haar kleding had uitgetrokken lag voor de hand. Dat was de eenvoudigste manier om forensisch bewijs te voorkomen, zoals iedereen die weleens naar *CSI* keek wist. Het liet ook zien dat de moordenaar georganiseerd was. Maar waarom was ze na haar dood gekneveld en in die vreemde, symbolische positie geplaatst? En waarom dat gedicht? Welke boodschap probeerde de moordenaar te geven? Het monochrome beeld van de naakte en gebonden Rachel Tenison ging nogmaals door zijn hoofd. Hij kon het er niet uitkrijgen. Het was gek hoe dergelijke beelden, zelfs ongewild, op je netvlies brandden.

Hij vroeg zich af wat voor soort vrouw ze was geweest, dacht terug aan haar vreemd onpersoonlijke flat: de sfeerloosheid, de netheid, het grote bed met de donkerrode gordijnen en de bizarre foto's. Ze was een raadsel en ze intrigeerde hem.

Er waren geen voor de hand liggende antwoorden. Zijn oogleden begonnen zwaar te worden. Hij maakte zijn sigaret uit en dwong zichzelf zich uit te kleden voordat hij in bed kroop.

4

Het was net na zeven uur 's ochtends. Donovan zette haar blauwe Volkswagen Golf op de kleine parkeerplaats van het kantoor van Moordzaken in Barnes en zette de motor af. Toen ze uitstapte viel het haar op hoe donker het was, maar het sneeuwde tenminste even niet. Ze was laat. Haar hoofd voelde nog een beetje suf van het slapen en het had haar moeite gekost om op te staan toen de wekker om zes uur ging. Het was van haar woning in Hammersmith maar tien minuten rijden naar Barnes, over de Theems via Hammersmith Bridge. In de zomer ging ze regelmatig op de fiets, over de weg die door de speelvelden van jongensschool St. Paul's liep, helemaal langs de rivier naar Barnes. Maar in de winter wilde ze alleen maar zo snel mogelijk op haar werk zijn.

Het lage kantoorpand uit de vroege jaren zeventig stond halverwege Station Road, die de Green, met de pittoreske eendenvijver en achttiende-eeuwse huizen, verbond met de wildernis van Barnes Common. Het bakstenen pand was een doorn in het oog van het zeer gewilde stadsdeel, dat maar een paar kilometer van het hart van Londen lag, maar de sfeer van een ouderwets dorp ademde en werd begrensd door de rivier. De bewoners waren een mengeling van welgestelde artsen, tandartsen, advocaten en mediabonzen, en een paar bekende acteurs, en het was een vreemde locatie voor twee teams van Moordzaken, vooral als je bedacht dat ze maar hoogst zelden werden opgeroepen om een moord in hun eigen achtertuin te onderzoeken.

Een ijskoude windvlaag greep Donovan terwijl ze uitstapte, sloeg de punt van haar sjaal in haar gezicht en prikte in haar ogen. Ze trok haar zware tas over haar schouder, trok haar jas strak om zich heen en rende door de achterdeur naar binnen en de trap naar de eerste verdieping op.

De ochtendinstructies waren net begonnen in de grote open kantoorruimte aan de voorkant van het gebouw. De zaal was vol en ze ging op een bureau achterin zitten, naast Nick Minderedes, die met zijn dikke, zwarte haar nog nat van het douchen met een stomende beker koffie in zijn handen zat. Tartaglia stond voor in de ruimte, met achter zich op het schoolbord al een plattegrond van Holland Park en foto's van het slachtoffer. Hun baas, inspecteur Carolyn Steele, zat naast hem, gekleed in haar gebruikelijke uniform: een donkere broek met bijpassend jasje, vandaag een met een nauwelijks zichtbaar krijtstreepje, en een brandschone witte blouse. Ze zag er fris uit, of ze een hele nacht had geslapen, haar korte, donkere haar glad als altijd, haar gezicht emotieloos terwijl ze luisterde naar agente Karen Feeney, die berichtte wat de verscheidene gesprekken van de avond ervoor hadden opgeleverd.

'De parkbeheerder heeft haar vrijdagochtend kort nadat hij het hek had geopend het park in zien komen,' zei Feeney. 'Hij weet zeker dat ze alleen was. Hij zei dat hij haar bijna dagelijks zag. Ze stond vaak al te wachten als hij kwam om het hek open te maken. Hij zei dat ze altijd dezelfde route liep, vlak langs waar het lichaam is gevonden.'

'Heeft hij verder nog iemand gezien?' vroeg Tartaglia.

'Nee, meneer. Maar hij zei dat het zo koud was dat hij meteen naar binnen is gegaan.'

'Nou, dat is tenminste een begin, en het wordt steeds waarschijnlijker dat ze in het park is vermoord en achtergelaten.' Hij keek naar agent Dave Wightman, die voor aan de groep stond met een blocnote in zijn hand. 'Dave, wat heb je te melden?'

Wightman, klein en breedgebouwd, met blond haar, een bril en een jongensachtig gezicht, was de nieuwste aanwinst van het team. 'De bewakingscamera's hebben nog niets opgeleverd, meneer,' zei hij. 'Er hangen er geen in de onmiddellijke omgeving, maar we hebben alles van het gebied eromheen voor de zekerheid meegenomen en zijn ermee bezig.'

'En de camera bij de voordeur?'

'Die gaat alleen aan als iemand aanbelt, maar zonder aan te geven bij wie. Het enige wat erop staat is een stroom mensen die naar binnen gaat.'

'Hoeveel appartementen zijn er in het pand?' vroeg Steele met haar zachte, intonatieloze stem.

'Meer dan veertig, mevrouw. Het zal wel even gaan duren voor we iedereen hebben geïdentificeerd.'

'Als je hulp nodig hebt, bel je het wijkbureau maar,' zei Tartaglia. 'Heb je de schoonmaakster al gevonden?'

Wightman knikte. 'Leonora. Ze is Filippijnse en woont in een flat van de woningbouwvereniging in Notting Hill. Ze was de hele avond ergens mahjong aan het spelen en ik heb haar net pas gesproken. Ze zei dat ze sinds iets meer dan twee jaar op dinsdag en vrijdag schoonmaakt bij Rachel Tenison. Afgelopen vrijdag was ze er zoals altijd om tien uur. Toen ze zichzelf had binnengelaten, stond de handtas van mevrouw Tenison in de gang, wat ze vreemd vond. Er was niet afgesloten en het alarm was uitgeschakeld, wat ook ongebruikelijk was. Ze dacht in eerste instantie dat mevrouw Tenison thuis was.'

'Misschien dat Rachel Tenison het alarm niet heeft aangezet omdat ze alleen even ging hardlopen. Als dat zo is, is ze daar dus nooit van teruggekomen.'

'Daar zei de schoonmaakster niets over, meneer. Mevrouw Tenison was er nooit als ze kwam. Ze hadden nu en dan telefonisch contact en lieten briefjes voor elkaar achter.'

'Is haar verder nog iets raars opgevallen?' vroeg Steele.

'Nee, mevrouw.'

'Hoe heeft ze de flat aangetroffen?' vroeg Tartaglia. 'Was het een puinhoop, netjes, slordig?'

'Ze zei dat het behoorlijk netjes was, dat denk ik tenminste.' Wightman tuurde in zijn aantekeningen en voegde toe: 'Niets opmerkelijks, in ieder geval.'

'Was er in het bed geslapen?'

'Ja.'

'Maar niets abnormaals?'

'Nee, meneer. Ze heeft wat glazen opgeruimd, en een paar lege wijnflessen.'

'Waar stonden die?'

Wightman keek weer in zijn aantekeningen. 'In de woonkamer. Ze zei dat het eruitzag of Rachel Tenison gasten had gehad. Ze heeft vier of vijf glazen in de afwasmachine gezet, maar die heeft ze niet aangezet omdat er verder bijna niets in stond. Ze vertelde dat mevrouw Tenison hem pas aanzette als hij vol was. Iets over energiebesparing.'

'Die glazen zijn naar het lab,' zei Tartaglia tegen iedereen. 'We weten nu in ieder geval wanneer ze zijn gebruikt.'

'Een deel kan best eerder dan donderdagavond zijn gebruikt,' zei Steele.

Tartaglia schudde zijn hoofd. 'Voor zover ik het kan inschatten was Rachel Tenison bepaald niet het type dat vieze glazen dagen laat staan.'

Wightman knikte. 'De schoonmaakster zei dat mevrouw Tenison van schoon en netjes hield. Leonora had nooit veel op te ruimen, in tegenstelling tot wat ze op sommige van haar andere adressen aantreft. Ze zei dat ze er vreselijk graag werkte.'

Tartaglia wreef bedachtzaam over zijn kin. 'Laten we even aannemen dat die glazen van donderdagavond waren. Rachel Tenison is vrijdagochtend vroeg gaan hardlopen. Ze zal wel van plan zijn geweest ze even op te ruimen als ze weer thuis was. En haar sportkleding? Heb je de schoonmaakster gevraagd of ze die heeft gezien?'

'Er was een mand met vuile was, die ze in de machine heeft gedaan, maar alle kleding was droog. Het sneeuwde vrijdagochtend hard. Als Rachel Tenison is gaan joggen, zouden haar kleren om tien uur nog nat zijn geweest.'

'Inderdaad. Dus het lijkt er steeds meer op dat Rachel Tenison niet terug is geweest in haar flat om zich om te kleden. De vaatwasser was, op die glazen na, bijna leeg. Die zijn momenteel het enige wat we hebben.' Hij keek naar Nina Turner, die net binnen was komen lopen. 'Nog nieuws uit het park?'

'Geen spoor van kleding of persoonlijke eigendommen, maar hopelijk vinden we vandaag iets.'

Ze zag er nog dunner en beniger uit dan normaal in haar grijze broek met jasje en blauwe blouse, die haar lichtbruine huid oplichtte. Haar lange, zwarte haar zat in een paardenstaart en ze was ondanks het feit dat het nog zo vroeg was keurig opgemaakt, iets waarvan Donovan maar niet kon beslissen of ze het moest bewonderen of verfoeien.

'Hoe lang verwachten jullie dat het park nog dicht blijft?' vroeg Steele.

'Nog een paar dagen,' antwoordde Nina, die terloops naar Tartaglia keek. 'Het schiet niet op met al die sneeuw. We weten in ieder geval waar ze het park is ingegaan en welke route ze waarschijnlijk heeft genomen. We hebben gisteren met hondenteams gewerkt, en die komen vandaag ook weer. We blijven zoeken, maar ik ben eerlijk gezegd niet hoopvol gestemd dat we iets zullen vinden behalve haar kleren en spulletjes. Als we aannemen dat ze vrijdag is omgekomen, is het park twee hele dagen open geweest voordat we het hebben afgesloten.'

'En de flat van het slachtoffer?' vroeg Tartaglia.

'We hebben gisteravond het poederen afgerond en er zijn een aantal vingerafdrukken naar het lab.'

'En haar spullen?'

'Daar beginnen we vandaag mee. Als we daarmee klaar zijn, gaan we met de luminol aan de slag.'

Tartaglia keek naar Minderedes. 'En jij, Nick?'

Minderedes gleed langzaam van het bureau, met zijn beker in zijn hand, en schraapte zijn keel. 'De uniformdienst zoekt hardlopers en wandelaars die die ochtend in het park zijn geweest, maar tot dusverre was iedereen die we hebben gevonden er later. Niemand heeft iets ongewoons gezien.'

'En je hebt de Rechercheondersteuning gevraagd iedereen na te lopen?'

Minderedes knikte.

'Dus haar lichaam was óf ondertussen goed verstopt, waarschijnlijk in de bosjes waar ze is gevonden, óf het was ergens anders mee naartoe genomen, hoewel dat onwaarschijnlijk lijkt.'

'Misschien heeft ze haar moordenaar in het park ontmoet en is ze ergens met hem naartoe gegaan, waar hij haar heeft omgebracht,' zei Minderedes. 'En is de moordenaar later teruggekomen om het lichaam in het park te dumpen.'

Steele schudde haar hoofd. 'Mogelijk, maar niet waarschijnlijk. Als ze haar moordenaar in het park heeft ontmoet, waarom heeft hij haar dan eerst ergens mee naartoe genomen en vervolgens weer teruggebracht? We hebben het over het centrum van Londen, niet het platteland. Het is vreselijk druk in dat park overdag. Het risico is te groot.'

'Dat lijkt mij ook,' zei Tartaglia. 'En zoals we weten is haar lichaam vlak bij haar looproute gevonden. Laten we ons voor nu even bij de meest logische verklaring houden, tenzij we nieuwe informatie krijgen die die tegenspreekt.'

'Maar ze is een paar uur voordat ze stierf al aangevallen,' zei Karen Feeney van af haar plekje aan een bureau voor in de ruimte. 'Hoe verklaren we dat dan?'

Tartaglia knikte. 'Het enige wat we weten is dat ze een paar uur voor haar dood seks heeft gehad. Ruige seks. Ze had ook behoorlijk diepe schaafwonden aan polsen en enkels; ze was vastgebonden. Maar misschien was dat niet met toestemming. We weten nog niets over haar persoonlijkheid of achtergrond.'

'Wat denk jij dat er is gebeurd?' vroeg Steele. 'Een uit de hand gelopen seksspelletje?'

'Dat zou heel goed kunnen, hoewel haar moordenaar misschien niet degene is met wie ze seks heeft gehad. Rachel Tenison ging bijna elke ochtend hardlopen, dus misschien heeft iemand haar in de gaten gehouden, of was het iemand die ze kende.'

'Was ze lesbisch, of biseksueel?'

'Niet volgens haar broer, maar dat is natuurlijk wel iets wat we nog even moeten navragen. Als je weet wat je doet, kan een vrouw moeiteloos een andere vrouw ombrengen met een armklem. We moeten niet uitsluiten dat een vrouw het heeft gedaan, hoewel het volgens de statistieken zoals we weten niet waarschijnlijk is, speciaal gezien de mogelijk seksuele motieven.'

'Maar waarom een armklem?' vroeg Steele.

'Het zou kunnen dat het slachtoffer heeft geprobeerd los te komen,' zei hij. 'Misschien heeft hij haar alleen proberen te bedwingen. Het is gemakkelijk om te ver te gaan, om de controle kwijt te raken als het spannend wordt. Hoe dan ook, als het slachtoffer probeert zichzelf te bevrijden snijdt iets uit de kleding van de moordenaar – een horloge of armband, iets scherps – haar onder haar kin. Dat kan allemaal binnen maximaal een paar minuten zijn gebeurd. Ergens daarna is het lichaam verplaatst. De hypostase laat zien dat ze meerdere uren plat op haar rug heeft gelegen voordat ze weer werd gekneveld. Misschien is de moordenaar gestoord en moest hij later terugkomen om zijn werk af te maken, om een vertoning van haar te maken. Hij trekt al haar kleren uit, knevelt haar met tape en propt een gedicht in haar mond, posteert het lichaam in een knielende pose, bijna als een offer. Jullie hebben de foto's allemaal gezien.'

'Ze ziet eruit alsof ze zit te bidden,' zei Feeney.

'Meer alsof ze om genade smeekt,' voegde Minderedes toe.

Tartaglia knikte. 'Het is een gerichte boodschap, hoewel ze open is voor interpretatie.'

'We hebben geluk dat ze zo snel is gevonden,' zei Donovan, die terugdacht aan de overwoekerde omgeving in het bos. 'Voor hetzelfde geld had het weken geduurd, of maanden. Die kinderen konden daar alleen komen omdat een deel van het hek was losgekomen en er nog geen tijd was geweest om het te repareren.'

'Precies,' zei Tartaglia. 'We moeten ervan uitgaan dat het niet de bedoeling was dat we haar zo snel zouden vinden. We hebben te maken met een moordenaar die georganiseerd is en helder nadenkt, niet iemand die in paniek is. Dat is wat we nu kunnen zeggen. Tot we meer weten moeten we ons concentreren op een profiel van het slachtoffer, en we moeten erachter zien te komen wie Rachel Tenison donderdagavond na haar werk heeft gezien. Heb je haar agenda al, Nick?'

Minderedes schudde zijn hoofd. 'Haar zakenpartner – Richard Greville – was in het buitenland. Ik kreeg hem gisteravond pas te pakken. Hij is vanochtend in de galerie.'

'Dan gaan jij en Sam even een babbeltje met hem maken. We moeten haar zakelijke telefoontjes en dossiers bekijken, en de details, als dat kan, van haar mobieltje. De gebruikelijke zaken. Wie doet haar vaste lijn thuis?'

'Ik,' zei Wightman. 'Ik zou vandaag nog een uitdraai moeten krijgen.'

Tartaglia keek naar Donovan. 'Sam, ga jij achter dat gedicht aan? Tenzij de moordenaar ons probeert te misleiden, lag het daar met een reden. Verder wil ik dat iedereen zich concentreert op het park: namen, adressen, controle van iedereen die er regelmatig komt en iedereen die er rondhangt sinds het is afgesloten. Gezien de omstandigheden kunnen we niet uitsluiten dat de moordenaar een onbekende is. Karen en ik hebben om negen uur een afspraak bij Rachel Tenisons beste vriendin, Liz Volpe.’

‘En de pers, meneer?’ vroeg hoofdagente Sharon Fuller, de officemanager, die vlak achter Donovan zat. ‘Gaat u vandaag de identiteit van het slachtoffer vrijgeven?’

‘Ja. Zodra haar stiefbroer haar formeel heeft geïdentificeerd. Ik neem aan dat het rond de lunch algemeen bekend is.’

‘Er komt eind van de ochtend, voor het middagnieuws, een persconferentie,’ zei Steele. ‘Die neemt hoofdinspecteur Cornish voor zijn rekening. Als er iemand belt, verwijs je die maar naar de afdeling Communicatie, of naar mij.’

‘Er komt veel ongewenste media-aandacht,’ voegde Tartaglia toe. ‘Rachel Tenison was een bekende galeriehoudster in het West End en haar stiefbroer zit in het schaduwkabinet. Jullie kunnen je de krantenkoppen wel voorstellen. Ik kan niet genoeg benadrukken hoe belangrijk het is dat de details niet bekend worden. Alles, en dan bedoel ik echt alles, moet buiten de publiciteit blijven. Begrepen?’

5

Tartaglia en agente Karen Feeney stonden iets na negen uur die ochtend bij het adres in Notting Hill dat Liz Volpe had opgegeven. Het witgeschilderde victoriaanse pand was indrukwekkend, met ornamentele deklijsten, gebogen balkons en een grote klassieke portiek. Het was het laatste van een rij dergelijke huizen, op de hoek van twee wegen en van achteren uitkijkend over volkstuinen, die heuvelopwaarts naar Notting Hill Gate lagen.

Tartaglia drukte op de bel waar VOLPE bij stond, en haar stem klonk al een paar seconden later door de intercom. Hij kondigde zichzelf en Feeney aan.

'Bovenste verdieping,' zei Liz. Haar stem klonk slaperig, alsof ze net wakker was.

Hij hoorde de klik van de ontvanger, gevolgd door de zoemer, en duwde snel de zware donkergroene deur open.

Tartaglia liep de brede draaitrap op en wachtte boven tot Feeney, die zwoegend achter hem aan kwam, er ook was. Er was maar één deur en hij stond op een kier. Ze zagen Liz Volpe niet en liepen naar binnen, een brede gang in die zo te zien als eetkamer dienstdeed, met een tafel met aan een kant klapstoelen ertegenaan. Door een dakraam scheen grijs gefilterd licht naar binnen, dat een amateuristisch geschilderde muurtekening van een mediterraans landschap op de achtermuur verlichtte.

Liz kwam snel daarna de gang in lopen. Ze had een flets

geworden spijkerbroek met gympen aan en trok een enorme antracietgrijze trui over een strak zwart T-shirt. Ze had het slordige, gedesoriënteerde uiterlijk van iemand die net uit bed komt.

'Sorry dat ik u laat wachten,' zei ze met een lage, hese stem terwijl ze haar dikke, donkerblonde haar uit de hals van haar trui trok. Haar gezicht was bleek, haar oogleden waren rood en dik.

'Dit is agente Karen Feeney,' zei Tartaglia.

Liz stak haar hand uit en glimlachte gespannen naar het tweetal. Haar vingers waren koud en ze trok ze snel weer terug. 'Komt u verder.'

Ze ging hen voor de gang door naar de zitkamer achterin, langzaam, bijna schuifelend, alsof ze nog half sliep of in een soort trance was. Ze was een stuk langer dan hem de avond ervoor was opgevallen, bijna net zo lang als hij, en mager en getraind.

De kamer die ze binnen liepen was groot, op de hoek van het pand, met een hoog plafond en ramen aan twee kanten van de schuin aflopende erkers. Liz deed het licht aan en gebaarde hen naar een comfortabel uitziende bank bij de open haard. Ze ging er zelf tegenover zitten, in een bruin leren leunstoel met hoge rugleuning, benen tegen elkaar, handen stijf op haar schoot gevouwen, de houten salontafel als een hek tussen hen in.

Tartaglia ging zitten en keek om zich heen, naar de vervaagde groene muren, de overvolle gammele boekenkasten en de versleten houten vloer, die vol lag met een verzameling stoffige Afrikaanse kleden. Een appartement in die wijk, met die afmetingen, moest een kapitaal kosten, maar de inrichting leek zo uit een kringloopwinkel te komen. Er stond ook niets vrouwelijks. Er waren geen snuisterijen of schilderijen, behalve een verweerde oude prent van een racepaard, die in een zware, zwarte lijst aan de schoorsteenmantel hing.

'Woont u hier al lang, mevrouw Volpe?' vroeg hij terwijl

Feeney naast hem kwam zitten en in haar overvolle tas naar een blocnote en pen begon te graven.

Liz schudde haar hoofd. 'Het is van mijn broer. Ik woon hier tijdelijk, tot hij terugkomt. Tot ik iets voor mezelf heb gevonden. Ik heb een tijd in het buitenland gewoond.'

Hij keek haar aan en het drong tot hem door dat hij de avond ervoor niet echt naar haar had gekeken. In elkaar gedoken op de bank van de portier, met haar zwarte jas en lange haar, dat in haar gezicht hing, was er ook niet veel te zien geweest, en hij had het gevoel dat hij haar nu voor het eerst zag. Ze had grote, blauwe ogen. Haar gezicht was meer mooi dan aantrekkelijk, met een brede neus en een volle, brede mond, maar als geheel genomen, met haar lengte en haar, was ze opmerkelijk.

'Het spijt me dat we u zo snel weer lastigvallen, maar we moeten u wat vragen stellen. Het is uitermate belangrijk dat we zo veel mogelijk over Rachel Tenisons achtergrond te weten komen.'

'Dat begrijp ik,' zei ze zacht, en ze staarde naar haar handen. 'Wat wilt u weten?'

Hij merkte op dat ze geen ringen om haar lange vingers droeg en dat haar nagels functioneel kort waren geknipt.

'Waren jullie al lang vriendinnen?'

Ze keek hem aan. 'Meer dan twintig jaar. We zaten samen op school.'

'Dus u kent haar familie goed?'

'Ik ken haar broer Patrick, maar ik heb haar ouders nooit ontmoet. Die zijn gestorven voordat ze bij mij op school kwam.'

'Dus u kende haar erg goed.'

'Dat zal wel, ja.'

Hij hoorde aarzeling in haar stem. 'Weet u dat niet zeker?'

Ze zuchtte. 'We kenden elkaar al heel lang. We hebben samen veel meegemaakt, als u dat met "goed" bedoelt. We gaven heel veel om elkaar, maar we waren niet zo intiem zoals sommige meisjes. Zo ben ik niet, en Rachel ook niet.' Het antwoord rolde een beetje te gemakkelijk van haar tong, alsof ze het van tevoren had geoefend.

'Wat was ze voor iemand?' vroeg hij terwijl hij haar geconcentreerd aankeek.

Ze fronste haar wenkbrauwen, alsof ze het nut van de vraag niet inzag. 'Stil, altijd al een eenling. Jongens, make-up en feestjes... Dat is allemaal nooit haar ding geweest. Een oude geest in een jong lichaam, als u begrijpt wat ik bedoel. Rachel zat liever met haar neus in de boeken dan dat ze zat te kletsen over popmuziek en dergelijke.'

'Maar dat maakte u niet uit?'

'We kwamen er ongeveer op hetzelfde moment achter dat we gek waren op kunstgeschiedenis en werden naarmate we elkaar beter leerden kennen goede vriendinnen.'

'En dat bent u gebleven?'

Liz ademde diep in en knikte. 'We gingen samen naar de universiteit en zijn elkaar blijven zien toen we in Londen gingen werken.'

'Wanneer heeft u haar voor het laatst gesproken?'

Ze was even stil en beet op haar onderlip, keek weg naar het raam. 'Vorige week. Dat had ik al verteld.'

'Wanneer precies?'

'Donderdag. Ik heb haar gebeld... om te vertellen dat ik een paar weken in Londen was. We zouden gisteravond uit eten gaan, zoals u al weet.'

'En niets in dat gesprek baarde u zorgen?'

Weer die aarzeling terwijl hun blikken kruisten. 'Absoluut niet.'

'En de laatste keer dat u haar daarvoor heeft gezien?'

'Dat was ongeveer tien weken terug.'

'Waarom zo lang?'

'Misschien moet ik even iets uitleggen. Ik werk ook in de kunstwereld, maar als onderzoekster aan een particulier project in de Verenigde Staten. Ik woon er al een tijdje, maar ik ben er regelmatig voor in Europa, zoals nu. Ik heb Rachel de laatste keer dat ik hier was ook gezien.'

Ze trok een verfrommelde tissue uit haar mouw en snoot haar neus.

'Waar heeft u het over gehad?'

Er schoot een flits van ongemak over haar gezicht en ze ging anders zitten, keek even naar de tissue, die ze in een balletje zat te knijpen. 'Niets bijzonders, over gemeenschappelijke vrienden en werk. Het project liep ten einde en ik wist niet wat ik daarna ging doen... ik twijfelde of ik terug wilde naar Groot-Brittannië.'

'Heeft ze iets over haar privéleven verteld?'

'Niet echt.'

'Wat? Helemaal niets?'

'Niets wat ik nog weet.' Haar toon was overdreven scherp en ongeduldig. Ze wilde om de een of andere reden snel over iets anders beginnen en Tartaglia werd nieuwsgierig.

'Maar u was toch hartsvriendinnen?'

'Ja. Waarom blijft u dat vragen?'

'Ik probeer alleen een beeld van haar te vormen, dat is alles,' zei hij eenvoudigweg, in de hoop eventuele angsten weg te nemen. 'Had ze helemaal geen zwaktes, passies, problemen?'

'Natuurlijk wel,' zei ze met een zucht. 'Maar daar doe ik haar geen recht mee. Als je iemand goed kent, is het moeilijk onder woorden te brengen. Ik wil haar niet beschrijven met een paar afgezaagde clichés.'

Hoewel hij dat best begreep, had hij het gevoel dat ze hem probeerde af te leiden van de kern. 'Maar u had toch wel enig idee van wat er speelde in haar leven?'

Ze aarzelde. 'Misschien zeg ik het niet goed.' Ze ging ongemakkelijk anders zitten, alsof ze ergens pijn had, trok een kussen achter haar rug vandaan en gooide het op de vloer. 'Dat is beter,' verzuchtte ze. 'Waar waren we gebleven?'

'Ik zei dat u toch wel enig idee moest hebben van wat er speelde in het leven van mevrouw Tenison.'

'Ja, nou ja, ik ben een tijd weg geweest. Rachel was hoe dan ook erg gesloten. Het was soms heel moeilijk om te raden wat er in haar omging, zelfs voor mij.'

'Vond ze het moeilijk om een vriendschap te onderhouden?'

Ze knikte langzaam. 'Ze kon zich heel ongemakkelijk voelen, zelfs bij mensen die ze goed kende. Dat zal ook wel niet verrassend zijn, na wat ze in haar jeugd heeft meegemaakt.'

'Met wie had ze verder nog contact?'

'Ze hield het over het algemeen bij mensen die ze al lang kende, bij wie ze zich op haar gemak voelde. Patrick natuurlijk, en zijn vrouw Emma en hun twee kinderen. En haar zakenpartner, Richard, en diens vrouw...' Haar stem ebde weg alsof ze aan iemand anders dacht. Haar blik concentreerde zich weer op de ruimte achter het raam. 'Ze stak eigenlijk al haar energie in de zaak. Ze was heel gedreven.'

Hij dacht verbittering te zien, maar wist het niet zeker. Misschien had ze zich verwaarloosd gevoeld. Ze keek weg en hij zag dat ze tranen in haar ogen kreeg.

'Vertel me eens over haar zakenpartner, Richard Greville. Ik begreep dat ze een verhouding hebben gehad.'

Ze keek verrast op. Verrast dat hij dat wist of verrast dat hij ernaar vroeg, dat wist hij niet. 'Die is voorbij.'

'Weet u dat zeker?'

'Ja. Al voordat ik voor het eerst naar de Verenigde Staten ging, en dat is iets meer dan een jaar geleden.'

'Weet u echt heel zeker dat het voorbij is? Misschien heeft ze het u gewoon niet verteld.'

Ze ging weer anders zitten en sloeg haar benen over elkaar. 'Nee, ik weet het echt zeker. Ik merkte het verschil. Al was het alleen vrouwelijke intuïtie en hebben we het er nooit over gehad.'

'Wie heeft er een eind aan gemaakt?' vroeg Feeney, die van haar blocnote opkeek.

'Voor zover ik weet zij, maar volgens mij wisten ze allebei dat het beter was. Hij is getrouwd. Ik denk dat ze uiteindelijk allebei de zaak belangrijker vonden dan hun seksuele gevoelens.'

'Denkt u dat hij er kwaad over was?' vroeg Tartaglia.

Liz trok haar wenkbrauwen op. 'Richard? Zo'n type is hij helemaal niet. En voordat u het gaat vragen: ik zie hem absoluut Rachel niet vermoorden in een aanval van jaloezie.'

'Jaloezie? Waar zou Richard Greville jaloers op moeten zijn? Had ze een ander? Ik zag op de foto's dat ze een aantrekkelijke vrouw was.'

'Bij wijze van spreken,' zei ze snel. 'Richard is gewoon geen jaloers type.'

'Maar er was wel iemand anders. Zegt u dat?'

Ze raakte kort met haar vingertoppen haar lippen aan. Tartaglia was zich weer bewust van de aarzeling die leek aan te geven dat er iets werd verborgen.

'Dat weet ik niet,' zei ze. 'Ik denk dat Rachel iemand zag, maar ik weet het niet zeker.'

'Weet u een naam?'

Ze schudde haar hoofd. 'Het komt door iets wat ze zei. Tussen neus en lippen. Verder weet ik niets en misschien vergis ik me wel.'

'Weet u het zeker?'

'Nee. Het is gewoon een indruk. Verder niets.'

'Het is heel belangrijk dat we iedereen spreken die ze de afgelopen maanden heeft gezien, en zeker iedereen met wie ze een relatie heeft gehad. Herinnert u zich nog iets anders?'

Haar blik was uitdagend. 'Nee. Dat heb ik al gezegd. Waarom blijft u dat vragen?'

Hij wist al terwijl ze sprak dat ze iets wegliet, dat ze iets niet vertelde. Hij kende haar helemaal niet, maar voelde het. Het was niets nieuws, het gebeurde aan de lopende band als je mensen ondervroeg: de zelfcensuur, het filteren, bewust of onbewust. Het was zijn werk om het op te merken en de waarheid te achterhalen. Maar hij had het gevoel dat het met Liz Volpe niet eenvoudig zou gaan worden, en zijn nieuwsgierigheid werd nog verder aangewakkerd.

'En vóór Richard Greville?'

'Ze heeft weleens wat met iemand gehad, maar nooit serieus.'

'Ik heb alle gegevens nodig die u heeft. We moeten iedereen nalopen.'

Ze haalde haar schouders op. 'Als ik nog iemand weet. Maar het is al een tijdje geleden en zoals ik al zei, was het met niemand serieus.'

'Behalve met Richard Greville?'

'Dat was in ieder geval specialer dan met iedereen daarvoor.'

Hij knikte, hoewel hij zich verre van bevredigd voelde. Hij kon haar niet dwingen te praten, maar was vastbesloten er hoe dan ook achter te komen. Hij besloot een andere aanpak te proberen. 'Hoe zou u haar omschrijven? Begrijp ik het goed dat ze moeite had met relaties?'

Ze leek de vraag even te overwegen en knikte. 'Ja. Ze was verlegen, en verlegenheid maakt mensen ongemakkelijk, isoleert ze. Rachel vond het gewoon moeilijk om een emotionele band met iemand te smeden. Dat is een verdedigingsmechanisme. Volgens mij was ze bang zichzelf bloot te geven, gekwetst te worden.'

'Het is eigenlijk nog te vroeg om te zeggen, maar het ziet ernaar uit dat ze is vermoord door een man, en waarschijnlijk een bekende,' zei hij gedecideerd terwijl hij haar blik ving. 'U was haar beste vriendin. Denkt u nou echt dat ik geloof dat ze u niet vertelde wat er in haar leven speelde?'

Ze kreeg een rood gezicht. De knokkels van haar handen werden wit en ze balde haar vuisten op haar schoot. 'Misschien was er wel niets te vertellen.'

Hij haalde zijn vingers door zijn haar, leunde naar haar toe en probeerde een brug tussen hen te slaan. 'Niets te vertellen? Luister: misschien probeert u uw vriendin uit een of ander misplaatst gevoel van loyaliteit te beschermen, maar ze moet toch een leven naast haar werk hebben gehad, en als u inderdaad van die goede vriendinnen was, moet u dat hebben geweten. Al was u niet intiem met elkaar, vrouwen praten. Ze kunnen niet anders dan hun vriendinnen in vertrouwen nemen. Of u nu in Amerika of Londen was, er is altijd e-mail en telefoon. We controleren de gegevens om te zien wat er aan contact is geweest.'

Liz perste haar lippen op elkaar en staarde hem aan, maar ze gaf geen antwoord. Hij zag de pijn en koppige afweer in haar ogen, en het had geen zin om nu verder te gaan. Ze moest eerst kalmeren. Misschien dat ze dan wat meer zou vertellen.

Hij stond op, en Feeney volgde zijn voorbeeld. 'Dank u. Als er verder nog iets is, nemen we contact met u op. Een laatste vraag: het is enkel formaliteit, maar kunt u ons zeggen waar u was vrijdagochtend?'

Ze keek geschrokken, alsof ze die vraag niet had verwacht. 'Hier. U denkt toch niet dat ik...'

'Het is alleen een formaliteit. Geeft u alstublieft antwoord.'

'Ik ben donderdagnacht teruggekomen uit New York.'

'Dus u was vrijdagochtend alleen?'

Ze aarzelde een fractie van een seconde voor ze antwoordde. 'Ja. Natuurlijk.'

Een vlaag ijskoude wind sloeg Tartaglia en Feeney in het gezicht toen ze de straat op liepen. Tartaglia keek rillend naar de loodgrijze hemel. Er kwam gegarandeerd meer sneeuw. Hij zette zijn kraag omhoog en duwde zijn handen diep in zijn jaszakken.

'Wat vindt u ervan?' vroeg Feeney terwijl ze achter hem aan sjouwde door de sneeuw en drek op de stoep. Haar wilde, rode haar was zoals gewoonlijk uit haar gezicht gebonden, deze keer in iets wat half vlecht, half staart leek. Hoewel het pas het begin van de dag was, begon haar haar al los te komen en er hingen kroezige slierten als slangen om haar brede, volle gezicht. 'Ik had absoluut het idee dat we niet het hele verhaal kregen,' ging ze zonder op antwoord te wachten verder met haar zachte melodieuze stem.

Tartaglia bleef even bij de stoeprand staan terwijl er een rij auto's en busjes passeerde, en toen begon hij langzaam de heuvel op te lopen. 'Ze houdt iets achter, dat denk ik ook. Maar dat kan om heel veel verschillende redenen zijn.'

Feeney schudde geestdriftig haar hoofd. 'Dat stuk over dat ze geen idee had wat zich afspeelde in het liefdesleven van haar vriendin... dat slaat echt helemaal nergens op, als ik zo vrij mag zijn. Vraag maar aan elke willekeurige vrouw. Of ze nou in het buitenland zit of niet.' Ze streek gehaast met een wollige, roze gehandschoende hand over haar haar terwijl ze hem vragend aankeek.

'Je hebt vast gelijk, maar dit was niet het moment om erover door te gaan.'

'Zullen we haar naar een verhoorkamer laten komen en het formeel maken? Misschien dat ze dan wel wil meewerken.'

Tartaglia schudde zijn hoofd. 'Nog niet. Als het echt belangrijk was, denk ik dat ze het ons wel had verteld. Wat ze ook heeft gezegd, of niet, ik had wel de indruk dat ze om Rachel Tenison gaf.'

'Maar waarom zat ze dan zo schaamteloos te liegen? Denkt ze dat we gek zijn?'

Er was een gat in de verkeersstroom en hij ging haar voor door de grijze smurrie, de weg over naar waar hun auto stond geparkeerd.

Hij begreep en voelde mee met Feeneys frustratie en ongeduld, maar je kon iemand die niet wilde praten niet dwingen, en druk uitoefenen kon een averechts effect hebben. Na wat er was gebeurd was het niet gek dat Liz Volpe in de war was. Ze moesten haar wat tijd geven, alles even laten bezinken. En als dat niet werkte, konden ze altijd nog zwaar materieel inzetten.

Toen ze bij de auto stonden, keek hij Feeney aan. 'Volgens mij wil ze niet praten omdat ze een gesloten karakter heeft, en omdat ze haar vriendin niet wil afvallen,' zei hij. Ik heb gezien hoe ze keek toen ik aandrong. Ze ziet het als moddergooien en begrijpt nog niet dat het relevant is. Het is allemaal net gebeurd, ze is in shock en probeert haar vriendin te beschermen. Dat is volkomen normaal. En ze vertrouwt ons niet.'

Feeney gaf geen antwoord, hoewel hij aan de stand van haar dunne lippen zag dat ze het met hem oneens was.

'We krijgen het heus wel uit haar, vertrouw daar maar op,' zei hij stellig terwijl hij het passagiersportier opentrok en instapte.

Liz stond van achter het gordijn toe te kijken hoe Tartaglia overstak, zijn passen groot en doelbewust, alsof hij zo snel mogelijk verder wilde. Zijn handen staken diep in zijn zakken en hij liep met geheven hoofd en rechte schouders. Zijn grappige roodharige agentje had moeite hem bij te houden en haar veel te grote regenlaarzen flapperden achter haar aan terwijl ze aarzelend door de sneeuw ploeterde. Wat een gek stel. Ze bleven staan bij een ongemarkeerde donkerblauwe auto, zeiden wat tegen elkaar en stapten toen in, de agente achter het stuur.

Hoewel het gesprek op sommige fronten niet zo vreselijk was verlopen als ze had verwacht, had ze toch een nare nasmaak in haar mond. Ze haatte het porren en trekken, bijna alsof ze zelf terechtstond. En sommige dingen gingen hen gewoon niet aan. Ze was ervan overtuigd dat Tartaglia wist dat ze iets achterhield, hoewel hij absoluut niet kon weten wat. Maar hoe meer ze erover nadacht, hoe ongemakkelijker ze zich ging voelen. Ze wist zeker dat ze hem niet voor het laatst had gezien.

Ze keek toe hoe hun auto langzaam uit de parkeerplaats

optrok en de berg op reed. Toen ze eenmaal veilig uit zicht waren ging ze op de leuning van de bank zitten, pakte de telefoon en toetste een nummer in. Hij ging een paar keer over en toen werd er opgenomen.

'Ze zijn net weg,' zei ze. 'Je wilde dat ik zou bellen.'

'Hoe ging het?'

'Het had slechter gekund, denk ik.'

'Hebben ze je hard aangepakt?'

Ze aarzelde. 'Volgens mij ben ik er heel gemakkelijk vanaf gekomen. Jezus, wat heb ik een kater. Ik heb mezelf gisteren in slaap gedronken. En ik heb zulke vreselijke, vreselijke dromen gehad... allemaal over Rachel.'

'Je moet me laten komen.'

'Nee. Dat is geen goed idee.'

Het drong tot haar door dat ze een beetje scherp klonk en het was even stil, tot hij weer begon te praten. 'Wat hebben ze gevraagd?' Zijn toon was achteloos, probeerde zijn nieuwsgierigheid te verbergen, en ze moest er bijna om glimlachen dat hij voor de verandering eens zo jongensachtig doorzichtig was.

'Ze wilden weten hoe het zat met mijn vriendschap met Rachel, wat voor iemand ze was, wie haar kan hebben vermoord. Je weet wel. Wat moest ik zeggen? Ik heb mijn best gedaan, onder de omstandigheden.'

Ze probeerde zakelijk te klinken en hoorde hem uitademen, aan de andere kant van de lijn, mogelijk opgelucht. Ze was even stil en dacht terug aan het gesprek met Tartaglia, de manier waarop hij haar vragend had aangekeken, had geprobeerd tussen de regels door te horen wat ze zei. Hij was nog niet met haar klaar, dat wist ze zeker.

'En wat heb je gezegd?' vroeg hij, nu vasthoudender.

'Alleen algemene dingen, niets specifieks.'

'Heb je helemaal niets gezegd?' Ze hoorde de bezorgdheid in zijn stem.

'Natuurlijk niet.'

'Weet je dat zeker?'

'Natuurlijk weet ik het zeker. Ik weet wat ik heb gezegd.'

'Mooi.' Een korte pauze en toen: 'Zal ik straks naar je toe komen?'

Tartaglia's scherpe, donkere blik stond op haar netvlies gebrand, alsof hij nog steeds naar haar keek. Hoewel ze rationeel wist dat het een slecht idee was – hij had veel betere dingen te doen dan iedereen in de gaten houden die Rachel had gekend – maakte het haar nog steeds onrustig.

'Laat me alsjeblieft komen,' zei hij voordat ze kans had te antwoorden.

'Nee. Dat lijkt me niet slim.'

'Nu doe je melodramatisch.'

'Misschien.' Ze sloot haar ogen en drukte haar vingertoppen tegen haar slapen, alsof ze probeerde het beeld van Tartaglia's aantrekkelijke gezicht uit haar hoofd te duwen. 'En toch denk ik dat het geen goed idee is. Bovendien heb ik een gruwelijke hoofdpijn die maar niet weggaat.'

'Daar kan ik wel wat aan doen,' zei hij zacht.

Ze opende haar ogen en staarde ongericht naar de straat beneden. Er was flink gestrooid en het midden van de weg was een natte, grijze brij, met bergen smerige sneeuw langs de stoepranden. Er was een bus de hoek om komen rijden, die midden op de weg stond omdat hij niet langs een dubbel geparkeerde auto kon. Er stond een file tot aan de lichten van Elgin Crescent en ze hoorde ongeduldig getoeter.

Er was met de dood van Rachel iets essentieels veranderd. Ze kon het niet onder woorden brengen, en al helemaal niet aan hem, maar ze voelde zich vreselijk onrustig. Ze wilde haar ogen dichtdoen, haar hoofd tegen zijn borst leggen en de buitenwereld even vergeten. Maar ze wist best dat dat niets oploste; het leven was niet meer eenvoudig.

'Laat me alsjeblieft komen,' zei hij. 'Ik wil bij je zijn.'

'Nee. Vanavond niet. Ik heb wat tijd voor mezelf nodig.'

6

'Is dat een Rafaël?' vroeg Sam Donovan terwijl ze naar het grote schilderij in een overdadig vergulde lijst staarde dat achter het bureau van Richard Greville hing.

Er flikkerde even een glimlachje op Grevilles ingeteerde gezicht. 'Heel goed, rechercheur, maar ik vrees dat ik u moet teleurstellen. Het is een replica, hoewel een buitengewoon goede, waarschijnlijk enkele decennia na zijn dood geschilderd. We hebben af en toe een werk van hem om te verhandelen, maar zijn olieverfschilderijen worden zeer zelden geveild, en brengen dan miljoenen op. Dit kwam lang geleden op mijn pad en ik heb het voor een schijntje op de kop kunnen tikken. Dus nu heb ik het helemaal voor mezelf, waar niemand het ziet, en ik ben er best aan verknocht. Het is echt erg goed gedaan.'

Ze waren in het kantoor in de kelder van galerie Greville-Tenison aan Dover Street, Mayfair. De donkerrood geschilderde, raamloze ruimte rook sterk naar sigarenrook en stond vol boeken, terwijl het enige natuurlijke licht door een klein dakraam in een hoek scheen. Greville was zo te zien midden tot eind vijftig, lang en mager, met een bos sluik blond haar dat over zijn voorhoofd viel. Hij was nonchalant gekleed in een roze overhemd zonder stropdas en een bruine broek, en zat in elkaar gezakt achter zijn bureau in een met fluweel beklede leunstoel, zijn gezicht buiten het bereik van de lichtbundel van de kleine koperen leeslamp. Het was pas halverwege de ochtend, maar hij zat met een glas whisky in zijn handen en streelde nu en dan over het geslepen glas, alsof hij er troost in zocht.

Ze spraken een paar minuten over zijn kunsthandel in het algemeen, aangezien Donovan het gevoel had dat hij een subtiel duwtje nodig had voordat ze een poging zou doen hem directe vragen over Rachel Tenison te stellen. Ze hoorde tijdens hun gesprek voetstappen op de houten vloer boven haar hoofd, en het geroezemoes van een gesprek dat uit de galerie boven naar beneden sijpelde, waar Minderedes een gesprek had met Selina, de aantrekkelijke, blonde assistente van Greville.

'Hoe lang kende u Rachel Tenison al, meneer Greville?' vroeg Donovan, die op haar horloge keek en besloot dat het tijd werd voor actie.

Greville zuchtte en kneep zijn kleine blauwe ogen even dicht, alsof alleen al het horen van haar naam pijnlijk was. 'Meer dan tien jaar. Ze werkte in eerste instantie voor me bij Christie's, en na een tijdje hebben we besloten samen een zaak te openen.' Hij sprak langzaam en bedachtzaam, alsof elk woord moeite kostte.

'Was het een gelijkwaardig partnerschap? Ik bedoel...' Donovan probeerde haar woorden zorgvuldig te kiezen.

'We waren allebei voor vijftig procent eigenaar. Maar wat u echt bedoelt is: waarom is Rachel zaken gaan doen met een oude vent als ik? Dat is een logische vraag. Ik neem aan omdat ik in die tijd het netwerk en de kennis had, en zij het geld. Maar ze was een snelle leerling. We hadden binnen de kortste keren een vaste clientèle. Ze was enorm getalenteerd, dat was wel duidelijk.' Er klonk geen verbittering in zijn stem, alleen wat weemoedig verdriet.

'Zou u zeggen dat uw partnerschap succesvol was?'

Hij knikte. 'We vulden elkaar aan. Ik weet niet hoe het nu verder zal gaan... nu ze... weg is.'

'U heeft haar vrijdag als vermist opgegeven. Waarom maakte u zich zorgen?'

'Rachel had een afspraak met een klant, een heel belangrijke. Een Amerikaan uit Texas die heel veel via onze galerie aanschaft, we bieden vaak namens hem op veilingen. Ze zou naar zijn hotel gaan om wat stukken met hem te bespreken die binnenkort geveild gaan worden. En daarna zouden ze gaan lunchen, en 's avonds zou ze met hem en zijn vrouw naar een balletvoorstelling gaan.'

'Dat allemaal voor een klant?'

'Dat is in onze wereld heel normaal. We hebben een hechte band met onze verzamelaars en geven hun een koninklijke behandeling als ze in de stad zijn. Dat is hoe de ponden binnenkomen, of in het geval van meneer Gunn de miljoenen dollars, en allemaal met een mooie, gezonde commissie. Hoe dan ook, toen Rachel niet naar Claridge's kwam, wist ik direct dat er iets mis was, en ik heb Selina de politie laten bellen.'

'Heeft u niet zelf gebeld?'

'Ik was in Genève met een andere klant. Ik ben net vanochtend terug. Het was gemakkelijker om Selina te laten bellen. Het heeft schijnbaar even geduurd voor ze de juiste persoon aan de lijn had.'

'Dus u was vrijdag in Genève?'

'Dat klopt. Ik ben er die ochtend vroeg naartoe gevlogen. Ik zat midden in een vergadering toen Selina belde dat Rachel niet was komen opdagen en dat ze haar telefonisch niet kon bereiken.'

'Dacht u niet dat mevrouw Tenison ziek was?'

Greville schudde zijn hoofd. 'Rachel was nooit ziek. Nooit. En als ze ziek was geweest, zou ze hebben gebeld. Zo zat ze in elkaar. U kunt zich vast wel voorstellen dat ik echt heel bezorgd was.'

'Maar u heeft uw vergadering wel afgemaakt?'

Greville zette met een knal zijn glas op het bureau. 'Wat had ik anders moeten doen? Die godvergeten klant wilde praten. En ik had natuurlijk geen idee wat er was gebeurd. Ik hoorde pas later die avond wat, vlak voordat ik naar bed ging, toen ik zag dat ik een voicemailbericht had. Iemand van het wijkbureau vertelde dat ze haar flat hadden bekeken – oppervlakkig, neem ik aan – en dat er zo te zien niets aan de hand was.' Hij was even stil en voegde toen toe: 'Uiteindelijk heb ik zelf het bureau gebeld. Ze leken te denken dat het me geen moer aanging als Rachel had besloten niet naar haar werk te komen, dat er ongetwijfeld een persoonlijke reden was die haar afwezigheid verklaarde. Ik wist dat er iets mis was, maar ze weigerden verdomme gewoon te luisteren. Ze zeiden dat ik maandag maar moest terugbellen als ze er dan weer niet was. Ze zeiden min of meer dat ik me niet met andermans zaken moest bemoeien.'

Hij nam nog een grote slok whisky en Donovan wachtte tot hij verder zou gaan. Ze begreep zijn gevoel van onmacht wel, en ook, in het licht van wat er was gebeurd, dat hij verbitterd was. Maar er was geen reden geweest om een zoekactie te beginnen, vooral niet omdat ze in haar flat waren geweest en er zo te zien niets mis was. Zelfs als ze eerder in het park waren gaan zoeken: toen Greville voor het eerst had gebeld, was Rachel Tenison al dood.

'Ik heb die zaterdag en zondag nog een paar keer gebeld,' voegde hij nadrukkelijk toe, alsof hij het gevoel had dat hij moest rechtvaardigen dat hij alles had gedaan wat hij kon doen. 'Maar ik kon degene die dat bericht had achtergelaten niet bereiken. Ik bleef maar een antwoordapparaat krijgen en iedereen die iets wist, leek naar huis te zijn. En toen belde iemand me gisteravond om te vertellen dat Rachel dood is. Dat haar lichaam in Holland Park is gevonden.' Hij zette zijn glas neer en wreef met zijn handen over zijn gezicht, schudde zijn hoofd alsof hij nog steeds niet kon geloven wat er was gebeurd. 'Ik heb om de een of andere reden het gevoel dat ik hier had moeten zijn, in Londen. Misschien had ik eerder terug moeten vliegen...'

'Ik weet niet of het een troost is, maar we denken dat mevrouw Tenison vrijdagochtend vroeg is gestorven.' Hij staarde haar uitdrukkingsloos aan en ze herhaalde: 'Zelfs als het wijkbureau actie had ondernomen, weet ik zeker dat niemand iets had kunnen voorkomen.'

Hij knikte langzaam, dronk zijn glas leeg en trok een gezicht alsof hij walgde van de hele gang van zaken. 'Normaal gesproken drink ik niet zoveel,' zei hij terwijl hij het glas stevig op het bureau voor zich zette. 'En al helemaal niet 's ochtends. Maar ik heb niet geslapen. Ik zal vandaag wel niet veel werk gedaan krijgen, ik denk dat ik de galerie maar sluit en naar huis ga. Ik moet op een rijtje krijgen wat er is gebeurd. Bedenken wat er moet gebeuren, hoe ik het aan de klanten moet vertellen.'

Zijn verdriet en shock leken oprecht en ze wenste dat ze hem verder niet lastig hoefde te vallen. 'Kunt u een reden bedenken waarom iemand mevrouw Tenison zou willen ombrengen?' vroeg ze na een korte stilte.

Hij keek haar aan en knipperde met zijn ogen. 'Nee. Iedereen was stapelgek op haar. Zo was ze. Iedereen was door haar gecharmeerd.'

'En er is niets wat u weet, zakelijk of privé, dat hoe dan ook potentieel gevaarlijk was in haar leven?'

'Nee. Niets.' Hij fronste zijn wenkbrauwen. 'Ik neem aan dat het eenvoudig is. Er loopt een of andere gek los op straat, een zieke maniak die uit een gevangenis of instelling is ontslagen omdat de regering niet betaalt om ze opgesloten te laten zitten waar ze thuishoren.'

'We overwegen alle mogelijkheden, meneer Greville,' zei Donovan, die geen zin had om in een politieke discussie te worden getrokken, hoewel ze wel met hem meevoelde. 'En een daarvan is dat ze door een bekende is vermoord.'

Hij schudde gedecideerd zijn hoofd. 'Waarom zou iemand die Rachel kent haar willen vermoorden? Dat slaat nergens op.'

'Een van haar klanten misschien? Zoals u al zei, klinkt het alsof de band met hen heel hecht was. Kan een van hen een grens hebben overschreden?'

'Nee. Ik zou tenminste niet weten wie. Er waren natuurlijk klanten die haar aantrekkelijk vonden. Dat hoort bij het leven en ze was een mooie vrouw. Maar Rachel was uitzonderlijk zorgvuldig, ze ging nooit te ver en had heel duidelijke grenzen. Haar klanten wisten dat en respecteerden haar erom. Ze gedroeg zich altijd buitengewoon professioneel.'

'En in haar privéleven?' Ze ving zijn blik en vroeg zich af of hij vrijwillig over zijn relatie met Rachel zou beginnen.

Greville leek verrast. 'Denkt u dat het een crime passionnel was?' Hij wreef even bedachtzaam over zijn kin en zei toen: 'Ik weet niets recents. Bij Christie's liep een jongen rond die een beetje als een verloren lammetje achter haar aan sjouwde, maar volgens mij was ze niet geïnteresseerd. Geen idee hoe het met hem is afgelopen, en hij kwam eerlijk gezegd nogal onervaren over... hij lijkt me niet het type dat... Maar hoe dan ook, het was geen serieuze relatie, als u daarnaar zoekt. Ze ging weleens met iemand lunchen, maar voor de rest zou ik het niet weten.'

'Was er verder nog iemand?'

'Ik herinner me een journalist. Iemand met wie ze had gestudeerd. Hij is onlangs een paar keer naar de galerie gekomen – volgens mij schreef hij iets over door de nazi's geconfisqueerde kunstwerken – maar ik was niet op de hoogte van iemand die belangrijk was, niemand die zulke sterke emoties voor haar zou hebben dat hij...'

'Je weet nooit wat mensen voelen, wat ze laten zien of wat ze verbergen, meneer Greville. Ik wil graag de naam van iedereen die u kunt bedenken.'

Greville zuchtte alsof het hem allemaal enorme moeite kostte. 'Die jongen bij Christie's heette Rupert Nogwat... Hij werkte op de afdeling Britse Schilderkunst, geloof ik. Misschien nog steeds. Die journalist heette Jonathan, maar dat kunt u beter aan Selina vragen. Zij weet veel meer dan ik over dergelijke zaken, en zij houdt de agenda bij.'

'En u, meneer Greville?' Ze bleef hem aankijken. 'Ik begrijp dat u een relatie met mevrouw Tenison heeft gehad.'

Hij staarde haar aan, perste zijn smalle, droge lippen op elkaar en zoog een teug lucht naar binnen. 'Ik zou niet weten wat u dat aangaat.'

'Alles gaat ons aan. Vertel er eens wat over.'

Hij strengelde zijn handen ineen en keek weg. 'Er is niet veel over te zeggen.'

'Maar ik begrijp dat uw relatie een paar jaar heeft geduurd.'

'Ja. Maar het is al heel lang geleden en zoals ik al zei, zijn dat uw zaken niet.'

Hij sprak laatdunkend, alsof wat er was voorgevallen onbelangrijk was, maar zijn ogen werden vochtig en zijn gezicht liep rood aan. Hij ontweek haar blik.

'Het spijt me, meneer Greville, maar ik moet er echt meer over weten. Heeft zij er een einde aan gemaakt, of u?'

Hij voelde in zijn broekzak, trok een grote, gekreukte blauwgeruite katoenen zakdoek tevoorschijn en snoot luidruchtig zijn neus. 'Zij heeft het beëindigd,' zei hij terwijl hij met een snuif de zakdoek hardhandig in zijn zak terugduwde.

'Was u er ongelukkig onder?'

Hij schudde verward zijn hoofd. 'Het was zo raar. Er was niemand anders. Er was echt niemand anders.'

'Weet u dat heel zeker?' vroeg ze, en ze vroeg zich af of Greville zich van den domme hield.

'Ja,' zei hij, en hij zag er gekwetst uit. 'Er was geen enkele reden toe. Ik gaf haar wat ze nodig had. Ze was veilig bij mij.'

Dat was zo'n vreemde opmerking dat Donovan even de draad kwijt was. 'Hoe bedoelt u, veilig? Veilig voor wat?'

Greville zuchtte diep en staarde voor zich uit. 'Wat ik bedoel is dat sommige mensen van gevaar houden, dat ze verleiding en problemen zoeken. Ik was een veilige haven voor Rachel, die ze nodig had.'

'Zegt u nu dat mevrouw Tenison van gevaar hield?'

'Ik zeg dat ze iemand nodig had die voor haar zorgde. Ze was fragiel. Een delicaat wezen. Als een zeldzame, prachtige bloem. Ik zorgde voor haar.' Een kort glimlachje van affectie verlichtte het verdriet in zijn bleke, verslagen gezicht.

'Als een vaderfiguur?'

Greville trok zijn wenkbrauwen op alsof die term hem niet aanstond. 'Ik kan u best de huis-tuin-en-keukenversie over haar achtergrond geven, maar die is niet echt relevant, toch? Mijn lieve, lieve meisje is dood.'

Hij bleef Donovan bijna uitdagend aankijken, reikte achter zich en friemelde tot hij het handvat van de kastdeur had gevonden. Hij trok hem open en pakte een fles Famous Grouse, die nog voor ongeveer een derde gevuld was, en schonk een centimeter of drie in zijn glas.

'Wist uw vrouw van uw relatie?'

'Nee,' zei hij stellig. Hij had moeite de dop weer op de fles te krijgen, alsof zijn vingers stijf waren, en zette de fles op het bureau. 'En ik wil ook dat dat zo blijft, is dat duidelijk?' Hij liet zich in zijn stoel zakken en nam een grote slok whisky.

'Als u ons de waarheid heeft verteld, meneer Greville, en uw vrouw doet dat ook, en uw alibi's kloppen, dan is er geen reden waarom ze zou moeten weten wat er tussen u en Rachel Tenison heeft gespeeld.'

Hij zag er opgelucht uit en smakte met zijn lippen. 'Mooi. Zoals ik al zei, was het allemaal in een ver verleden. Het heeft geen enkele zin haar nu overstuur te maken.'

'Het zou heel fijn zijn als u ons uw DNA en vingerafdrukken geeft, zodat we weten welke sporen van u zijn in Rachel Tenisons flat.'

'Prima.' Hij maakte een vaag handgebaar.

'En we moeten controleren waar u vrijdag was.'

'Ga uw gang. Ik heb niets te verbergen. Vraag maar na bij British Airways. Ze kunnen daar bevestigen dat ik vrijdagochtend voor dag en dauw naar Genève ben gevlogen.'

'Dank u. Dat zullen we doen.' Donovan had het gevoel dat

ze op dit moment van Greville had gekregen wat hij van plan was te geven, en ze stond op, pakte een visitekaartje uit haar tas en schoof dat over het bureau. 'Als u nog iets bedenkt, hoe triviaal ook, belt u dan alstublieft.'

Hij knikte. 'Natuurlijk. U kunt aan Selina vragen of ze Rachels dossiers en haar agenda voor u pakt. U mag alles inzien, als u het maar met haar regelt. Zij doet de administratie.'

Donovan liep zijn kantoor uit en trok de deur half achter zich dicht. Toen ze zich omdraaide om de trap op te lopen, zag ze Grevilles lange, bleke gezicht in de opening. Hij staarde even naar zijn bureau, alsof hij nadacht, boog toen zijn hoofd en legde het in zijn handen. Zijn schouders begonnen te schokken en het zag eruit of hij huilde, hoewel ze niets hoorde. Voor zover ze het kon inschatten had hij haar de waarheid verteld en ze had met hem te doen.

Minderedes zat boven op een hoekje van het bureau van Selina.

'Tijd om op te stappen,' zei Donovan opgeruimd. 'Hebben we alles wat we nodig hebben?'

'Ja.' Minderedes gleed van het bureau en liep met haar naar de deur. Ze stonden bijna op straat toen hij zich nog even omdraaide naar Selina, met een hand een telefoontje vormde bij zijn oor en geluidloos zei: 'Bel me.' Donovan zei niets en liep voor hem uit de glazen deur uit, die ze voor zijn neus liet dichtvallen. Als hij zich als een idioot wilde gedragen, zocht hij het maar uit.

Het was ijskoud, de hemel weer dreigend, en ze trok haar jas stevig om zich heen. Er lag nog steeds wat sneeuw op de grond, maar dat was nu meer grijze drek dan wat anders, en ze voelde haar voeten tijdens het kleine wandelingetje van de galerie naar de auto al nat worden.

'Ik weet niet hoe het met jou is,' zei ze scherp toen Minderedes grijnzend naar buiten kwam lopen, 'maar ik wil koffie en wat te eten. We hebben nog wat parkeertijd over.'

'Lekker. Ik zou een moord doen voor iets warms.'

Ze staken de weg over naar een eetcafé. Ze kochten broodjes en koffie, waarmee ze aan een tafeltje voor het raam gingen zitten, dat uitkeek op galerie Greville-Tenison. Hoewel het bijna lunchtijd was, waren er bijna geen voorbijgangers en er reden nauwelijks auto's op straat; de meeste mensen bleven binnen vanwege de kou. Na een paar minuten zag ze Richard Greville naar buiten komen, met een lange, donkere jas aan en een bruine hoed op. Hij liep de straat uit en heuvelafwaarts over Hay Hill richting Berkeley Square.

'Greville heeft vrijdag de vlucht van tien voor zeven naar Genève genomen,' zei Minderedes tussen twee happen van zijn grote rozijnenbroodje door. Er lag een tweede op zijn bord te wachten. 'Hij is daar om halftien plaatselijke tijd geland en heeft een groot deel van de dag vergaderd. Hij heeft het weekend met andere klanten in de buurt van Basel doorgebracht.'

'En mevrouw Greville?'

'Die was schijnbaar in Londen. Ik heb het privéadres en ga straks even bij haar langs.' Hij nam nog een grote hap van zijn broodje. Hij zat met zijn elleboog op tafel, zijn beige regenjas keurig over zijn arm gevouwen, en pakte alle gevallen kruimels en stukjes noot er zorgvuldig af, alsof hij het niet kon aanzien iets te verspillen. Het was haar een raadsel hoe hij zo mager bleef.

Donovan nam een klein hapje van haar croissant en wenste dat ze niet zo'n honger had. 'Je belt de luchtvaartmaatschappij nog wel even of hij inderdaad op dat vliegtuig is gestapt, hè?'

'Natuurlijk. Maar als hij naar Genève was, is hij onze boef niet.' Minderedes trok zijn brede wenkbrauwen op en grinnikte om zijn eigen woordkeus terwijl hij het laagje poedersuiker dat op zijn stropdas terecht was gekomen erafveegde.

'En Selina? Heeft die een alibi?'

'Die was thuis. Haar kamergenoot kan het bevestigen. Denk je echt dat de moordenaar mogelijk een vrouw is?'

Donovan nam een grote slok van haar cappuccino met te

veel melk. 'We moeten er rekening mee houden, hoewel je natuurlijk veel kracht nodig hebt om een lichaam te verplaatsen. Ik zie een vrouw niet zomaar een armklem gebruiken, tenzij ze een militaire achtergrond heeft of aan vechtsport doet. Weet je al iets over de missende laptop en telefoon?'

'Die zijn nog niet terecht. Die laptop gebruikte ze schijnbaar over het algemeen thuis, ze nam hem zelden mee naar kantoor. Ik heb haar e-mailadres, hoewel de berichten die ze al had gedownload op haar laptop niet bewaard worden door de provider. De informatie van haar computer op het werk wordt ook op het netwerk bewaard. Voor zover Selina weet was haar pda haar enige telefoon, maar daar kon ze alleen haar e-mail van kantoor mee ophalen.'

'Dus het ziet ernaar uit dat iemand ze heeft meegenomen. En haar agenda? Staat die op het netwerk?'

Minderedes knikte. 'Ik heb een uitdraai, en Selina mailt me het hele ding, samen met haar klantenbestand. De meesten wonen in het buitenland, dus het zou relatief eenvoudig moeten zijn hen te elimineren.'

'En die Amerikaan met wie ze vrijdag had afgesproken?'

'Die is nog in de stad. Als we klaar zijn, ga ik wel even naar zijn hotel. Selina zei dat het hier vlakbij is.'

'En wat had Selina over Greville te vertellen?' vroeg ze nadrukkelijk.

Minderedes veegde met een papieren servetje een laagje melkschuim van zijn lippen, vouwde het zorgvuldig op en legde het naast zijn bord. 'Ze werkt er pas een paar maanden, maar ze zei dat hij en Rachel Tenison heel goed met elkaar waren.'

'We moeten haar voorgangster ook even spreken.'

'Daar wordt aan gewerkt,' zei hij terwijl hij met een strak glimlachje op zijn borstzak klopte. 'Ik heb haar naam en het telefoonnummer via het uitzendbureau. Volgens Selina loopt de galerie uitstekend. Ik zal het even navragen bij de boekhouder en de accountant, en natuurlijk bij de bank, maar het klinkt allemaal solide. Niets verdachts, voor zover ik er zicht op heb.'

'En Rachel Tenisons privéleven?'

'Volgens Selina had ze dat niet, of het stond niet in haar agenda. Haar werk was haar leven, je kent dat wel.'

'En donderdag?'

Minderedes nam een hap van zijn tweede broodje, pakte een stapeltje gevouwen papieren uit zijn zak en bladerde erdoor tot hij had gevonden wat hij zocht. 'Donderdag. Niet veel, zo te zien. Ze waren iets voor Maastricht aan het voorbereiden.'

'Een of andere grote kunsthandel in Nederland. De koerier is 's middags wat schilderijen komen brengen die ze hadden laten inlijsten en Rachel Tenison is om een uur of zes vertrokken, nadat ze weg waren. Ze zei dat ze met iemand ging borrelen.'

'Met wie?'

'Het staat in haar agenda als "borrel met J.B.".' Hij liet haar de pagina zien en duwde de uitdraai terug in zijn zak. 'Er staat niet eens bij waar ze hadden afgesproken. Selina vertelde dat zulke korte notities heel normaal waren, zelfs voor klanten. Ze zei dat ze de meeste klanten wel herkent, maar ze heeft geen idee wie J.B. is.'

'Dus het was privé. Wat een manier om je kantoor te runnen, zeg.'

'Selina zei dat Greville nog erger is; die is onmogelijk te volgen. Hij kan niets met computers en loopt rond met een handgeschreven agenda, die ze af en toe in beslag neemt om in het systeem te zetten wat hij ongeveer gaat doen.'

'Dat klinkt behoorlijk ouderwets, maar aangezien ze maar met zijn tweeën waren, was het vast wel te doen. En de telefoongegevens?'

'Die zijn onderweg.'

'Wat had Selina verder nog te vertellen? Jullie konden het zo te zien wel met elkaar vinden.'

Minderedes begon weer te glimlachen. 'Leuke meid, die Selina. Heel behulpzaam. Maar niet helemaal mijn type.'

'Jij hebt helemaal geen type,' zei ze met een snoevend neusgeluid.

Minderedes haalde zijn schouders op. 'Hoe dan ook. Ze heeft de dossiers klaarliggen als we ze willen inzien, maar ze kan niet geloven dat een van hun klanten Rachel Tenison zou willen ombrengen.'

Donovan zette haar mok neer en bestudeerde hem even. Sluwe Nick. Dat was zijn bijnaam op kantoor en hij leek er heel tevreden mee. Het was in ieder geval een typerende: met zijn gebleekte tanden, zijn zonnebankbruine huid en het gouden kettinkje om zijn hals was hij niets meer dan een goed verzorgde zwerfkat, en het bleef haar verbijsteren hoeveel vrouwen daarvoor vielen. Ze nam aan dat het zijn zelfvertrouwen was, waarmee hij leek te zijn geboren. Ze wenste niet voor het eerst dat hij eens met wat tegenslag te maken zou krijgen, iets om hem een beetje op zijn plaats te zetten, hoewel mensen als hij met een natuurlijke teflonlaag leken te worden uitgerust. Ze was jaloers op zijn gebrek aan onzekerheid. Wat zou het leven toch gemakkelijk zijn als je dacht dat je altijd gelijk had.

'Je gaat haar mee uit vragen, hè?' vroeg ze. Hoewel hij geen antwoord gaf, zag ze de koppige spanning om zijn lippen terwijl hij zijn koffie opdronk. 'Je hoeft er niet om te liegen, hoor.' Ze wilde het hem alleen maar horen zeggen, en ze keek toe hoe hij een kleur kreeg en haar blik ontweek. 'Kun je het nou echt niet laten? Kun je nou echt niet een keer een vrouw ondervragen zonder te proberen haar in bed te krijgen?'

Hij knalde zijn kop op tafel, waardoor het lepeltje kletterde, en staarde haar razend aan. 'Wat heb jij daarmee te maken? Ik heb toch zeker recht op een privéleven, of niet soms?'

'Als het vrouwelijk is en beweegt, moet ermee worden geneukt. Dat is jouw levensmotto.'

'Jezus Christus, ze is geen zestien, hoor. Ze kan heel goed zelf beslissen. En trouwens, hoe moet ik met die uren die wij werken anders iemand leren kennen die geen godvergeten irritante politievrouw is? Vertel me dat maar eens.'

'Dat lijkt je anders vrij goed af te gaan. Je weet toch wat Mark gaat zeggen als hij erachter komt, hè?'

Minderedes reageerde verontwaardigd op het noemen van Tartaglia's naam. 'Ga jij het hem dan vertellen? Gezellig in zijn oor fluisteren, lekker met zijn tweetjes? Dat is wat jij wel zou willen, toch?'

'Dat slaat nergens op en dat weet jij ook,' zei ze fel. Ze kon hem wel in zijn gezicht slaan.

'Hoe zit het trouwens met hem en die roodharige pathologe? Fiona... Hoe heet ze ook weer? Zij snijdt in de lichamen en hij mag lekker neuken. Mooi geregeld.'

'Jezus, jij bent echt gestoord. Maar dat is verleden tijd, niet dat het jou wat aangaat.'

'Net zoals het hem niets aangaat wat ik in mijn vrije tijd doe.'

'Wel als het een lopende zaak in de weg staat.'

'Selina is geen kroongetuige, toch? En jij hebt mooi praten, na wat er is gebeurd met...' Hij hield op met praten en staarde haar even geschokt aan, met halfopen mond, klemde toen zijn kaken op elkaar en staarde naar buiten, alsof er ineens iets heel interessants gebeurde aan de andere kant van de straat. Dat hij zich zo geneerde was het enige wat haar ervan weerhield hem voor zijn bek te slaan.

Hij verwees naar de man die bekendstond als Tom, een seriemoordenaar die meerdere tienermeisjes had omgebracht en die haar en Tartaglia ook bijna had gedood. Niemand op het werk durfde er recht in haar gezicht naar te verwijzen. Maar ze wist dat iedereen het er achter haar rug om over had dat ze voor hem was gevallen; mensen begonnen weleens te fluisteren, of hielden ineens op met praten als ze binnenkwam. Jezus, wat waren ze een stelletje naïevelingen, en dat noemde zich rechercheur. Dachten ze echt dat ze niet wist waarover ze het hadden? Maar het had geen zin er met Minderedes op in te gaan. Hij was de moeite niet waard. En hij praatte toch alleen maar na wat iedereen dacht. Het beste wat ze kon doen was het maar negeren en hem niet de bevrediging geven dat hij haar op de kast kreeg.

Het viel haar ineens op dat het heel stil was geworden in het café. Ze keek om zich heen en zag dat er meerdere gezichten op haar waren gericht. Ze vroeg zich af hoeveel ze hadden gehoord, pakte haar tas en wendde zich tot Minderedes.

'Ik ga achter dat gedicht aan,' zei ze zo emotieloos en zakelijk mogelijk. 'Bel me even als je die klant hebt gesproken.'

Ze gaf hem geen kans iets te zeggen en liep het café uit en de koude straat op.

7

Het was eind van de middag en al donker toen Wightman Tartaglia afzette bij La Girolle, een restaurant aan de rand van Kensington, en de hoek om reed op zoek naar een parkeerplaats. Rachel Tenisons naam en foto waren eerder die ochtend aan de pers vrijgegeven, met een vraag om hulp van het publiek om haar laatste stappen na te gaan, en er begonnen tips binnen te komen over plaatsen waar ze mogelijk was gezien. Een ervan in het bijzonder klonk interessant. De manager van La Girolle had gebeld om te vertellen dat Rachel Tenison er op donderdagavond met een onbekende man had gegeten, de avond voordat ze was vermoord, en aangezien het vlak bij haar woning was, besloot Tartaglia er zelf even achteraan te gaan.

Terwijl hij op Wightman wachtte zocht hij beschutting tegen de kou onder de diepe, zwarte luifel en bewonderde de enorme loden bakken met in een figuur gesnoeide struiken, die aan het hek stonden geketend. Wightman kwam een paar minuten later over de stoep aan stampen, net op het moment dat Tartaglia's mobieltje ging. 'Ga de manager maar vast zoeken,' zei hij tegen Wightman terwijl hij zijn telefoon openklikte. 'Ik kom eraan.'

Het was de forensisch coördinator, Nina Turner. 'We zijn hier klaar,' zei ze, 'maar je vroeg of ik even wilde bellen als we iets interessants tegenkwamen.'

'Zeg het maar.' Hij had het ijskoud en wilde naar binnen.

'Eerlijk gezegd vind ik dat je even moet komen,' zei ze een beetje aarzelend. 'Ik denk niet dat ik het aan de telefoon goed kan overbrengen. Sharon zei dat je in de buurt bent.'

'Oké,' zei hij een beetje verbaasd. 'Ik kom zodra ik hier klaar ben.'

Hij klikte de telefoon dicht en liep het restaurant in terwijl hij zich afvroeg wat ze niet over de telefoon kon uitleggen. Het was vrij donker in het restaurant, en duur ingericht met suède kuipstoeltjes en bankjes in allerlei tinten bruin. Toen hij nog eens goed keek, zag hij dat de muren met leer waren behangen. Een lange, magere ober stond een gesteven wit tafelkleed over een van de tafeltjes voorin glad te strijken, terwijl een ander in de weer was met een dienblad met vierkante vaasjes met witte rozen, waarvan hij er op elke tafel één neerzette. Wightman zat achter in de ruimte op een barkruk aan de zwart met chromen bar, met een glas voor zich. Hem kennende was het cola-light. Dat was het enige wat hij dronk.

Toen Tartaglia naar hem toe liep kwam er een kleine, kale man met een donkerblauw maatpak en een opvallende zachtpaarse stropdas tussen de klapdeuren door zeilen.

'Ik ben Henri Charles,' zei hij met een zwaar Frans accent terwijl hij een bolle hand naar Tartaglia uitstak, die vergezeld ging van een zwakke, citroenachtige eau-de-colognegeur. Hij had een kort, zorgvuldig bijgehouden zwart baardje, dat zijn eigenlijk zwakke kin definieerde en hem een sombere uitstraling gaf.

'Gaat u zitten, rechercheur. Wilt u iets drinken?'

'Een glas bronwater graag,' zei Tartaglia, die ineens besefte dat hij vreselijke dorst had. Hij ging op de kruk naast Wightman zitten.

'Ik heb meneer Charles verteld wat we komen doen,' zei Wightman tegen Tartaglia, terwijl Charles ijs en een schijfje citroen in een longdrinkglas deed en er een flesje Perrier uit een kast onder de bar in schonk. 'Hij heeft ons gebeld. Hij had dienst toen mevrouw Tenison hier kwam eten.'

Charles gaf Tartaglia zijn drankje. 'Inderdaad. Ik herkende haar foto in de krant.'

'Weet u zeker dat het afgelopen donderdag was?' vroeg Tartaglia, en hij nam een grote slok.

Hij trok zijn brede wenkbrauwen op. 'Natuurlijk. Ik pak het boek wel even, dan kunt u het zien.'

Charles kwam achter de bar vandaan en liep de ruimte door naar een bureautje voor in het restaurant, waar hij een groot, leren boek vanaf pakte. Hij kwam terug, ging tussen Tartaglia en Wightman in staan en knalde het boek op de bar. Hij begon erdoorheen te bladeren.

'Hier, donderdag, zoals ik al zei.' Hij ging met zijn korte, dikke vinger langs een lijst namen, tot hij bij Tenison kwam.

'Mag ik het telefoonnummer even zien?' vroeg Wightman. Charles draaide het boek naar hem toe en Wightman schreef het op.

'De reservering is voor halfnegen,' zei Tartaglia. 'Hoe laat waren ze hier?'

'Te laat... een kwartier of zo.'

'Kunt u hem beschrijven?'

Charles veegde een onzichtbaar vlekje van zijn colbert. 'Hij zag eruit als een zakenman – dat vond ik tenminste.'

'Hoe bedoelt u?'

Charles haalde zijn schouders op. 'Hij droeg een pak met stropdas. Ik nam aan dat hij net uit zijn werk kwam. De meeste mensen die hier komen, kleden zich nonchalanter.'

'Kunt u verder nog iets over hem zeggen?'

'Ik heb hem niet echt goed gezien. Hij zat met zijn rug naar de ruimte.'

'Waar precies?'

'Tafeltje zeven, in de hoek.' Charles draaide zich om en wees naar een tafeltje aan het raam. Het stond apart van de andere in een eigen hoekje.

'Hebben ze specifiek om dat tafeltje gevraagd?'

Charles tuitte zijn vlezige lippen. 'Ze vroegen om een rustige plaats. Dat staat bij de reservering.' Hij tikte op de bladzijde.

'Heeft u hen gesproken toen ze arriveerden?'

'Ik heb de reservering in het boek gemarkeerd, zoals u ziet, en heb de dame de tafel gewezen. Toen die man binnenkwam, is hij direct naar haar toe gelopen.'

'Heeft u hem gesproken?'

'Nee.'

Tartaglia keek naar tafel zeven. Als de metgezel van Rachel met zijn rug naar de ruimte zat, zou zijn gezicht niet goed zichtbaar zijn geweest van af de andere tafeltjes.

Hij draaide zich weer naar Charles om. 'Maar u heeft mevrouw Tenison wel duidelijk gezien?'

'Absoluut. Ze keek de ruimte in. Vrijwel direct nadat die man binnenkwam, stond hij weer op van tafel en liep naar buiten. Ik zag hem heen en weer lopen terwijl hij telefoneerde.'

'Maar het was ijskoud,' zei Wightman verbaasd.

'We staan in het restaurant geen telefoongesprekken toe,' zei Charles resoluut.

'Wie heeft hun bestelling opgenomen?' vroeg Tartaglia.

'Ik, maar die man was nog buiten. De jongedame heeft voor hem besteld. Toen heb ik de sommelier gestuurd zodat ze wijn kon kiezen.'

'En u weet heel zeker dat het mevrouw Tenison was?'

'Ja,' zei hij met een glimlach terwijl hij met zijn hand over de stoppeltjes op zijn hoofd wreef. 'Ze was erg aantrekkelijk en ik vergeet geen gezichten.'

'Heeft u de metgezel van mevrouw Tenison weleens eerder gezien?'

Charles schudde zijn hoofd.

'Zijn ze lang gebleven?'

'Nee, niet bepaald. Dat weet ik ook nog. Ze hebben een voorgerecht genomen en daarna een hoofdgerecht. Ik weet niet eens of ze het hebben opgegeten. Ze hadden... ruzie.'

'Heeft u hen gehoord?'

'Nee. Het restaurant was vol en lawaaiig. Ik weet nog dat ze opstond en me om haar jas vroeg. Ze zag er overstuur uit, misschien kwaad. Ik heb gevraagd of er iets met het eten was en ze zei van niet, en toen is ze vertrokken. Ik weet nog dat die man alleen aan het tafeltje zat, alsof hij wachtte tot ze zou terugkomen. Zoals ik al zei was het druk en toen ik nog eens keek, een minuut of vijf later, was hij ook weg.'

'Hoe laat was dat?'

'Een uur of tien, halfelf. Ik hou de tijd niet in de gaten.'

'Hoe hebben ze betaald?' vroeg Wightman.

'Hij heeft geld op tafel achtergelaten. Hij had zo'n haast dat hij de rekening niet eens heeft gevraagd, maar het was ruim voldoende.'

'Wat had u voor indruk over hun band?' vroeg Tartaglia. 'Denkt u dat ze minnaars waren?'

Charles trok een gezicht. 'Geen idee. Ik geloof dat hij wel haar hand vasthield.' Hij knikte langzaam. 'Ja, hij hield haar hand vast. Denk ik.'

'Wat weet u verder nog over hem? Was hij groot of klein? Dik of dun? Jong of oud?'

'Ik denk vrij lang, maar hij zat aan tafel toen ik hem zag. Net als u, niet dik.' Dat werd gezegd met een steelse blik naar Tartaglia's buik. 'Uw leeftijd, misschien ouder. Dat is soms moeilijk te zeggen.'

'Weet u verder nog iets?'

'Volgens mij had hij donker haar. Kort en dik. Niet zoals ik.' Hij klopte op zijn glanzende kruin.

'Hoe donker? Bedoelt u zwart?'

Charles liet zijn hoofd naar een kant zakken en bestudeerde Tartaglia. 'U heeft Zuid-Europees haar, echt zwart. Volgens mij was dat van hem anders. Ik zou zeggen bruin, misschien donkerbruin. In dit licht ziet het er allemaal hetzelfde uit.'

Alle katten zijn 's nachts donker, dacht Tartaglia. Maar hoe dan ook, de algemene beschrijving sloot Richard Greville uit. 'Was hij Engels?'

Charles haalde zijn schouders op. 'Sorry, maar wat is Engels tegenwoordig? Ik kom uit Gascogne, ik zou het niet weten. Dat is alsof je een Engelsman vraagt...' hij was even stil en zijn hand ging heen en weer alsof hij de woorden uit de lucht probeerde te pakken, 'wat het verschil is tussen een truffel en een klompje kolen.'

Wightman zette Tartaglia af bij de flat van Rachel Tenison en reed naar Barnes. Het pand was nog afgezet. Tartaglia liet zich opnieuw inschrijven en negeerde de verslaggevers die weer op de stoep stonden, met een televisieploeg, die stond te filmen. Hij liep deze keer rechtstreeks naar de vijfde verdieping, met de trap, aangezien hij niet het risico wilde nemen alleen in die lift gevangen te komen zitten.

Nina Turner deed open, nog in haar forensische pak en masker. 'Sorry dat ik zo mysterieus deed, maar het leek me beter als je er even naar kijkt voordat het naar het lab gaat. Op de foto zie je ook niet alles.'

'Ik word gek van nieuwsgierigheid. Wat heb je?' vroeg hij, en hij liep achter haar aan de gang door naar de slaapkamer.

'Het zat in die kist die je zo mooi vond.'

'Heb je de sleutel gevonden?'

'Ja. En je bent vast blij te horen dat we niets hebben beschadigd.'

Het bed was geheel ontdaan van beddengoed en gordijnen, en de kamer zag er nu nog kaler, leger en kleurlozer uit. De kist stond op een plastic vel op de vloer, op zijn oorspronkelijke plaats, met gesloten deksel. Hij had geen handschoenen aan, dus Nina maakte hem open.

Ze boog zich voorover en opende het deksel. Wat hij zag deed zijn hart sneller kloppen. De kist was gevuld met een collectie metalen handboeien, kluisters, leren zwepen, mondproppen, en maskers die aan die op de foto's in de studeerkamer deden denken. Sommige maskers half bedekkend, andere geheel. Zelfs nu niemand ze droeg, waren ze eng. Je deed bij huiszoekingen de bizarste en onverwachtste ontdekkingen, maar hij had niet verwacht hier iets dergelijks aan te treffen.

Hij staarde verwonderd in de kist. Een vrouw die vastgebonden wilde worden... was dat niet de fantasie van iedere man? Hoewel hij nog nooit, tot dusverre, met een vrouw was geweest die daarvan hield, moest hij toegeven dat het idee opwindend was. Hij had zich Rachel Tenison voorgesteld als succesvol en gedreven, zeker niet als onderdanig op deze manier, en het fascineerde hem. Hij zag een stukje van een geheime wereld, haar geheime wereld, in een afgesloten kist. Hij keek even op en zag zijn reflectie in de spiegels, met het bed erachter. Het beeld van haar zoals hij haar had gezien – wit als sneeuw, knielend, met haar handen ineengestrengeld – ging door zijn hoofd.

Mystieke en somb're Dolores / O, Vrouwe van Pijn

Was het allemaal een uit de hand gelopen gewelddadig seksspelletje? Wat betekende dat gedicht?

Nina schoof wat maskers opzij en trok er een tevoorschijn die het hele gezicht bedekte, met een borstdoek, van zwart leer met studs en een rits voor de mond.

'Denk je dat deze op maat is gemaakt?' Ze hield hem tussen twee gehandschoende vingertoppen omhoog.

'Wie weet,' zei hij, en hij wenste dat het masker kon vertellen wat het had meegemaakt. Hij staarde zo geconcentreerd naar het masker en de lege oogspleten dat hij er duizelig van werd. Op wat voor soort mannen viel ze? Was het masker voor een speciale man en zo ja, wie en waar was hij dan? Hij keek Nina aan. 'Heb je verder nog iets gevonden? Iets van een zwaardere aard sm? Iets wat er professioneel uitziet?'

'Nee. Niets zoals we het hebben aangetroffen in die flat bij Edgware Road.' Ze liet het masker in de kist vallen en sloot het deksel. 'Er lag wel wat interessant ondergoed en rubberen speelgoed op een van de bovenste planken, maar zo te zien is het allemaal recreatief, voor thuisgebruik. Niet meer dan een grote verkleedkist, eigenlijk, hoewel voor een meisje met een heel andere smaak dan ik.'

8

Een meisje met een heel andere smaak. De woorden van Nina Turner bleven door Tartaglia's hoofd gaan terwijl hij naar beneden liep. Het was een piepklein, maar uitermate belangrijk stukje in een puzzel die zich pas net begon te vormen, elk stukje fascinerender. Hij wist zo weinig over Rachel Tenison, maar wilde achter zoveel meer komen.

Toen hij de voordeur van het pand openduwde, werd hij in zijn gezicht geslagen door een golf ijskoude lucht. Hij trok zijn hoofd tussen zijn schouders, kneep zijn ogen bijna dicht en liep de trap af en naar de buitenste kordon, waar hij zich uitschreef. Het was net weer gaan sneeuwen, hoewel niet erg overtuigend: kleine vlokjes dwarrelden door de lucht als achtergebleven confetti. Hij liep met gebogen hoofd langs het groepje onverzettelijke verslaggevers en de heuvel af naar het metrostation. Hij liet zich omhullen door de duisternis van de avond, verloor zich in de bedrijvigheid van de mensen op de stoep, gebiologeerd door de caleidoscoop van licht in de verte, die werd gemaakt door de lampen van passerend verkeer over Kensington High Street, vaag geworden door de mistige lucht. Maar het beeld van de kist in de slaapkamer van Rachel Tenison bleef zich aan hem opdringen.

Hij had bij Rachel in de flat Donovan gebeld en haar gevraagd Richard Greville onmiddellijk met de inhoud van de kist te confronteren, te kijken of die voor hem iets betekende. Hoe dan ook, de beschrijving van de man die met Rachel in

La Girolle was gezien paste niet bij Greville, die sowieso een keihard alibi had voor vrijdagochtend. Maar zelfs als Greville niet van dergelijke dingen hield, zelfs als hij het beeld dat ze van Rachel Tenison aan het vormen waren wat meer kon inkleuren, was het niet meer dan nuttige achtergrondinformatie. Alles wees erop dat er iemand anders in het spel was.

Hij versnelde zijn pas, stampte op de stoep omdat hij het koud had en zich gefrustreerd voelde over hoe het onderzoek liep, en dacht terug aan het gesprek met Liz Volpe van die ochtend, zag haar ongerichte, uitdrukkingsloze blik voor zich, hoorde haar intonatieloze, hese stem. 'Ik was weg. We hadden niet veel contact,' was het zwakke excuus dat ze had aangeboden. Maar dat klonk niet overtuigend. Hij wist als geen ander dat het in het tijdperk van mobiele telefonie, e-mail en pda's onmogelijk was om geen contact te hebben. Geografische afstand betekende niets meer voor familie, vrienden en je werk. Als iemand contact met je wilde opnemen, gebeurde dat, of jij dat nu wilde of niet. Zijn instinct knaagde aan hem, vertelde hem dat hij, hoe dan ook, een gecensureerd verhaal te horen had gekregen, wat hem achterliet met een brandende, koppige nieuwsgierigheid naar wat er niet was verteld, en waarom het niet was verteld.

Liz Volpe zette haar glas rode wijn naast het bad en draaide de kranen dicht. Het was vol genoeg, bijna tot aan de afvoer. Ze maakte snel een knot van haar haar en stak hem met een speld vast op haar hoofd. Ze liet de oude badjas van haar broer op de grond vallen en stak een teen in het water om te voelen of de temperatuur goed was. Er kwam stoom af en het water was gloeiend heet, schuimend en heerlijk geurend van iets wat ze achter in een kastje had gevonden.

Ze stapte in het bad en liet zich langzaam in het water zakken, sloot haar ogen terwijl ze tot aan haar kin onder water zakte. Het voelde goed na de ijzige kou van buiten, en ze bleef een paar minuten met gesloten ogen liggen, probeerde te vergeten waar ze was. Haar gedachten gingen terug naar het sollicitatiegesprek dat ze eerder die dag had gehad, naar een baan als curator in een Londens museum. Ze liet het gesprek, de algemene sfeer en de lichaamstaal van de mensen die ze had ontmoet in haar hoofd nog eens de revue passeren. Ze had het tijdens het gesprek al moeilijk gevonden zich te concentreren op het praten over zichzelf en waarom ze terug was in Londen. Ze was ervan overtuigd dat ze slecht was overgekomen. Het was onmogelijk normaal te doen, gedachten aan en beelden van Rachel uit haar hoofd te bannen. Ze hoorde haar stem nog zo glashelder, en de woorden bleven hardnekkig hangen.

Net toen ze haar ogen opendeed en haar hand naar haar glas uitstak, begon de telefoon in de gang te rinkelen. Ze luisterde naar de zakelijke boodschap die haar broer had ingesproken, gevolgd door Jonathans zware, hese stem.

'Ben je thuis, Lizzie, lieverd? Wil je alsjeblieft opnemen? Lizzie... hallo? Met mij.' De woorden klonken een beetje onduidelijk. Het was even stil en ze dacht dat hij had opgehangen. Toen zei hij, zijn stem serieuzer: 'Neem eens op, Liz. Ik weet dat je er bent. Ik liep vijf minuten geleden langs en er brandde licht. Luister, ik moet je zien. Ik moet met je praten. Wat er met Rachel is gebeurd, nou, ik draai ervan door, dat is wat er gebeurt. Ik voel me afschuwelijk. Bel me alsjeblieft terug. Ik ga naar de Electric voor een borrel. Ik móet je echt zien. Alsjeblieft.' Het 'alsjeblieft' klonk als een gedachte die er achteraan hobbelde. Weer een stilte, alsof hij op antwoord wachtte, gevolgd door een klik toen hij ophing.

Ze zuchtte en nam een grote slok wijn, staarde naar haar tenen, die omhoog piepten uit het witte schuim rond haar voeten. De donkere nagellak begon af te schilferen en haar tenen leken wel van iemand anders, wat wel was hoe ze zich voelde. Na de eerste schok was er alleen maar gevoelloosheid, gecombineerd met schuldgevoel... hoewel Rachel objectief gezien degene was die zich schuldig moest voelen. Maar hoezeer Liz ook haar best deed zichzelf daarvan te overtuigen, dat lukte niet. Rachel kende de betekenis van dat woord niet. En hoe dan ook, Rachel was dood.

Er waren nog steeds momenten dat het niet echt leek, alsof ze wakker zou worden en zou merken dat het alleen een nachtmerrie was. Ze vroeg zich weer af waarom ze zo weinig emotie voelde, en was verrast door Jonathans reactie. Waarom zou híj het er zo moeilijk mee hebben? Ze was nieuwsgierig wat hij wilde. Misschien moest ze hem terugbellen. Het zou goed zijn even de deur uit te gaan, wat te drinken en te proberen alles even te vergeten, zolang ze hem er tenminste van kon weerhouden over Rachel te beginnen.

Ze trok de stop uit het bad en stond op. Toen ze eruit stapte, hoorde ze de voordeurbel. Geïrriteerd dat hij gewoon aannam dat ze thuis was en beschikbaar, pakte ze de badjas van de vloer, trok hem aan en liep naar de intercom om hem er eens flink van langs te geven.

'Wat kom je doen?' schreeuwde ze in de hoorn.

'Rechercheur Tartaglia. Mag ik even boven komen?'

Ze sloot haar ogen en wenste plotseling dat het toch Jonathan was geweest. 'Pardon. Ik dacht dat u iemand anders was. Ik zat in bad.' Ze hoopte dat hij de hint zou begrijpen en zou weggaan.

'Sorry, maar ik moet u echt even spreken. Het kan niet wachten.' Hij klonk vasthoudend en ze wist zeker dat hij niet zou vertrekken.

'Oké,' zei ze met wat ze hoopte dat een hoorbare zucht was. 'Kom dan maar. Ik kleed me even aan.'

Liz had de deur weer op een kier gezet en Tartaglia sloot hem hard achter zich, zodat ze wist dat hij binnen was. Hij nam aan dat ze in de slaapkamer was en liep de gang door naar de woonkamer. Het licht brandde, maar het was er koud alsof de verwarming uit was. Hij stond een paar minuten te wachten en bestudeerde bij gebrek aan iets anders om te doen het schilderij van het racepaard aan de schoorsteenmantel toen ze met haar armen strak over elkaar in de deuropening achter hem verscheen. Ze droeg dezelfde uitgezakte grijze trui met spijkerbroek van die ochtend en was op blote voeten, haar teennagels donkerpaars gelakt, bijna zwart. Haar gezicht was rood en ze droeg geen make-up.

'Het spijt me dat ik zo onverwacht kom,' zei hij, 'maar ik moet u nog wat vragen stellen.'

Ze knikte. 'Ik ben de hele dag weg geweest en de verwarming is hier uit. In de keuken is het warmer.'

Hij liep achter haar aan de gang door naar de keuken, naast de voordeur. Hij trok zijn jas uit en ging aan de tafel zitten, wachtte tot zij ook zou plaatsnemen.

'Sorry dat het hier zo'n puinhoop is,' zei ze, en ze schoof snel wat kranten en wat eruitzag als de restjes van haar ontbijt aan de kant. Ze had nog steeds dezelfde vage manier van bewegen, alsof ze niet wist wat ze deed, alsof haar gedachten elders waren en ze automatisch bewoog.

Ze draaide zich om om hem aan te kijken en veegde wat strengen haar uit haar gezicht. 'Wilt u een glas wijn? Ik neem er ook een.' Hij voelde haar spanning en vroeg zich af waarom ze nerveus was.

'Ja, graag.' Hij was absoluut aan een borrel toe en misschien dat zij van die van haar een beetje zou ontspannen.

Ze schonk twee grote glazen rode wijn in, waarmee ze een al geopende fles leegschonk die op het aanrecht stond, en ging tegenover hem aan tafel zitten.

'Mag ik een sigaret opsteken?' vroeg hij.

'Ga uw gang. Mag ik er ook een?' Ze pakte een Marlboro uit het pakje dat hij haar aanbood en voegde toe: 'Ik rook eigenlijk niet meer,' alsof dat belangrijk was. Ze stond op, rommelde in een kastje en zette een schoteltje op tafel. 'Mijn broer haat rokende mensen, dus hij heeft geen asbakken.'

Het verraste hem dat haar broer zich om zoiets druk maakte, gezien de algehele toestand van de flat, leunde voorover, gaf haar een vuurtje en stak zijn eigen sigaret ook op. Ze inhaleerde diep en begon te hoesten.

'Ik was vergeten hoe sterk deze zijn,' zei ze, en ze schraapte haar keel. 'Wat wilde u vragen?'

Hij leunde achterover op zijn stoel en keek haar even aan, zag hoe vermoeid haar gezicht stond, vroeg zich af waar hij moest beginnen. Het beeld van de maskers en handboeien in Rachel Tenisons kist schoot weer even door hem heen, maar daar zou hij haar later naar vragen.

'U kende mevrouw Tenison beter dan wie dan ook. Als u in mijn schoenen stond, waar zou u dan beginnen met zoeken?'

'Ik heb geen idee.'

Ze antwoordde een beetje te snel en hij geloofde haar niet. 'Luister, het is heel goed mogelijk dat de misdaad seksueel gemotiveerd is en dat mevrouw Tenison de dader kende. Maar de enige relatie waarover we iets weten is die met Richard Greville, die een jaar geleden zou zijn beëindigd.'

'Dat klopt.' Ze keek hem vermoeid aan en nam een slokje wijn. 'Dat hebben we vanochtend toch al besproken?'

'Was ze lesbisch, of misschien biseksueel?' Hoewel Patrick Tenison dat had ontkend, moest hij het controleren. Een broer wist niet altijd alles over zijn zus.

'Nee. Absoluut niet. Dat weet ik heel zeker.'

'Wilt u weten wie uw vriendin heeft vermoord?' Zijn stem klonk uitdagend.

Haar ogen werden groot. 'Natuurlijk.'

'Help me dan. Ik probeer een beeld van haar te schetsen.' Hij stopte even met praten en liet de stilte in de lucht hangen terwijl hij rook inhaleerde en zich wat rustiger begon te voelen. 'Laten we beginnen bij Richard Greville. Wat voor relatie hadden ze? Hij was veel ouder dan zij. Viel ze niet op mannen van haar eigen leeftijd?'

Liz trok een gezicht. 'Normaal gesproken wel. Maar met Richard was het anders. Ik heb persoonlijk nooit begrepen wat ze in hem zag... Richard is absoluut niet mijn type, los van zijn leeftijd. Maar ik neem aan dat het dat cliché was. Rachel zocht een vaderfiguur en dat was hij voor haar.'

'Werd ze daar gelukkig van?'

De vraag leek haar te verrassen. 'Ik weet het niet,' zei ze reflectief, en ze keek hem met een oprechtheid aan die hij meteen aantrekkelijk vond. 'Rachel vond het op een gekke manier heerlijk dat Richard door haar was betoverd, maar ik geloof dat het minder aantrekkelijk werd toen ze hem eenmaal voor zich had gewonnen. Ik had de indruk dat ze hem een beetje vanzelfsprekend vond.'

'Maar hun relatie heeft toch jaren geduurd?'

'Ik vraag me af hoe lang hij zou hebben geduurd als ze geen zakenpartners waren geweest. Richard was in meerdere opzichten het anker in Rachels leven.'

'Had ze het er niet moeilijk mee dat hij was getrouwd?'

'Moreel gezien, bedoelt u?'

'Hoe dan ook.'

Ze tikte de as van haar sigaret en keek hem ook nu weer oprecht aan. 'Volgens mij zat ze daar helemaal niet mee. Ze had er geen schuldgevoel over jegens zijn vrouw en vond het niet erg hem te moeten delen. Ze wist dat hij van haar was. Als ze het hem had gevraagd, zou hij zijn vrouw zó hebben verlaten, maar dat wilde ze niet.'

'Heeft ze u dat allemaal verteld?'

Ze schudde haar hoofd. 'Dat las ik tussen de regels, wat je vaak moest doen bij Rachel. Ze sprak niet veel over haar gevoel, neem dat maar van mij aan.'

'Maar ze heeft u wel verteld dat ze een relatie had met Richard Greville.'

'Niet echt. Ik heb het toevallig ontdekt...' Ze was even stil en glimlachte aarzelend. Het was de eerste keer dat hij haar zag glimlachen en het fleurde haar hele gezicht op. Hij merkte op dat ze een spleetje tussen haar voortanden had en hij vond haar beeldschoon.

'Ga door.'

Ze schudde haar hoofd en zuchtte. 'Nou... Het was een tijdje nadat ze de zaak hadden geopend. Het was vroeg in de avond en ik was ergens voor in het West End, dus ik besloot even te gaan kijken of Rachel nog in de galerie was. Ze werkte vaak laat door en ik dacht dat ze misschien wel zin had om ergens wat te gaan drinken. Ik zag niemand, maar er brandde achterin licht en de deur was niet op slot. Ik ben naar binnen gegaan. Ik zag nog steeds niemand, dus ben ik naar beneden gelopen. Ik trof hen neukend in zijn kantoor aan. Of eerlijk gezegd hoorde ik het. Of misschien was het in haar kantoor, dat weet ik niet meer.'

'En de bovendeur was niet op slot?'

Ze haalde haar schouders op. 'Misschien was dat per ongeluk, of was die vrijpartij erg spontaan. Of misschien vonden ze het wel extra spannend dat ze betrapt zouden kunnen worden. Sommige mensen vinden dat leuk.'

Ze sprak afwijzend, alsof het allemaal deel uitmaakte van een andere wereld, en hij vroeg zich ineens af wat haar zou opwinden.

'Heeft u haar verteld dat u het wist?'

'Ja. Ik heb haar er de volgende dag op aangesproken... Ik vind het niet prettig als er tegen me wordt gelogen, al waren het niet echt mijn zaken. Ze heeft me verteld dat ze een verhouding had met Richard. Ze deed er heel zakelijk over, alsof ze vertelde waar ze had geluncht. Ze zei dat het pas kort was en dat ze het me uiteindelijk wel zou hebben verteld, wat vast ook wel waar was, maar zoals ik al zei was ze niet het type dat dergelijke zaken besprak.'

Hij hoorde verbittering in haar stem, wat hem verbaasde, en hij vroeg zich af of ze om de een of andere reden jaloers was geweest. De relaties tussen vriendinnen waren zo verwarrend. Het ene moment biechtten ze elkaar alles op en even later waren ze plotseling elkaars grootste vijand. Ze konden zo intiem en intens zijn. Hij had zich vaak buitengesloten gevoeld. Misschien was dat wat Liz Volpe probeerde te vertellen. Maar hij had het gevoel dat er meer achter haar woorden zat, iets waar hij op dit moment nog geen idee van had.

Hij zette zijn glas neer, maakte zijn sigaret uit, leunde naar voren en keek haar lang aan. Hij wist zeker dat er meer was. 'Vertel.'

Liz haalde haar schouders op, 'Niets, eigenlijk. Ik had alleen de indruk dat ik op de een of andere manier haar plezier had vergald doordat ik erachter was gekomen.' Ze blies een laatste wolk rook uit en drukte haar sigaret stevig uit op het schoteltje. 'Gelooft u nu dat ik echt geen idee had of ze iemand had toen ze stierf?'

'Oké,' zei hij, hoewel hij nog steeds niet overtuigd was. 'We weten ondertussen wat meer over wat Rachel donderdagavond na haar werk heeft gedaan. Ze is iets gaan drinken met iemand met de initialen J.B. Enig idee wie dat is?'

'J.B?' Ze trok haar wenkbrauwen op en keek hem vreemd aan, wat hij niet begreep, en schudde toen haar hoofd.

'Ze is later in een restaurant gezien, waarschijnlijk met dezelfde man. Heeft u echt geen idee wie het kan zijn?'

'Nee. Waarom zou ik?'

'Mevrouw Tenison heeft later die avond seks gehad, mogelijk met dezelfde man met wie ze heeft geborreld en gedineerd. De seks was ruig en gewelddadig...'

'Jezus,' ze sloeg met een zucht haar handen voor haar mond. 'Arme Rachel.'

'We weten niet zeker of ze ermee heeft ingestemd of dat ze is verkracht.'

Ze staarde hem aan. 'Hoe bedoelt u, dat u dat niet zeker weet?'

'Forensisch gezien is het bijna onmogelijk om het verschil tussen ruige seks en sommige gevallen van verkrachting aan te tonen.' Hij was even stil en nam in zich op hoe geschokt ze keek.

'Zegt u nu dat ze het misschien zo wilde?'

'Uw vriendin hield van ruige seks. Wist u dat?'

Ze schudde langzaam haar hoofd. 'Dat verzint u.'

'We hebben spullen in haar appartement aangetroffen. Het ziet ernaar uit dat ze van bondage hield. Ze liet zich graag boeien.'

'Rachel? U maakt een grapje.'

Hij was er nogmaals van overtuigd dat haar reactie oprecht was. 'Daar wist u niets van?'

Ze kreeg een rood gezicht en sloeg met haar vuist op tafel. 'Waarom zou ze mij dat in godsnaam vertellen? Er zijn grenzen, hoor. Hoewel u dat misschien niet gelooft.'

'Maar u heeft die foto's in haar flat gezien. Van die gemaskerde mannen.'

'Ja,' antwoordde ze zachter, alsof het muntje ineens viel. 'Maar foto's zijn één ding, dat betekent niet...' Ze beet op haar onderlip en keek weg.

'Vond u ze niet een beetje bizar?'

'Ik heb er geen conclusies aan verbonden.'

Ze leek ergens anders met haar gedachten en hij vroeg zich af wat er door haar heen ging. Ze keek alsof ze bijna in tranen uitbarstte en hij vroeg zich af of het alleen van de shock kwam of dat er meer speelde. Maar hij kon nu niet ophouden.

'Of het nu verkrachting was of niet, de tijdlijn wijst erop dat ze afgelopen vrijdag tussen zes en negen uur 's ochtends is omgebracht. Dus degene met wie ze seks heeft gehad is een van de laatsten die haar in leven heeft gezien. Misschien is hij tevens haar moordenaar. Toen we elkaar vanochtend spraken, zei u dat u de indruk had dat er iemand was. Daar moet ik meer over weten.'

'Ik heb eerst nog een borrel nodig,' zei ze. Ze stond op, liep naar het aanrecht, waar ze een fles wijn uit het rek pakte. 'Ik heb er nog over nagedacht, over wat Rachel nu precies heeft gezegd.' Ze hield de fles met twee handen vast, zag er nog steeds overstuur uit, leunde naar achteren tegen het aanrecht en staarde vaag naar een middelpunt in de ruimte. 'We hadden bij haar thuis een paar glazen wijn gedronken en waren naar een restaurantje gegaan om wat te eten. We zaten gewoon te kletsen over niemendalletjes, over gemeenschappelijke kennissen. Niets belangrijks. Toen ging haar mobieltje. Het lag op tafel voor haar en ze pakte het. Het was een sms en ik weet nog dat ik me afvroeg wat er zo belangrijk was dat ze er meteen naar moest kijken. Het was bijna alsof ze erop wachtte. Ze las het snel en excuseerde zich. Het viel me op dat ze haar telefoon meenam. Toen ze een paar minuten later terugkwam, had ze een heel andere bui.'

Liz pakte de kurkentrekker, ontkurkte de fles en liep terug naar de tafel.

'Dacht u dat ze met diegene had gebeld?' vroeg hij terwijl ze hun glazen bijschonk en weer ging zitten.

Ze nam een grote slok wijn, alsof ze vreselijke dorst had, en schudde haar hoofd. 'Ik heb geen idee. Maar er was wel iets gebeurd. Ze zag er vreselijk gespannen uit, bijna kwaad. Ik vroeg of het wel ging, en ze zei van wel, maar ik geloofde haar niet en heb doorgevraagd tot ze uiteindelijk zei: "Gewoon een vent, verder niets. Ik heb geen zin om er meer over te zeggen." Zoiets.'

'Had ze het over een minnaar?'

'Ik denk het wel, hoewel het ook Richard kan zijn geweest. Misschien hadden ze ruzie gehad. Hoewel ze het wel zou hebben gezegd als het Richard was, toch?'

'Zei ze verder nog iets?'

'Nee. Dat was het juist. Ik wilde het echt weten, maar er kwam een stel bekenden van haar naar ons tafeltje. Ze kwamen bij ons zitten en we hebben het er niet meer over gehad. Maar nogmaals: misschien was er hoe dan ook wel niets aan de hand.'

'Ze heeft zijn naam zeker niet genoemd? U heeft haar na die avond toch nog wel gesproken?'

'Nee, we hebben elkaar daarna niet meer gesproken,' zei ze nadrukkelijk. 'Dat was de laatste keer dat ik haar heb gezien.'

'En u weet geen naam?'

Haar gezichtsuitdrukking verhardde en haar vingers grepen strak om de steel van het glas. Ze perste haar lippen koppig op elkaar en schudde haar hoofd. 'Ik weet geen naam.'

Haar gezicht was behoorlijk roze geworden, maar hij was nog niet klaar. 'En dan zit me nog iets dwars: waarom hebben jullie elkaar daarna niet meer gesproken? Of in ieder geval gemaild?'

'Omdat we dat niet hebben gedaan,' schreeuwde ze bijna.

Het drong tot hem door dat hij een gevoelige snaar had geraakt. 'Hadden jullie ruzie? Hadden jullie daarom geen contact?'

'Nee.' Ze staarde hem aan met wilde, ronde ogen vol tranen.

'Liegen is nooit verstandig, maar dit is een moordonderzoek.'

'Dat weet ik heus wel, en ik lieg niet.'

Hij geloofde haar nog steeds niet, maar het had geen enkele zin er nu over door te gaan. Als hij niet uitkeek, zette ze hem de deur uit. 'Dan proberen we iets anders. Er is een gedicht bij haar lichaam gevonden. Ik weet dat de kans klein is, maar ik vroeg me toch af of het u misschien iets zegt. Misschien betekende het iets voor Rachel.'

Hij reikte in een jaszak en gaf haar een gevouwen kopie. Ze vouwde hem open, keek naar de pagina en sprak sommige woorden geluidloos mee terwijl ze het las.

Ze fronste en keek naar hem op. 'Lag dit bij haar?'

'Ja. Kent u het?'

'Ik heb het nog nooit gezien, maar het is afgrijselijk. Dat had ik veel liever niet gezien...' Er stroomden tranen over haar wangen en ze stond op; haar stoel schraapte hard over de vloer. Ze wendde zich af en sloeg haar armen strak om zichzelf heen; haar schouders schokten. 'Had ik dat nou maar niet gezien...' Ze liet het papier vallen.

'Het spijt me.'

Ze schudde haar hoofd en leunde naar voren naar het aanrecht, greep naar haar buik alsof ze moest overgeven en begon met grote, naar adem snakkende snikken te huilen. Hij wist niet wat hij moest doen, stond op, liep naar haar toe en raakte zacht haar schouder aan. Ze draaide zich half naar hem om en hij sloeg zonder erbij na te denken zijn armen om haar heen, trok haar naar zich toe als een kind, wachtend tot ze zou kalmeren. Toen hij daar zo stond met haar in zijn armen drong het tot hem door dat hij in geen maanden zo dicht bij een vrouw was geweest. De aanraking, de warmte, de onverwachte intimiteit, waren stimulerend, en hij genoot even met gesloten ogen van hoe ze voelde, van hoe heerlijk haar haar rook. Toen drong het met een schok tot hem door wie hij was en wat hij hier deed. Hij vertrouwde zichzelf niet, liet haar los en deed een stap naar achteren. Jezus, wat had hij in vredesnaam gedaan? Hij had gereageerd op een idiote impuls en dat kon hem zijn baan kosten. Hij leek wel gek.

Ze deed haar ogen open en keek hem vragend aan. Ze veegde met de rug van haar hand haar gezicht af en trok een tissue uit haar mouw. Ze depte haar ogen en snoot luidruchtig haar neus.

'Het spijt me echt vreselijk,' zei hij. 'Ik had het nooit aan je moeten laten zien. Maar ik moest weten of het belangrijk was.'

'Het is niet alleen het gedicht,' zei ze zacht, haar handen slap langs haar zijden. 'Het is alles bij elkaar. Het is zo'n shock. Ik kan nog steeds niet geloven wat er is gebeurd.'

'Het spijt me ook dat ik zo aandring, maar ik moet zo veel mogelijk informatie verzamelen. Dat begrijp je toch wel, hè?'

Ze knikte en snoot nogmaals haar neus.

'Gaat het wel?'

'Jawel hoor. Dank je.' Ze gooide de tissue in de prullenbak bij de gootsteen en streek haar trui glad. Haar stem klonk helemaal normaal, alsof het enkel een voorbijgaande uitbarsting was geweest.

9

Tartaglia werd toen hij een paar uur later de deur van The Bull's Head openduwde begroet door het geluid van een saxofoon die werd gestemd, boven dat van gitaar en drums uit. Het café lag aan het eind van de centrale winkelstraat van de wijk Barnes, keek uit over de Theems, was maar een klein stukje lopen van kantoor en een van Tartaglia's favoriete pubs. In de negentiende eeuw was het een herberg voor postkoetspassagiers geweest, en de centrale ruimte was ongebruikelijk groot en open, met de bar in het midden. Hij was gek op de sfeer die er hing, vooral in de winter, als de kale bakstenen muren en de comfortabele, eenvoudige meubels hem met een muffe geur verwelkomden. Het was er bijna leeg, op een paar vaste klanten na, die hier en daar met een drankje zaten. De pub was beroemd om de late jazzsessies, en de meeste gasten zaten nog in de achterzaal te luisteren naar wat er vanavond op het muzikale menu stond.

Zijn ogen traanden van de kou en het duurde even voordat hij Donovan zag zitten in een van de alkoven in de centrale ruimte.

'Waar bleef je nou?' vroeg ze een beetje geïrriteerd terwijl ze opkeek toen hij aan kwam lopen. Een bijna leeg bierglas en de overblijfselen van wat er uitzag als een bord lasagne stonden op het tafeltje voor haar.

'Ik moest nog even langs kantoor, maar Steele hield me tegen op weg naar buiten.' Hij ritste zijn zware leren jack open en legde het met zijn rugzak op het bankje naast haar. 'Die maakt zich zoals altijd weer druk om de pers. "Alle ogen zijn op ons gericht. Je weet hoe dat gaat. We moeten snel ergens mee komen."' Hij imiteerde Steeles afgemeten, snauwende manier van praten. 'Ze wil alles meteen oplossen. Volgens mij denkt ze dat ik kan toveren.'

Donovan maakte een snoevend geluid en glimlachte vaag naar hem. 'Nou, als iemand kan toveren, ben jij dat, Mark.'

'Dank je voor je vertrouwen. Het zou leuk zijn als die heks dat ook had. Ze staat helemaal stijf van de spanning omdat we een familielid hebben dat zitting heeft in het parlement, om nog maar te zwijgen over het feit dat hij een waardeloos alibi heeft voor vrijdagochtend. Dat telt niet. Hoe is de lasagne?'

'Het was cannelloni en hij was heerlijk, dank je, maar ik had de laatste. Als je nog iets wilt eten, moet je opschieten. Er was niet veel meer toen ik bestelde.'

'Wil je nog wat drinken?'

Ze schudde haar hoofd. 'Nee, dank je. Ik ben doodmoe, als ik er nog een neem, kun je me opvegen.'

Hij liep naar de bar, waar een paar vaste klanten zaten, verdiept in een gesprek over rugby.

'Hoi, Sylvia,' zei hij tegen de barvrouw, die achter de bar stond schoon te maken. 'Een halve liter Young's en iets te eten, graag. Wat heb je nog?' Het schoolbordje boven de bar was bijna helemaal schoongeveegd.

'Niet veel, ben ik bang,' zei ze, en ze glimlachte warm naar hem. 'Er was vanavond een grote groep die voor Humphrey Lyttelton kwam en ik ben bijna los. Maar ik kan wel salade en gehakt met aardappelpuree uit de oven voor je regelen, als je even wilt wachten.' Ze tapte zijn bier.

'Dat lijkt me heerlijk.'

'Lange dag?'

'Nou.'

'Ik kom je eten zo wel even brengen,' zei ze met een medelevende blik in haar ogen terwijl ze het volle glas naar hem toeschoof en haar handen aan haar witte schort afveegde.

Hij betaalde, liep met zijn pint terug naar Donovan en ging tegenover haar zitten.

'We weten in ieder geval zeker dat Greville in het vliegtuig zat,' zei hij, en hij nam een grote slok bier.

'En een buurvrouw heeft mevrouw Greville rond halfnegen in de tuin gezien. Ze had haar nachtpon nog aan en stond luidruchtig te ruziën met een parkeerwacht die haar op de bon wilde slingeren omdat ze op een gele doorgetrokken streep had geparkeerd. Ze wonen in Islington, dus ze had genoeg tijd om heen en weer te gaan naar Holland Park, maar behalve dat is er niets wat haar in beeld brengt. Als jaloezie het motief was, waarom zou ze Rachel Tenison dan vermoorden terwijl die affaire allang voorbij was?'

'En die sm-spullen in Rachels slaapkamer?'

'Toen ik Greville er vanochtend mee confronteerde, zei hij dat hij geen idee had. Ik ben benieuwd of we zijn DNA ergens op aantreffen, maar ik ben op dit moment geneigd hem te geloven. Hij zei bovendien dat zijn lichamelijke relatie met Rachel Tenison veel eerder voorbij was dan het officiële eind van de affaire.'

'Dus hij was echt een vaderfiguur,' zei hij terwijl Sylvia zijn eten op tafel zette en Donovans bord meenam.

'Daar lijkt het wel op.'

Hij rolde zijn bestek uit het papieren servet en toen hij een hap van zijn ovenschotel wilde nemen klonk er een vreemd getingel. Hij keek vragend naar Donovan.

Ze schudde haar hoofd. 'Dat ben jij.'

Tartaglia legde zijn vork neer en haalde zijn telefoontje uit zijn zak. Er stond een nieuw bericht op het scherm:

WANNEER KOM JE WEER 'S OP BEZOEK, EIKEL? LIEFS, TREV.

'Trevor. Sms'en is zijn nieuwe hobby.'

Trevor Clarke was hun voormalige inspecteur en ze waren allebei erg op hem gesteld. Hij was zwaargewond geraakt tijdens een motorongeluk en had bijna een maand in het ziekenhuis gelegen voordat hij naar huis mocht. Carolyn Steele was overgeplaatst om het over te nemen, maar ze zou in Tartaglia's ogen Clarke nooit kunnen vervangen.

'Typisch,' zei hij, en hij liet Donovan het bericht zien. 'Praktisch het enige woord dat hij gebruikt, is "eikel".'

'Hoe is het met hem?' vroeg ze terwijl hij zijn telefoon dichtklikte en aan zijn maaltijd begon.

'Hij gaat langzaam vooruit,' zei hij tussen twee happen door. 'Gelukkig heeft hij Sally-Ann om voor hem te zorgen. Die arme Trevor, hij zou vast een moord doen voor zoiets als dit.' Hij zwaaide met zijn vork naar zijn bord. 'Ze heeft hem op een of ander macrobiotisch dieet gezet en hij is gestopt met roken en drinken.'

'Dat vindt hij vast geweldig,' zei Donovan met een grijns op haar gezicht.

'Ik moet er weer eens naartoe, hoewel ik geen idee heb wanneer ik daar tijd voor zou hebben.'

'Ik neem aan dat hij dat wel begrijpt.'

'Dat zal wel,' zei Tartaglia, hoewel hij wist dat Clarke het geenszins begreep. Hij wilde elk detail van elke nieuwe zaak weten, alsof wat er op kantoor gebeurde het enige in zijn leven was. Hij praatte nog steeds alsof hij op een dag volkomen fit het kantoor weer zou overnemen. Het maakte Tartaglia verdrietig hem zo te horen praten, en hij wenste met heel zijn hart dat het waar was en dat alles weer zou worden als vroeger. Maar dat zou nooit gebeuren en hij vermoedde dat Clarke dat diep in zijn hart ook wel wist.

'Hoe staat het ervoor met dat gedicht?' Tartaglia schraapte de laatste hap van zijn bord en probeerde niet meer aan Clarke en al diens verspilde energie en wijsheid te denken.

'Ik heb het gegoogeld en ik had meteen een treffer. Het is van Swinburne. Die was dol op sm, dus misschien dat dat het verband is. Ik heb het er met mijn vader over gehad en die brengt me in contact met een Swinburnekenner aan het

Birkbeck College. Het leek me slim om wat achtergrondinformatie te verzamelen. Misschien dat we er in elk geval achter kunnen komen waarom het op het lijk lag.'

'Goed idee. Ik heb het vanavond aan Liz Volpe, de vriendin van Rachel Tenison, laten zien, maar het zei haar niets.'

Ze keek hem vragend aan. 'Denk je dat ze een verdachte is?'

Hij legde zijn vork neer en keek haar aan. 'Niet op dit moment, maar ze heeft geen alibi voor vrijdagochtend. De relatie tussen die twee vrouwen heeft iets vreemds, maar als we niets tastbaars kunnen vinden, zie ik geen echt motief.'

'Ze erft haar flat in Campden Hill. Er zijn moorden gepleegd om veel minder.'

'Ja. Maar denk eens aan wat we in haar flat hebben gevonden, aan het gedicht en het forensische bewijs. Het gaat om seks. De manier waarop het lichaam is gekneveld en na haar dood tentoongesteld is ook seksueel ritualistisch.'

'Denk je dat het een bekende is?'

'Je weet wat Trevor zou zeggen: probeer eerst het waarschijnlijke en bekijk dan het onwaarschijnlijke. Volgens iedereen die we tot nu toe hebben gesproken was Rachel Tenison niet lesbisch. Dus is het waarschijnlijk een man en waarschijnlijk iemand die ze kende. De laptop en telefoon zijn verdwenen. Dave heeft contact gehad met de provider, maar die bewaart geen kopieën van gedownloade berichten. En ook geen sms'jes. Iemand – ik neem aan de moordenaar – wist dat, en heeft ze meegenomen om zijn identiteit te verbergen. Dat betekent dat de moordenaar geen vreemde is.'

'Maar Karen vertelde dat jullie allebei het gevoel hadden dat Liz Volpe iets achterhield.'

Hij zuchtte en wreef met zijn handen over zijn gezicht; hij was ineens doodmoe. 'Ja. Ik weet het niet.'

'Beschermt ze iemand?' vroeg Donovan.

'Misschien, hoewel ik niet zou weten wie,' zei hij vaag terwijl hij terugdacht aan het gesprek dat ze hadden gehad en sommige van de woorden die waren gesproken terugspeelde. Hij zag voor zich hoe ze in elkaar gedoken tegenover hem aan tafel zat, benen over elkaar, sigaret tussen haar vingers, met haar grote ogen en enorme bos haar. Hij dacht terug aan hoe ze voelde, haar warmte en geur... Hij maande zichzelf tot een halt. Hij had te lang geen vrouw gehad. 'Ik snap het gewoon niet,' voegde hij even later toe, en hij hoopte maar dat Donovan zijn gedachten niet raadde. 'Ik heb de indruk dat ze echt om Rachel Tenison gaf. Jij hebt haar reactie ook gezien toen ze hoorde wat er was gebeurd. Toch?'

Donovan knikte. 'Ze leek oprecht in shock.'

'Zoiets is moeilijk te veinzen, maar niet alles wat ze heeft gezegd, klopt. Ze zei dat ze dacht dat Rachel iemand had en had het over een sms die ze kreeg toen ze samen uit eten waren. Maar dat was alles. Ze wist niet wie het was en heeft het niet gevraagd. Ze zei dat ze geen contact meer met elkaar hebben gehad, maar dat was meer dan twee maanden geleden. Het klopt gewoon niet.'

'Nee, inderdaad,' zei Donovan. 'Misschien is ze bang dat we iets anders vinden als we onze neus in haar zaken steken.'

'Natuurlijk, maar wat? Ze wil toch, neem ik aan, ook dat we haar moordenaar vinden? Maar ze weigerde me een naam te geven.'

'Denk je dat ze op de hoogte was van wat er aan de hand was?'

'Dat gevoel heb ik wel, ja. Ik weet het eerst allemaal aan het feit dat ze in shock was en niet helder nadacht, dat ze de vuile was van haar vriendin niet buiten wilde hangen, wat die vuile was ook moge zijn. Maar ze heeft tijd gehad om na te denken. Toen ik er vanavond op aandrong, kwam ze met hetzelfde excuus: ze was er niet; ze had geen idee wat er speelde; ze weet niets van een bepaalde man. En ze weet ook niets over die sm-spullen die we hebben gevonden.'

'Dat kan waar zijn.'

Hij schudde zijn hoofd. 'Denk je dat echt?'

'We heten niet allemaal Bridget Jones, hoor,' zei ze een beetje scherp. 'We lopen niet allemaal rond met ons hart op onze tong en vertrouwen niet zomaar iedereen onze diepste geheimen toe.'

'Dat bedoel ik niet,' zei hij snel, en hij vroeg zich af waarom ze zo overgevoelig reageerde. 'Het is gewoon een gevoel, verder niets. Rachel Tenison moet toch iemand in vertrouwen hebben genomen, en wie komt daar meer voor in aanmerking dan je beste vriendin?'

'Ik denk dat het allemaal een kwestie van karakter is. Sommige mensen zijn gewoon geslotener dan anderen.'

'Nu begin je te klinken als Liz Volpe. Ik vind het gewoon raar dat ze zo weinig over Rachel Tenisons leven wist dat ze ons niet eens een naam kan geven.'

Donovan was even stil voordat ze antwoord gaf: 'Misschien waren ze minder goede vriendinnen dan ze ons wil laten geloven.'

'Waarom is Liz Volpe dan een van de belangrijkste erfgenamen in Rachel Tenisons testament? Waarom laat ze haar haar flat dan na, als ze geen goede vriendinnen waren?'

Donovan haalde haar schouders op. 'Misschien is er wel helemaal geen duister geheim en is er helemaal geen geheimzinnige man. Het is geen misdaad om alleenstaand te zijn, hoor.'

'Natuurlijk niet,' zei hij met gevoel. 'Maar hoe zit het dan met die handboeien en maskers? Daar zal ze in haar eentje niet veel lol mee hebben gehad. En de verwondingen die ze voor haar dood heeft opgelopen heeft ze ook zichzelf niet toegebracht.'

'Oké. Ik begrijp wat je bedoelt. Maar als ik het lekker zou vinden om te worden geboeid en te worden geneukt door een man met een masker – wat beslist niet het geval is – zou ik dat denk ik voor mezelf houden. En ik zou het al helemaal niet aan mijn zus Claire vertellen, die tevens mijn beste vriendin is.'

‘Maar Claire zou het wel weten als er een man in je leven was.’

‘Ik denk het wel. Aangezien we een huis delen heb ik ook niet veel keus. Maar als ik alleen zou wonen, zou ik misschien minder open zijn. Hoe dan ook, over sommige mannen, en sommige vrouwen, kun je beter je mond houden.’

‘Waarmee je bedoelt?’ vroeg hij, een beetje verbaasd, en hij vroeg zich af of ze aan iemand in het bijzonder dacht.

Ze ging anders zitten en sloeg haar armen over elkaar, alsof ze zich ongemakkelijk voelde er meer over te zeggen.

‘Je zei...’ spoorde hij haar aan, nieuwsgierig geworden.

‘Nou, jij hebt toch ook weleens een relatie gehad die alleen om seks draaide? Zo iemand wil je toch niet aan je familie en vrienden voorstellen? En sommige mensen zijn gewoon gesloten. Het kan bovendien spannend zijn om iets geheim te houden, toch? Volgens mij is dat voor de helft waarom mensen er affaires op na houden. Omdat ze al die geheimzinnigheid zo leuk vinden. Dat maakt het allemaal veel spannender.’

Hij dacht terug aan wat Liz over Richard Greville had gezegd: ‘Ik had de indruk dat ik op de een of andere manier haar plezier had vergald doordat ik erachter was gekomen.’ Hij dacht aan de gesloten kist in de flat van Rachel Tenison, aan de sms in dat restaurant en de indirecte verwijzing naar een man. Misschien lag het gewoon in Rachels aard om geheimzinnig te doen. Misschien, zoals Donovan suggereerde, wond het haar op.

‘Denk je echt dat Rachel Tenison er een of ander geheim leven op na hield? Waarom zou ze? Ze woonde alleen. Ze werd door niemand gecontroleerd.’

Donovan zuchtte. ‘Maar daar gaat het ook niet om, toch? Het is jammer dat Greville geen idee had van haar leven buiten de galerie. Hij was waarschijnlijk degene die haar het meest zag; maar hij is een man en hij heeft wat met haar gehad. Dus hield ze gegarandeerd dingen voor hem achter.’

‘En die assistente... degene die er tot een paar maanden geleden heeft gewerkt? Er moeten toch telefoontjes zijn geweest, boodschappen, dingen die een vrouw opvallen?'

'Daar gaat Nick achteraan,' zei Donovan. 'Assistentes zijn momenteel zijn specialiteit.'

De plotselinge felheid in haar stem maakte dat hij haar bestudeerde. Haar grote, grijze ogen en fijne, regelmatige gezicht stond emotieloos, maar hij wist zeker dat er iets was.

'Gaat het wel?'

Ze keek weg en knikte, pakte haar glas en dronk de laatste slok op.

'Kom op, Sam. Wat is er?'

Ze zette haar glas neer en haalde haar schouders op. 'Het is gewoon een enorme klootzak.'

'Wie? Nick?' Hij dacht even na en liet de weinige mogelijkheden de revue passeren. Minderedes kennende, moest het om één ding gaan, of een variatie op dat thema. 'Jij en Nick? Dat...'

Ze keek op, razend, en sloeg haar armen stijf over elkaar. 'Natuurlijk niet! Al was hij de laatste man op aarde! Dan ga ik nog liever dood.'

'Wat is er dan?' vroeg hij, verbijsterd om haar heftige reactie. Minderedes kon als hij op zijn best was al een irritante klootzak zijn, vooral tegen vrouwen, maar Donovan leek zich over het algemeen niet aan hem te storen.

Ze zei niets, perste haar lippen op elkaar, haar ogen ineens vol tranen.

'Sam, alsjeblieft. Wat heeft hij gedaan? Je kunt het me vertellen, hoor. Wat het ook is.'

De deuren naar de achterkamer barstten open. De livemuziek was afgelopen, en de bar begon vol te stromen. Donovan mompelde iets wat Tartaglia niet verstond. Ze liet haar hoofd zakken en hij zag dat de tranen over haar wangen stroomden. Er viel er een op de rug van haar hand. Hij vroeg zich nog steeds verbijsterd af wat er was, stond op en liep naar haar toe. Hij schoof zijn jack opzij, ging naast haar zitten en sloeg zijn arm om haar heen, beschermde haar met zijn schouder tegen de menigte.

'Hé. Zo ken ik je helemaal niet,' zei hij, en hij gaf haar zijn ongebruikte servet. 'Wat is er met je?' Hij had haar nog nooit zo gezien. Ze was altijd zelfverzekerd en opgewekt, behalve in de donkere tijd na de Bruidegomzaak, toen hij een andere kant van haar had leren kennen. Toen was ze in zichzelf gekeerd, had zich afgesloten en was ongenaakbaar, weigerde elke vorm van hulp. Maar hij dacht dat die fase achter de rug was.

'Wil je erover praten?' vroeg hij, en hij leunde zo dicht naar haar toe dat hij bijna fluisterde.

Even later knikte ze. Ze snoot haar neus en leunde licht met haar hoofd tegen zijn arm. Hij bedacht ineens hoe idioot het was dat hij op één avond twee huilende vrouwen tegen zijn schouder had, en dacht weer even aan Liz Volpe, op een manier die hem heel ongemakkelijk maakte.

'Nou, kom op.' Hij kneep Donovan ter aanmoediging zachtjes in haar arm. 'Voor de draad ermee.'

Ze zuchtte diep. 'Hij zat achter de assistente aan, verder niets.'

'En daar ben jij overstuur van?' vroeg hij verbijsterd.

'Nee,' zei ze resoluut terwijl ze anders ging zitten, alsof ze zich niet prettig voelde, en haar neus nogmaals snoot. 'Zoals ik al zei geef ik geen moer om die klootzak. Het gaat om wat hij zei toen ik hem erop aansprak. Hij... hij...' Ze tuitte haar lippen en schudde haar hoofd.

'Wat?'

Ze haalde diep adem. 'Nou, hij zei dat ik geen recht van spreken had. Ik...' herhaalde ze nadrukkelijk terwijl ze zich naar hem toe draaide en hem aankeek. 'Ik heb hem bijna voor zijn bek geslagen.'

Tartaglia begreep nog steeds niet wat ze bedoelde. Toen begon het ineens te dagen. 'Bedoel je...?'

'Tom. Ja.' Ze hield hem tegen voordat hij de echte naam van de moordenaar kon uitspreken, alsof zijn alias gebruiken het draaglijker maakte. Tartaglia was geschokt door Minderedes' lompe gedrag, zelfs voor zijn standaard wel heel uitzonderlijk, en dacht even terug aan drie maanden daarvoor. De gebeurtenissen hingen nog steeds als een donkere wolk boven hun hoofd. Donovan had hem eens opgebiecht hoe moeilijk ze het vond om alleen te zijn en om naar bed te gaan; dat ze zo bang was voor de dromen, voor de nachtmerries die zouden komen. Het had haar zelfvertrouwen geschaad. Terecht of onterecht nam ze zichzelf alles kwalijk wat er was gebeurd en niets wat hij, of wie dan ook, zei of deed, kon dat beter maken.

'Ik heb het goed verpest, hè?' zei ze terwijl ze haar fijngevormde, gespannen gezicht plotseling naar hem toedraaide, als een kind dat een antwoord verwacht. 'Het is wat ze allemaal denken, hè? Wat ze allemaal zeggen. Achter mijn rug om.'

'Nee. Nee, dat is niet waar,' zei hij zacht, en hij schudde zijn hoofd. Niemand zou het in zijn hoofd halen bij hem in de buurt zoiets te zeggen en hij kon zich niet voorstellen dat iemand het dacht. Hij trok haar tegen zich aan en haalde zijn hand door haar korte, harde haar. 'Je vergist je, Sam. Dat denkt niemand. Geloof me alsjeblieft.' Maar toen ze wegkeek, zag hij dat ze niet was overtuigd, en hij wist niet wat hij verder moest zeggen.

'Ze begrijpen het niet,' mompelde ze, en ze begon weer te huilen. 'Ze hebben geen idee.'

Haar lichaam was stijf van woede en toen ze haar hoofd tegen zijn arm duwde voelde hij haar natte tranen door zijn mouw heen. 'Nee,' zei hij even later. 'Ze kunnen het ook niet begrijpen. Ze waren er niet bij. Maar ik begrijp het wel. En ik neem je niets kwalijk.'

Eenmaal buitengekomen stapte Donovan in haar auto. Ze keek toe hoe Tartaglia zijn motor startte en wegreed. Ze liet de motor even stationair draaien, wachtte tot de verwarming aansloeg, en zat in stilte door het beslagen raam naar de bochtige rivier en de donkere silhouetten van de bomen aan de overzijde van de oever te kijken. Wat was ze toch een trut, wat was ze toch een zielige, jankende trut. Hoe had ze zich zo kunnen laten gaan? Wat zou Tartaglia wel niet van haar denken? Ze haatte het dat ze de laatste tijd zo snel huilde. Ze voelde zich zo stom dat ze zichzelf had teleurgesteld, hoewel ze best wist dat hij de laatste was die het als zwakte zou zien. Maar alles had ineens zo op haar gedrukt dat ze het niet meer binnen kon houden. De woorden van Minderedes hadden de wond opengereten en ze was zo kwaad, voelde zich zo machteloos er iets tegen te doen. Hoe ze ook haar best deed de gruwelen van wat er was gebeurd te onderdrukken, de herinneringen en de schuld waren nooit weg. Wat Tartaglia ook zei, hoe goed hij haar ook leek te begrijpen, niets kon het wegmaken.

Weer de gedachte aan Tom... Hij was nooit echt uit haar hoofd, zijn schaduw viel overal waar ze ging over haar heen. Ze kon niet aan hem met zijn eigen naam denken. Het was gewoon Tom. De kameleon. Het beest. De vampier. Hij had op de een of andere manier mythische proporties aangenomen.

Ze dacht terug aan hoe ze als een blok voor hem was gevallen, hoe aantrekkelijk ze hem ooit had gevonden. De gedachte deed de rillingen over haar rug lopen. Ze zag hem nog zo zitten: naast haar op de bank, zo dichtbij, zijn hoofd een beetje opzij gezakt, terwijl hij haar bestudeerde alsof ze een vlinder in een potje was die voor het laatst met zijn vleugels flapperde. De manier waarop hij in die laatste momenten naar haar had gekeken en zijn stem stonden beide in haar geheugen gegrift, de toon steeds harder, scherper en vlak voor het moment dat ze buiten bewustzijn raakte bijna kwaad: *het antwoord lag al die tijd voor het oprapen en je hebt geen flauw idee.*

Het was allemaal haar schuld. Alles was haar schuld. Ze had het moeten weten.

En wat betreft Tartaglia: zijn fysieke nabijheid, samen met

zijn vriendelijke woorden, hadden haar opgewonden. Hij wist godzijdank niet wat ze voor hem voelde, hoe het soms alleen al pijn deed om naar hem te kijken. Ze had gedacht dat ze wist hoe ze ermee moest omgaan, hoe ze het kon negeren, had zichzelf gedwongen niet op die manier over hen na te denken tot het een tweede natuur was geworden. Er kon nooit meer dan vriendschap tussen hen zijn en een deel van haar was daar blij mee. Kon ze nou maar grip op zichzelf krijgen en zichzelf aan hem bewijzen, het in zijn ogen goedmaken, misschien dat alles dan weer normaal zou zijn.

Ze vervloekte zichzelf om haar zwakte, veegde met de boord van haar trui haar tranen weg en zette de radio aan. Fergies 'Big Girls Don't Cry', van haar debuutalbum. Toen ze de auto in de versnelling zette en optrok, links afsloeg van de rivier vandaan en de stille High Street inreed, luisterde ze naar de tekst en betrapte zichzelf erop dat ze moest grinniken om de ironie. Grote meisjes huilen niet. Dat zei eigenlijk alles.

10

‘Zal ik mama spelen?’ vroeg inspecteur Carolyn Steele aan Tartaglia. Ze zat als een magiër achter het dienblad, compleet met theepot, kopjes, suiker, melk, en een bord vol chocoladebiscuitjes.

Mama? Hij onderdrukte een glimlach. Met haar kleine, breed geschouderde, atletische lichaam en streng mannelijke pak met colbert was er niets aan haar wat je moederlijk, knuffelig of ook maar gezellig kon noemen.

‘Hoe drink je hem?’

‘Melk, geen suiker, dank u.’

Het onderzoek was drie dagen op weg. Ze was naar Hendon geweest voor een bijeenkomst met haar leidinggevenden en had de instructies van die ochtend gemist. Ze schonk de sterke thee in en gaf Tartaglia zijn kop aan. Zelf nam ze melk en twee klontjes suiker. Ze gaf hem het bord koekjes en hij pakte er beleefd een. Zij pakte er ook een toen haar telefoon ging, die ze tussen oor en schouder klemde terwijl ze haar koekje in de thee doopte. Aan de andere kant van de lijn klonk een mannenstem.

Tartaglia probeerde de weinige, korte stukjes van het gesprek aan Steeles kant te negeren en staarde uit het raam achter haar, naar de rij victoriaanse huisjes aan de overkant van de straat. Het was die ochtend gaan dooien en water drupte van het dak op de straat; er hadden zich kleine stroompjes langs de ramen gevormd. De hemel was onheilspellend donker en het zag eruit alsof hij zou openbarsten. Hij keek even naar Steele en vroeg zich af wie ze aan de lijn had. Hoofdinspecteur Cornish misschien, of iemand anders van Hendon. Afgaand op Steeles kruiperige toon in ieder geval een leidinggevende.

Terwijl hij daar zo zat te wachten tot ze klaar zou zijn, was het moeilijk voor te stellen dat dit drie maanden geleden nog het kantoor van Trevor Clarke was geweest. Er was in de tussentijd zoveel veranderd en de ruimte zelf was bijna onherkenbaar. De smerige luxaflex was weggehaald, de ramen waren gelapt en het rook er fris, niet meer naar het mengsel van sigarettenpeuken, kipnoedels en goedkope aftershave. Zelfs het oude, gehavende bureau had een verjongingskuur ondergaan, het oppervlak min of meer schoon, pennen in een leren bakje, dossiers netjes op een stapel aan een kant.

Hij zag dat er een grote zwart-witfoto van Rachel Tenison in het in-bakje lag. Hij had geen idee hoe Steele eraan kwam of wat hij daar deed, hoewel hij vermoedde dat hij voor de pers was en haar was verstrekt door Patrick Tenison. Hij pakte hem uit het bakje. Het was zo te zien een professionele foto, en een goede ook, veel scherper en duidelijker dan de familiekiekjes die hij had gezien. Licht haar omlijstte haar hartvormige gezicht en ze had haar mond een heel klein beetje open, alsof ze wat ging zeggen. Ze had iets meisjesachtig moois met haar hoge voorhoofd en kleine, ronde gezicht, maar de houding van haar hoofd, de manier waarop ze recht in de camera keek met haar kin een beetje omhoog, was uitdagend. En ze had een lichtje in haar ogen, een schalkse glinstering die hij meteen bekoorlijk vond, alsof ze met de fotograaf flirtte. Hij dacht even terug aan de spaarzaam gemeubileerde kamer met het enorme bed, de spiegels en de afgesloten kist, en vroeg zich nogmaals af hoe ze echt was geweest.

Steele knalde de telefoon in de lader. 'Dat was de wijkchef van Kensington en Chelsea weer. De arme kerel wordt belaagd door een grote macht van gepensioneerde hoogwaardigheidsbekleders, vrijgezelle oudere dames en kindermeisjes met klachten dat Holland Park is afgesloten. Hij smeekt ons de plaats delict vrij te geven.'

Hij zette met een rammelende knal zijn kop en schotel neer. 'Jezus! Er is goddomme een vrouw vermoord, en het enige waaraan ze kunnen denken is hun godvergeten hondjes!'

'Dat was ook wel te verwachten,' zei Steele droogjes met een afwijzend handgebaar. Tartaglia wist niet zeker of ze het over de mensheid in het algemeen had of alleen over de welgestelde bewoners van Kensington. 'Enig idee wanneer het weer open kan?' voegde ze toe, en ze stak het laatste stukje van haar biscuitje in haar mond.

'De bedoeling is vandaag. Forensische Opsporing is vrijwel klaar. Er is geen spoor van Rachel Tenisons kleding en er hebben te veel voetgangers over het pad gelopen naast waar ze lag, dus dat heeft niets opgeleverd. Nu het dooit, heeft het waarschijnlijk niet veel zin het dicht te houden.'

Steele gaapte en pakte nog een koekje. 'Mooi. Dat zal ik hem laten weten. Maar dat is niet waarom ik je wilde spreken. Er is iets anders waarnaar je even moet kijken.' Ze nam een hap van het biscuitje en kauwde het zorgvuldig voordat ze verder ging: 'Ik had vanochtend een verslaggever aan de telefoon die vroeg of we denken dat er een verband is met de zaak-Catherine Watson.'

Tartaglia staarde haar uitdrukkingsloos aan. 'Catherine Watson? Dat zegt me niets.'

'Nee, dat snap ik. Het was ongeveer een jaar geleden, in Hendon. Ik weet de precieze details niet meer, behalve dat een vrouw, volgens mij een onderwijzeres, vermoord in haar flat is aangetroffen. Het was in de buurt van waar ik woon, een paar straten verderop, vandaar dat ik het nog weet. Ik weet nog dat ik me destijds een beetje zorgen maakte dat er een gek losliep in de wijk, maar er is daarna niets meer gebeurd.'

'Wie heeft u gesproken?'

'Jason Mortimer, dus die kun je serieus nemen.'

'Denkt hij dat hij een verhaal heeft?' vroeg Tartaglia bedachtzaam. Mortimer was een vooraanstaand misdaadverslaggever bij een van de dagbladen en zijn naam was altijd genoeg geweest om zelfs Trevor Clarke, die weinig of geen respect had voor de pers, geïnteresseerd te krijgen.

'Ik had de indruk dat hij gewoon aan het vissen was, maar we zullen toch even moeten nalopen of hij beet heeft, voordat hij met iets concreets komt en het in dat vod publiceert.' Ze huiverde een beetje, alsof iets haar stak, mogelijk een beeld van de krantenkop.

'Heeft Mortimer verteld waarom hij denkt dat er een verband kan zijn?'

'Nee. Hij liet nauwelijks iets los, wat van alles kan betekenen. Als hij een tipgever heeft, geeft hij die niet vrij. Maar ik weet nog wel dat Catherine Watson voordat ze stierf was vastgebonden en gemarteld. Het was behoorlijk gruwelijk en de details zijn niet openbaar gemaakt. Ik heb geen idee hoe Jason erbij komt, en hij houdt zijn kaken stijf op elkaar. Maar aangezien hij het is, is het de moeite om te kijken of er overeenkomsten zijn met de zaak-Holland Park. Het dossier wordt vanmiddag gebracht.'

'Hebben ze de moordenaar gevonden?'

Ze schudde haar hoofd. 'Inspecteur Alan Gifford was de praktisch leidinggevende. Mijn team zat in het kantoor ernaast en ik weet nog dat ze ermee bezig waren. Alles liep uiteindelijk dood. Ze hebben het allemaal heel grondig aangepakt, maar voor zover ik weet is het nooit opgelost.'

'Heeft u inspecteur Gifford gesproken?'

'Dat kan niet. Hij is dood. Hij is zes maanden geleden met pensioen gegaan – ik ben nog op zijn afscheidsfeestje geweest – en die arme kerel is een paar weken later bezweken aan een hartaanval. Maar je kunt even naar Simon Turner, die zit hiernaast. Hij was Giffords brigadier voordat hij naar Barnes werd overgeplaatst.'

Simon Turner werkte nu onder inspecteur John Wakeley,

de praktisch leidinggevende van het andere team van Moordzaken in Barnes. Turners kantoor zat aan de andere kant van het pand, maar van de man zelf was geen spoor te bekennen. Een jonge agente, van wie Tartaglia aannam dat ze nieuw was, zat in de buurt van Turners kantoor achter haar bureau een boterham te eten. Ze vertelde hem dat Turner de hele dag in de Old Bailey zat om te getuigen in een moordproces. Tartaglia schreef Turners mobiele nummer op en liet een boodschap achter met de vraag of hij contact met hem wilde opnemen.

Terug in zijn eigen kantoor was hij net gaan zitten toen Feeney in de deuropening verscheen.

'Volgens mij heb ik die vent gevonden met wie Rachel Tenison de avond voor ze is gestorven wat heeft gedronken,' zei ze, en ze zag er reuzetevreden uit. 'Er staan maar drie mensen met de initialen J.B. in haar agenda, van wie ik er twee heb gesproken, en die zijn het niet. De enige die nog over is, is Jonathan Bourne. Ik heb hem al twee keer gebeld, maar hij is steeds in gesprek. Hij woont in Notting Hill. Ik ga er maar even naartoe.'

'Greville had het over een vriend van haar die Jonathan heette. Ik denk dat ik even met je meega.' Hij was al opgestaan.

11

Tegen de tijd dat ze Barnes Green verlieten, was het gaan ijzelen. Feeney was een snelle en goede chauffeuse en Tartaglia zag haar frustratie groeien naarmate ze vaker werd gedwongen zich een baan tussen de auto's door te manoeuvreren, te stoppen en weer op te trekken, in en uit het vele verkeer te voegen. Tartaglia zat op de passagiersstoel en keek hoe de ruitenwissers ritmisch heen en weer bewogen en de natte sneeuw van de ruit veegden. Toen ze in Notting Hill arriveerden, was het al halfdrie. Jonathan Bourne woonde in een tot appartementencomplex omgebouwd voormalig postkantoor bij Portobello Road. Het was een pand met meerdere verdiepingen, verdeeld in flats. Feeney drukte op Bournes intercom, maar er kwam geen reactie. Terwijl ze stonden te wachten opende een stevige vrouw de voordeur. Ze droeg een lange, donkere jas met laarzen zonder hakken en kwam naar buiten lopen.

'Weet u op elke verdieping Jonathan Bourne woont?' vroeg Feeney. 'Hij reageert niet op de bel.'

'Dat zal dan wel zijn omdat hij hem niet hoort,' zei ze met een grijns op haar gezicht. 'Hij woont op de tweede en ik weet zeker dat hij thuis is. De muziek staat zoals gebruikelijk op tien. Ik woon jammer genoeg onder hem. Ik kan er vaak niet van slapen, maar niemand doet er iets aan. Aan de gemeente heb je ook niets.' Ze trok een vies gezicht, liep langs hen heen en de straat op.

De lift was defect en ze liepen de trap op. Toen ze op de tweede verdieping waren en de branddeur openduwden, werden ze begroet door een muur van muziek die voelde als een golf hete lucht. 'Johnny Come Home' van de Fine Young Cannibals, dat had Tartaglia een jaar of tien geleden voor het laatst gehoord.

Bournes appartement was aan het eind van de gang. Tartaglia drukte op de bel bij de voordeur, klopte aan, en aangezien een reactie uitbleef, begon hij op de deur te bonken.

'Politie, opendoen,' schreeuwde hij.

Hij bleef bonken. Even later ging de deur een stukje open en er verscheen een lange man met een bleek gezicht en een warrige bos roodbruin haar. Op een groen handdoekje om zijn middel na was hij naakt.

'Wat komen jullie doen?' schreeuwde hij boven de muziek uit.

Feeney hield haar identificatie omhoog. 'Politie. Bent u Jonathan Bourne?'

'Wacht even.' De man verdween achter de deur. Een paar seconden later werd de muziek zachter gezet en verscheen hij weer.

'Wat komen jullie doen?' herhaalde hij, en hij hield de deur op een kier open. 'Ik heb het druk.' Hij sprak een beetje met dubbele tong.

'Ik ben rechercheur Tartaglia en dit is agente Feeney,' zei Tartaglia. 'We moeten met u praten.'

Bourne keek met half samengeknepen oogleden naar hun identificatie. 'Kan dat een andere keer?'

'Nee. We moeten u nu spreken.'

'Het komt nu niet uit.'

'Het kan hier, of u kunt meekomen naar het bureau. Aan u de keus.'

'Kan het echt niet wachten? Ik ben bezig. U weet wel.' Bourne trok betekenisvol zijn wenkbrauwen op en maakte een hoofdgebaar naar de ruimte achter zich.

'Nee, het kan niet wachten, meneer Bourne. Maar gaat u eerst maar even iets aantrekken. En zet meteen die muziek uit.'

Bourne concentreerde zijn waterige blik op hem. 'Gaat het om de muziek? Hebben mijn kloteburen weer geklaagd? Want dan...'

'Nee, meneer Bourne,' onderbrak Tartaglia hem. 'Het gaat niet om de herrie. Het gaat om Rachel Tenison.'

Bourne leek verrast. 'Rachel? O, natuurlijk. Dat had ik kunnen weten.' Hij fronste zijn wenkbrauwen. 'En u zei ook dat u rechercheur was. Ogenblik.'

Hij liet de deur open en Tartaglia en Feeney liepen achter hem aan een grote, open kamer in met twee hoge ramen die uitkeken over de straat. Bourne liep de kamer door, zette de muziek uit en bukte om een spoor achtergelaten kleding op te pakken, waarmee hij door een deur in de verre hoek van de kamer verdween, waarvan Tartaglia aannam dat het de slaapkamer was. Bourne sloeg de deur hard achter zich dicht. Even later werd er een toilet doorgetrokken, en ze hoorden gedempte stemmen door de muur heen praten.

Tartaglia keek om zich heen terwijl ze op Bourne wachtten. Aan een kant van de voordeur was een modern keukentje weggestopt, van de rest van de ruimte afgescheiden door een ontbijtbar, die vol lege wijnflessen en vieze vaat stond. De rest van de kamer zag eruit als een kruising van de antiekzaakjes waar ze aan Portobello Road langs waren gekomen en de werkplek van een preparateur; aan de muur boven de deur hing een stel hertenkoppen, en her en der door de ruimte verspreid stonden glazen stolpen met opgezette vogels. In een hoek klommen twee kaal wordende opgezette apen op een tak die was omgebouwd tot lamp, en op het bureau erachter deed een mensenschedel met een paarse fez erop dienst als presse-papier.

Er hing een sterke, bekende geur in de lucht. Tartaglia liep de ruimte door, met Feeney in zijn kielzog, en zag de telefoon op de vloer naast het raam liggen, naast een berg kussens, met daarnaast een halfvolle fles wijn, twee halfvolle glazen en een asbak met daarin de overblijfselen van een joint.

'Hier heeft iemand een feestje gehad,' zei Feeney, die afkeurend haar armen over elkaar sloeg. 'En dat op dit moment van de dag.'

Tartaglia onderdrukte een glimlach. Er was in Feeneys geregelde leven voor alles een juist moment en een juiste plaats en hij nam aan dat alcohol en dergelijke strikt gereserveerd waren voor na zonsondergang.

Een paar minuten later kwam er een broodmagere, moe uitziende blondine de kamer in lopen, gekleed in een strakke spijkerbroek met zware laarzen en een motorjack. Ze liep onvast langs Tartaglia en Feeney, alsof ze onzichtbaar waren, pakte een helm achter een stoel vandaan en verliet de flat via de voordeur. Even later verscheen Bourne weer, gekleed in een ruime, rood fluwelen badjas.

'Zullen we dan maar?' zei hij terwijl hij een vaag handgebaar naar het zitgedeelte van de ruimte maakte.

Hij plofte zonder op een antwoord te wachten midden op de bank, waardoor er voor Tartaglia en Feeney twee stokoud uitziende leunstoelen tegenover hem overbleven. Hoewel Tartaglia zich Bourne niet in een pak kon voorstellen, of in wat voor kleding dan ook, zou zijn roodbruine haar gemakkelijk voor donkerbruin kunnen doorgaan in het gedimde licht in La Girolle. Hij vroeg zich af of Henri Charles hem zou herkennen.

'U weet dat Rachel Tenison is vermoord?' vroeg Tartaglia terwijl Bourne zich lui achterover liet zakken tegen de kussens en zijn lange, witte benen over elkaar sloeg.

'Ja, dat heb ik gehoord,' antwoordde Bourne, en hij wreef in zijn ogen. 'Wat willen jullie?'

'We proberen te reconstrueren wat mevrouw Tenison nadat ze donderdag van haar werk is vertrokken heeft gedaan. Ik heb begrepen dat u haar die avond heeft gezien.'

'Dat klopt. We hebben wat gedronken.'
'Waar?'
'Bij haar thuis.'
'In haar flat, bedoelt u?'
Bourne begon te gapen. 'Waar anders?'
'Ik wil alleen graag dat alles volkomen duidelijk is, meneer Bourne. Dus u was bevriend met haar?'
'Ja. Ik ken Rachel – kende haar – van de universiteit.'
'Dus het was een sociaal bezoekje?'
'Niet echt. Ik ben journalist. Ik ben bezig met een stuk voor een zondagsblad. Over kunst die door de nazi's is geconfisqueerd, en de Simon Wiesenthal Stichting. Haar galerie is betrokken bij het terughalen van een bepaald schilderij en daar wilde ik haar over spreken.' Hij zat terwijl hij sprak met een kwastje aan de lange ceintuur van zijn badjas te spelen.
'Hoe laat was u daar?'
'Om een uur of zeven. We hebben wijn gedronken en wat gekletst, en toen ben ik vertrokken.'
'Hoe laat was dat?'
'Iets voor acht uur.'
Feeney fronste haar wenkbrauwen 'Dat was dan wel een snelle borrel.'
Bourne keek Feeney vermoeid aan. 'Wat is snel? Ik ben er bijna een uur geweest. Ze zei dat ze met iemand voor het avondeten had afgesproken.'
'Met wie?' vroeg Tartaglia.
Bourne fronste zijn wenkbrauwen. 'Hoe moet ik dat weten?'
'Heeft ze geen naam genoemd?'
'Nee. En dat zijn mijn zaken ook niet, toch?'
'Dus u bent vertrokken?'
'Ja. Toen ze zag hoe laat het was, heeft ze mijn wijn nog net niet onder dwang in mijn keel gegoten en me de deur uit geschopt. Ze zei dat ze laat was.'
'En u heeft geen idee waar ze daarna had afgesproken.'

'Natuurlijk niet. Ik ben naar huis gegaan. Ik moest nog werken.'

'Kan iemand dat bevestigen?'

'Wat denkt u zelf? Ik woon alleen.' Hij spreidde zijn handen, alsof dat vanzelfsprekend moest zijn.

'Waarom heeft u ons die informatie niet eerder aangeboden?'

Bourne haalde zijn schouders op. 'Waarom zou ik? Ik heb niets te vertellen.'

'Zoals ik al zei is het uitermate belangrijk dat we reconstrueren wat ze voor haar dood heeft gedaan. De kranten en televisie hebben het er constant over. Is u dat niet opgevallen?'

'Ik heb alleen wat met haar gedronken. Dat is toch zeker geen misdaad, of wel?'

Misschien was het de drank, of de hasj, maar meneer Bourne was overdreven in zijn wiek geschoten en Tartaglia vermoedde dat hij iets achterhield.

'U zei dat u bevriend met haar was, meneer Bourne.'

'Klopt.'

'Meer dan bevriend, misschien?'

Bourne keek Tartaglia geamuseerd aan. 'Rachel en ik? U maakt zeker een grapje.'

'Waarom is dat zo onwaarschijnlijk?'

Bourne schudde wanhopig zijn hoofd. 'Rachel is mijn type niet. Was mijn type niet.'

'Hoe bedoelt u?' mengde Feeney zich in het gesprek.

Bourne zuchtte alsof dat voor de hand liggend was. 'Geen chemie. Zo gaat dat gewoon. Je hebt iets met een vrouw of niet. En ik ben erg kritisch.'

'Heeft u na de borrel met mevrouw Tenison gegeten?' vroeg Tartaglia, en hij dacht terug aan de schriele blondine die net Bournes appartement had verlaten. Rachel Tenison zag er veel beter uit, hoewel uiterlijk niet alles was.

'Nee. We hebben alleen geborreld.'

'U bent niet bij haar blijven slapen?'

Bourne rolde met zijn ogen alsof hij nog nooit zo'n belachelijke suggestie had gehoord. 'Jezus. Zijn jullie doof of zo? Dat zeg ik net. We hebben alleen geborreld, dus hou nu maar op.'

Hij zweette, en Tartaglia vroeg zich af of het door de hitte in de kamer kwam, door de drugs, of dat het zenuwen waren. Wat het ook was, hij wist zeker dat Bourne loog.

'Kunt u ons vertellen waar u vrijdagochtend was?'

Bourne keek hem uitdrukkingsloos aan. 'Vrijdag?'

'Ja. Tussen zeven en negen.'

'Hier. Ik zei net al dat ik bij Rachel vandaan naar huis ben gegaan. Probeert u me ergens toe uit te lokken?'

'Ik moet alleen alles zeker weten, meneer Bourne. U woont alleen, dus ik neem aan dat niemand kan bevestigen dat u hier inderdaad was.'

Bourne staarde hem glazig aan, maar zei niets.

'Aangezien u in Rachels flat bent geweest, zou het prettig zijn als we uw vingerafdrukken hebben. Dan kunnen we ze onderscheiden van de andere die we hebben gevonden.'

Bournes mond verhardde, alsof hij het een naar idee vond. 'Ik zal erover nadenken.'

'Het kost niet veel tijd, meneer Bourne. Agente Feeney kan het met u regelen. Er staat een vingerafdrukapparaat op station Notting Hill. Dan kunnen we meteen een DNA-monster nemen.'

Bournes hoofd schoot naar voren. 'Jezus, ben ik een verdachte?'

'We willen u alleen van ons onderzoek kunnen uitsluiten.'

'Ja, ja, dat cliché ken ik. Ik zie wel waar dit naartoe gaat. Kunt u niet wat inventiever te werk gaan?'

'Ik neem aan dat u wilt weten wie mevrouw Tenison heeft omgebracht?'

'Zou het?' Hij staarde Tartaglia even razend aan en trok zijn hoofd weer terug. 'Luister, natuurlijk wil ik dat de moordenaar wordt gepakt. Maar ik heb haar niet gedood en ik wil niet het risico lopen dat jullie een DNA-monster nemen en dat het in een internationale database terechtkomt. Ik ken mijn rechten. Jullie denken zeker nog dat DNA het toverwoord is, hè?' Hij wees met een beschuldigende vinger naar Tartaglia.

'Nee...'

'Nou, ik kan jullie haarfijn uitleggen wat daar mis mee is. Ik heb er een stuk over geschreven voor de bijlage van de zondagskrant... over alles wat er kan misgaan... hoe misleidend de statistieken zijn, hoe gemakkelijk het is om dergelijk bewijs te vervuilen; samengevat: hoe het allemaal veel minder geweldig is dan het lijkt.' Hij tikte de punten snel op zijn vingers af terwijl hij sprak. 'Dus als u mijn DNA wilt, zult u me eerst moeten arresteren. En dat mag u niet, of wel? Dus hou maar op me lastig te vallen en laat me met rust.'

Hij trok zijn ochtendjas om zich heen, stond wankel op en staarde naar de voordeur. Aangezien ze geen andere keus hadden, stonden Tartaglia en Feeney op.

'U heeft gelijk, meneer Bourne,' zei Tartaglia. 'Op dit moment hebben we geen grond om u te kunnen arresteren. Hartelijk dank voor uw tijd. Als u nog iets bedenkt, kunt u ons altijd bellen.' Hij legde zijn visitekaartje op de ontbijtbar.

'Ja hoor, maar ga er niet op zitten wachten.' Bourne hield de deur voor hen open, keek Tartaglia wazig aan en gaf hem een brede wittetandengrijns. 'Ik ken trouwens nog een goede. Hoe vindt een gek de weg uit het bos terug?'

Tartaglia fronste zijn wenkbrauwen. 'Is dat een grap, meneer Bourne?'

'Ja. Helemaal uw stijl. Dan volgt hij het psycho-pad.' Hij stond nog om zijn eigen mop te grijnzen toen hij de deur dichtsloeg.

'En Jezus weende,' zei Feeney met een stalen gezicht terwijl ze achter Tartaglia aan de gang door liep. 'Wat een arrogante klootzak. Hij vindt zichzelf heel wat, hè?'

'Zeker weten,' antwoordde Tartaglia terwijl hij de trap af

liep. 'Maar jammer genoeg heeft hij ook gelijk. We hebben absoluut niets waarop we hem kunnen pakken, en pas dan zal hij ons zijn vingerafdrukken en DNA geven. Laten we ondertussen grondig zijn doopceel lichten. Ik weet zeker dat Jonathan Bourne iets verbergt en ik wil weten wat.'

Toen ze het pand uit en de miezer in liepen naar Portobello Road ging Tartaglia's mobieltje. Hij zocht beschutting in een portiek, klapte het open en zag dat het agente Sharon Fuller was.

'Ik had net Patrick Tenison aan de lijn,' zei ze. 'Hij vraagt of u hem belt. Hij drong erg aan. Hij wil weten of er al vooruitgang is.'

'Oké,' zei hij met tegenzin, en hij bedacht hoe Tenison het als zijn vanzelfsprekende recht zou zien dat hij van alles op de hoogte zou worden gehouden. Geruststellen zonder hem informatie te geven, dat was wat er moest gebeuren. Tenison kon dan familie zijn, maar hij had geen alibi voor de tijd dat zijn zus was omgebracht, hoewel er tot dusverre geen duidelijk motief was dat hem verdacht maakte. 'Of weet je wat? Vraag Carolyn Steele maar of ze hem terugbelt. Ze kan ontzettend goed pappen en nat houden. Verder nog iets?'

'Ja. Ik heb net met dokter Huw Williams gesproken. Zijn voornaam is Welshe spelling, hij vond het heel belangrijk dat ik dat goed opschreef. Hoe dan ook, hij zegt dat hij Rachel Tenisons therapeut was of iets dergelijks. Zijn praktijk is aan Harley Street en hij heeft om vier uur tijd voor u. Hij zei dat hij informatie voor ons heeft.'

12

'Gaat u zitten. Dokter Williams komt er zo aan.'

De kleine, grijsharige receptioniste sloot de deur achter hem en liet Tartaglia alleen achter in de wachtruimte.

Hij trok zijn natte jack uit en hing het aan de kapstok in de hoek naast het raam. De hemel was al donker en er was weinig te zien behalve het silhouet van een hoge hijskraan en de achterkant van de gebouwen erachter, allemaal kantoren. De ruimte was duur, maar fantasieloos ingericht; er stonden comfortabel uitziende bankjes en stoelen en er hingen ouderwetse afbeeldingen van plaatsen in Londen aan de muren. De geur van verse koffie trok zijn aandacht naar een dienblad op een tafeltje onder het raam, waar een thermosfles, kopjes, schoteltjes, melk en suiker op stonden. Hij draaide de kan open en schonk een kop in. Hij had maar één broodje bij de lunch gehad en begon al honger te krijgen, zijn energie werd een beetje minder. Hij wilde net gaan zitten en wat in een *GQ* bladeren toen de deur openzwaaide en een zwaargebouwde man met dik, krullend bruin haar de kamer in kwam.

'Rechercheur? Ik ben Huw Williams.' Hij stak ferm zijn hand uit. Hij droeg een donker maatpak met een bleekgeel overhemd zonder stropdas, en was zo te zien eind veertig; totaal niet het grijsbaardige, bebrilde stereotype van een psychiater die Tartaglia had verwacht.

'In mijn spreekkamer worden we niet gestoord,' zei Williams

met een zakelijke glimlach. 'Neem uw koffie maar mee.'

Williams' kantoor was aan de voorkant van het pand. De luxaflex was dicht en het licht was gedimd, waardoor de ruimte ondanks het hoge plafond gezellig aanvoelde. In een hoek stond een groot, ouderwets bureau, en aan de andere kant stonden twee leunstoelen van zwart leer met chroom tegenover elkaar, met een bank overdwars ertussen. Tussen de twee stoelen stond een wit formica tafeltje, met een spotje, dat erboven hing, erop gericht. Het was allemaal tot in de puntjes uitgedacht en deed Tartaglia aan het decor van een praatprogramma op televisie denken.

Williams gebaarde Tartaglia naar een van de stoelen en ging zelf in de andere zitten, met zijn rug naar het raam.

'Fijn dat u contact met ons heeft opgenomen, dokter Williams,' zei Tartaglia terwijl hij ging zitten.

'Ik had eerder moeten bellen, maar ik ben net terug van zakenreis. Ik schrok vreselijk toen ik vanochtend de krant las.' Er viel een schaduw over Williams' gezicht en Tartaglia had moeite zijn uitdrukking te lezen, hoewel zijn diepe weerklinkende stem op de een of andere manier werd geaccentueerd door het gebrek aan licht.

'Ik begrijp dat Rachel Tenison uw patiënte was?'

'Dat klopt, tot augustus van vorig jaar. Ik heb medicijnen gestudeerd en ben psychiater, maar ik werk tegenwoordig als analyticus. Ik heb Rachel negen maanden lang regelmatig gesproken en was erg verdrietig te lezen dat ze is gestorven, vooral onder deze omstandigheden.' Williams was stil en schraapte zijn keel alsof hij niet wist wat hij verder moest zeggen.

'Ik begrijp dat u informatie voor ons heeft die mogelijk kan helpen bij ons onderzoek?'

Williams zette zijn ellebogen op de leuningen van zijn stoel en strengelde zijn vingers onder zijn kin ineen. 'Forensische psychologie is niet mijn specialiteit, maar ik neem aan dat een slachtofferprofiel net zo belangrijk is als een dadertypologie.'

'Ja,' zei Tartaglia, en hij nam een slok koffie, waarna hij zijn kop en schotel op het tafeltje zette. 'Het probleem is dat ik erg veel moeite heb een beeld van mevrouw Tenison te krijgen. Ik heb het gevoel dat er veel mist. Kunt u beginnen met waarom ze naar u toekwam?'

Williams haalde diep adem. 'Zoals de meesten van mijn patiënten had Rachel problemen. Zoals u waarschijnlijk al weet heeft ze haar ouders op zeer jonge leeftijd verloren bij een auto-ongeluk. Dat zag ze, terecht of onterecht, als de bron van haar algehele misère.'

'Hoe vaak zag u haar?'

'Normaal gesproken een keer per week.'

'Dat is ongeveer zesendertig uur,' zei Tartaglia nadat hij de hoofdrekensom snel had gemaakt. 'Dan weet u vast veel over haar.' Hij dacht even aan Liz en vroeg zich af of zij op de hoogte was van het bestaan van Williams. 'Ik ben bijzonder geïnteresseerd in haar persoonlijke relaties, de mannen in haar leven, dergelijke onderwerpen. Het is heel goed mogelijk dat de moordenaar een bekende was. Er is misschien een seksueel motief.'

Williams knikte langzaam. 'Dat begrijp ik, maar dat is niet eenvoudig. Patiënten komen met een breed spectrum aan klachten bij me: problemen op het werk, of privé. Vroeg of laat komen de onderliggende oorzaken naar boven, maar niet altijd. Bij Rachel heb ik alleen vlak onder het oppervlak kunnen kijken.'

'Er moet toch íets over haar privéleven duidelijk zijn geworden?' vroeg Tartaglia ongeduldig. Hij hoopte maar dat dit geen tijdverspilling was.

'Natuurlijk. Ze heeft over haar stiefbroer Patrick verteld, en over zijn familie. Ze leken een nauwe band te hebben. We hadden het regelmatig over moeilijkheden met haar zakenpartner Richard, maar dat stelde allemaal niets voor en is waarschijnlijk niet interessant voor u.'

'Heeft ze verteld dat ze een langdurige relatie met Richard Greville heeft gehad?'

Williams glimlachte. 'Nee. Daar heeft ze geen woord over gezegd, wat me niet verrast. Rachel praatte niet graag over emotionele onderwerpen.'

'Volgens de mensen die we hebben gesproken is die relatie ruim een jaar geleden beëindigd. Waarom zou ze er niet over willen praten?'

'Zelfs als hij verleden tijd was, zou ze het risico niet hebben willen nemen er diep op in te gaan. Ze was erg gesloten, niet mededeelzaam, en ze was erg beheerst. Ze was ook zeer intelligent en ik had al snel door dat onze sessies op haar voorwaarden moesten, niet die van mij.'

'Maar ze moet toch hebben gedacht dat u haar kon helpen?'

Williams maakte een instemmend handgebaar.

'Behandelt u seksuele problemen?'

'Regelmatig. Ik ben geen seksuoloog, maar ik kom uiteraard seksuele problemen tegen in mijn werk. Over het algemeen zijn dat symptomen van onderliggende kwesties.'

'Voor zover we weten deed mevrouw Tenison aan sm. Ze wilde vastgebonden worden. Ik kan niet op de details van haar moord ingaan, die worden niet aan het publiek vrijgegeven, maar er zijn elementen van terug te vinden in de manier waarop de moordenaar haar heeft achtergelaten. We proberen erachter te komen wat het allemaal met elkaar te maken heeft. Kunt u me in dat licht iets vertellen?'

Williams knikte langzaam. 'Wat betreft Rachel persoonlijk had ik het vermoeden dat ze iets voor me verborgen hield. Ik heb er tijdens een van onze sessies een glimp van opgevangen. Ze beschreef een droom die ze had gehad en het werd me duidelijk dat ze verkrachtingsfantasieën had.'

'Verkrachtingsfantasieën?'

'U klinkt verrast, maar het is een heel gebruikelijke fantasie bij vrouwen. Het gaat allemaal om dominantie en onderwerping, niet om echte verkrachting.'

Tartaglia dacht aan de foto die hij bij Steele had gezien, en de blik in haar ogen: paradoxaal onschuldig en ondeugend tegelijk. 'Hoe beginnen mensen met dergelijke dingen?'

'Normaal gesproken neemt de ander het initiatief, stelt voor dat ze eens wat anders proberen; iemand die ouder is of meer ervaren, of in een machtspositie in de relatie. Dan ontdekt hij of zij dat het leuk is en ontwikkelt het zich van daar. Hij of zij gaat uiteindelijk vaak steeds verder, of in een andere richting.'

Tartaglia vroeg zich ineens af of Richard Greville de initiator was geweest. Dat zou een hoop verklaren over de dynamiek van hun vreemde relatie en waarom Rachel Tenison hem uiteindelijk aan de kant had gezet. Zij was verder gegaan. 'Nog even over die verkrachtingsfantasie,' vroeg hij. 'Waarom deed ze of het een droom was? Waarom verborg ze voor u wat er echt aan de hand was?'

Williams glimlachte. 'O, dat is heel normaal bij seksueel geperverteerde mensen.'

'Echt?'

'Ik zal u een voorbeeld geven. Een collega van mij had een patiënt die hem bijna twee jaar lang twee keer per week sprak. Je zou toch denken dat hij de man behoorlijk goed kende, vindt u niet? Nou, pas toen die man dood op de bodem van het zwembad van een vriend werd aangetroffen, schijnbaar per ongeluk verdronken, kwam mijn collega erachter dat de man aan auto-erotische wurgseks deed.'

'Ik dacht dat die altijd per ongeluk stierven als ze zichzelf ophingen of een zak over hun hoofd trokken.'

'Verdrinken heeft hetzelfde effect. Het gaat erom dat je de zuurstoftoevoer afsnijdt. Hoe dan ook, die arme man had zichzelf heel tevreden jarenlang half verdronken met gewichten aan zijn voeten, maar op een dag ging het mis omdat hij zijn schaar liet vallen, of wat hij ook gebruikte om zichzelf te bevrijden. Waar het om gaat, is dat hij er al die tijd niets over aan zijn therapeut heeft verteld.'

'Wat uitzonderlijk.'

Williams haalde zijn schouders op. 'Mensen met seksuele perversies zijn over het algemeen onbetrouwbaar. U moet hen als een type verslaafden zien, verslaafd aan hun eigen speciale drug. Waarom zouden ze daarover beginnen tegen iemand als ik? Die misschien gaat suggereren dat ze ermee moeten stoppen?'

'Waarom komt zo iemand dan hoe dan ook naar u toe?'

'Omdat ze depressief of ongelukkig zijn door iets anders. Ze zien hun verslaving niet als het probleem; ze denken dat ze die onder controle hebben. Het wordt allemaal keurig in hokjes opgeborgen en velen van hen leiden aan de oppervlakte een heel normaal leven.'

'Hoe kunnen familie en vrienden daar in godsnaam niets van merken?' vroeg Tartaglia, die weer aan Liz moest denken.

'Soms merken ze het wel, maar meestal niet. Zoals ik al zei, is dit soort mensen onbetrouwbaar. Aan de oppervlakte zie je niets van wat eronder ligt verborgen.'

Tartaglia wreef bedachtzaam over zijn lippen en vroeg zich af of Liz toch de waarheid vertelde. 'Moet ik verder nog iets weten?'

Williams leunde naar voren in zijn stoel, de handen voor zich in elkaar gestrengeld, het spotje op zijn kruin gericht. 'Ethisch gezien is dit een ingewikkelde kwestie, maar gezien wat er is gebeurd, is er iets wat misschien een direct verband met uw onderzoek heeft, en het past ook in het plaatje van wat we net hebben besproken. Het is waarom ik u heb gebeld. Ik pak mijn aantekeningen er even bij.'

Hij stond op, liep de kamer uit en kwam een paar minuten later terug met een dik geel dossier. Hij ging weer zitten, zette een leesbril op en begon langzaam door de volgetypte pagina's te bladeren.

'Ik maak van elke sessie aantekeningen, en dicteer de rapporten en mijn opmerkingen meteen erna. Daarom zijn ze over het algemeen min of meer letterlijk. Hier heb ik het, 24 juli.' Hij keek over de pagina en sloeg hem om. 'We hebben het een groot deel van de sessie over Rachels relatie met haar stiefvader gehad. Hij was erg overheersend, in alle opzichten een bullebak, hoewel ze dat nooit zou hebben toegegeven. Ze vond het allemaal erg moeilijk, dus ik liet haar even in stilte zitten. Er ging een minuut of vijf voorbij en toen zei ze zomaar ineens: "Gisteravond ben ik naar een bar gegaan om een man op te pikken. We zijn naar mijn appartement gegaan en hebben seks gehad."' Williams tuurde over de rand van zijn bril naar Tartaglia. 'Dat was de eerste keer dat ze iets over een seksuele ervaring tegen me zei.'

Tartaglia fronste zijn wenkbrauwen en probeerde zijn opwinding in toom te houden. 'Denkt u dat ze de waarheid vertelde, of dat ze testte hoe u zou reageren?' Als Rachel Tenison er de gewoonte op na hield mannen op te pikken, was het veld van mogelijkheden ineens een stuk breder geworden.

'Beide, denk ik. Ze wist net zo goed als ik dat we het nog nooit over dat onderwerp hadden gehad.'

'En toen?'

'Ik vroeg haar of het een aangename ervaring was en ze noemde het "goed". Ik vroeg of ze het vaker had gedaan, en ze zei van niet.'

'Maar dat loog ze?'

'Daar was ik van overtuigd, maar ik ben er niet op ingegaan.'

'Waarom loog ze erover? Waarom vertelde ze er dan hoe dan ook iets over, als ze er verder niet eerlijk over wilde praten?'

'Omdat ze een spel speelde. Ze wilde mijn nieuwsgierigheid aanwakkeren.' Williams keek weer in zijn aantekeningen. '"Vertel eens wat je hebt gedaan voor je naar die bar ging", vroeg ik. Ze zei dat ze was thuisgekomen en een borrel voor zichzelf wilde inschenken toen ze bedacht dat ze zin had in een cocktail, en dat ze wilde dat iemand die voor haar maakte. Dat ze een tentje in de buurt van haar huis wist, met een barman die Victor heette, die geweldige martini's maakte en die precies wist hoe zij ze graag dronk. Toen beschreef ze langzaam en heel gedetailleerd dat ze zich had omgekleed, compleet met het parfummerk en de kleur lippenstift. De voorbereiding was zorgvuldig, weloverwogen en ritualistisch, wat ook suggereerde dat ze het vaker deed.' Williams keek weer op naar Tartaglia en voegde toe: 'Het was ook overduidelijk dat ze probeerde mij op te winden.'

Williams' gezicht stond uitdrukkingsloos, alsof het hem persoonlijk niets deed. Tartaglia zag haar voor zich, slank en mooi, met haar prachtige blonde haar en een provocerende blik in haar ogen. Hoe was dat geweest, zij met zijn tweeën in die donkere ruimte? Het was een intieme situatie: gesloten deur, luxaflex dicht, afgeschermd van de wereld. Hij stelde haar daar voor, uur na uur, pratend over zichzelf, zittend waar hij nu zat, Williams tegenover haar. Zo dichtbij. Had Williams meer gewild dan alleen luisteren? Waren psychotherapeuten onderhevig aan normale mannelijke reacties? Of hadden ze een mechanisme waarmee ze die konden uitzetten? Het was interessant dat Williams niet één keer had gezegd dat Rachel een aantrekkelijke vrouw was. Hij beschreef haar als intelligent, met veel zelfbeheersing, als gesloten, maar niet als aantrekkelijk, laat staan mooi, alsof een dergelijke eigenschap niet op zijn radar werd geregistreerd. Even los van professionele ethiek: Williams kon toch niet ongevoelig zijn voor wat er voor hem zat?

'Het was heel verhelderend,' zei Williams met een stalen gezicht. 'Ik heb haar verhaal bijna verbatim opgeschreven. Wilt u dat ik het voorlees?'

'Graag.'

'Dit is wat ze zei.' Hij schraapte zijn keel. '"Ik was opgewonden toen ik naar binnen ging. Het licht was gedimd en er stond goede muziek op, heel hard. Het was al behoorlijk druk en de meeste tafeltjes waren bezet. Er zaten wat mensen aan de bar; ik ging op een lege kruk op de hoek zitten en bestelde een wodka-martini. Er hing een enorme spiegel boven de bar en ik kon de hele ruimte erin zien. Ik luisterde naar de muziek, nipte aan mijn drankje, en toen zag ik verderop aan de bar een man staan. Hij moest net zijn binnengekomen, want hij was me nog niet opgevallen. Hij was knap, in de twintig, gebruind en goedgebouwd, met golvend zwart haar. Ik heb hem een paar minuten in de gaten gehouden en het zag ernaar uit dat hij alleen was. Hij grapte wat met een van de barmannen, alsof ze elkaar kenden, hoewel ik hem nog nooit had gezien, en hij bestelde een biertje. Hij dronk het bijna in één teug leeg en ik bedacht dat hij vast erge dorst had. Hij had een spijkerbroek aan, een strak T-shirt dat zijn gespierde armen goed deed uitkomen en een tatoeage van een draak op een arm. Ik vroeg me af of hij aan vechtsport deed.

Hij keek mijn kant op; ik ving zijn blik in de spiegel en hij glimlachte. Hij had een goed, gelijkmatig wit gebit en een mooie mond. Hij hief zijn glas naar me en ik glimlachte terug, wendde me toen weer tot mijn drankje. Maar hij bleef naar me kijken. Ik zag hem uit mijn ooghoek. Hij daagde me uit me om te draaien, wilde zien of ik meedeed. Ik draaide mijn hoofd een heel klein stukje zijn kant op en we keken elkaar even aan. Toen glimlachte ik weer, knikte naar hem en stond op. Ik heb wat geld op de bar achtergelaten voor mijn cocktail en ben naar buiten gelopen. Ik heb me niet omgedraaid, maar ik wist dat hij me zou volgen."'

Hoewel de stem van Williams laag en mannelijk was, had Tartaglia het gevoel alsof zij hem aansprak. Hij zag voor zich hoe ze aan de bar zat, zag hoe haar haar om haar gezicht viel, hoe ze in de spiegel keek, zijn blik ving en glimlachte. Hij stelde zich heel even voor dat hij teruglachte, keek toe hoe ze langzaam van haar kruk gleed en de bar uitliep zonder ook maar om te kijken, in de wetenschap dat hij haar zou volgen.

'Dat was het,' zei Williams, en hij keek op. 'Maar ik neem aan dat u wel een indruk heeft.'

'U zei dat het haar woorden waren,' zei hij een beetje van zijn stuk gebracht. 'Hoe weet u dat zo precies? Heeft u de sessie opgenomen?'

'Nee. Ik ben gezegend met een ijzersterk geheugen, wat heel handig is met mijn beroep.'

'Dan heeft u geluk,' zei Tartaglia, die aan zijn vader dacht, die ook zoiets had. Jammer genoeg had hij het niet geërfd. 'Heeft ze nog verteld wat er nadien is gebeurd?' Hij zag de donkere, anonieme slaapkamer met het enorme bed en de zwarte kist met studs aan het voeteneinde voor zich.

Williams schudde zijn hoofd. 'Ze wilde er verder niets over zeggen en ik heb niet aangedrongen.'

'Was het alleen om u te plagen?'

'Misschien, maar ze besefte niet wat ze ermee van zichzelf had laten zien. Er was een heel nieuwe laag aangeboord. Ik had in een vakje gekeken, een stukje van het geheime leven gezien, en had bevestigd gekregen wat ik al een tijdje vermoedde. Ik hoopte dat we er uiteindelijk dieper op zouden ingaan. Maar ze is nog maar een paar keer geweest en wilde het alleen over haar ouders hebben.'

'Wanneer was ze hier voor het laatst?'

Williams keek in zijn aantekeningen. 'Op 10 augustus. Daarna stuurde ze een cheque en een beleefd briefje waarin ze me bedankte voor mijn hulp en schreef dat ze zich veel beter voelde. Dat was natuurlijk ook een leugen. De echte reden dat ze niet meer kwam was dat ik te dichtbij was gekomen.'

Tartaglia wreef over zijn gezicht. Gedachten raasden door zijn hoofd en hij stond op. Williams deed hetzelfde.

'Heeft ze verteld hoe die bar heet?'

'Nee. Maar gezien wat ze erover heeft verteld, moet het ergens in de buurt zijn van waar ze woonde. Op loopafstand.' Hij liep met Tartaglia naar het halletje.

'We hebben kopieën van al uw aantekeningen nodig,' zei Tartaglia, en hij gaf Williams zijn visitekaartje. Hun blikken kruisten en hij vroeg zich nogmaals af wat Williams echt had gedacht en gevoeld over Rachel Tenison.

Williams liet zijn hoofd een beetje hangen. 'Ik vraag wel of mijn secretaresse ze later op de dag met de fiets even komt brengen.'

Tartaglia bleef bij de deur staan en draaide zich naar Williams om. 'Denkt u dat ze zich bewust was van de risico's die ze nam met haar gedrag?'

'Ik weet zeker dat ze precies wist wat ze deed, rechercheur. Daar ging het allemaal om. Het gevaar maakte het nog spannender.'

Terwijl Tartaglia met twee treden tegelijk de trap af rende, dacht hij aan het contrast tussen wat de wereld van Rachel Tenison zag, wat haar familie en vrienden van haar wisten en wat daaronder lag. Ze had gekozen voor een geheime vorm van rebellie tegen het keurslijf van wat er werd verwacht, een weerstand tegen banden en verplichtingen. Hij kon het haar niet kwalijk nemen en voelde voor het eerst een flikkering van begrip en medeleven. Hij had in het verleden heel wat one-nightstands gehad en wist hoe verslavend ze konden zijn. Het was iets waaraan hij liever niet te lang terugdacht, iets waaraan hij niet probeerde te denken op nachten dat hij wakker en alleen in bed lag. Hij voelde soms de verleiding zich aan te kleden, naar een bar in de buurt te gaan en een poging te wagen. Maar wat dan? Er was geen blijvende voldoening, alleen de leegte die er ervoor ook was. En toch, als hij haar gezicht weer voor zich zag, haar woorden door zijn hoofd hoorde gaan, wenste een deel van hem dat hij haar had gekend, al was het maar voor één nacht. Hij dacht aan het gedicht en de bizarre beeldspraak. O, Vrouwe van Pijn. Niet Dolores. Rachel.

Het regende buiten nog steeds hard en het verkeer stond helemaal tot in Harley Street vast. Het duurde even voor hij Feeney zag, in haar auto bij een gele doorgetrokken streep verderop. Hij stapte in en vertelde haar in het kort wat Williams had gezegd. 'Ik wil dat jij met iedereen die beschikbaar is alle bars op loopafstand van haar flat afgaat. We zoeken een barman die Victor heet. Schakel het wijkbureau maar in. Iemand moet haar ergens hebben gezien.'

'En u?'

'Ik ga terug naar kantoor. Ik moet het dossier van Catherine Watson bekijken. Als er een verband is, kunnen we misschien een kortere weg vinden om de zaak op te lossen.'

Toen hij uit de auto stapte hoorde hij zijn mobieltje gaan. Hij dook in een portiek om op te nemen.

'Ik ben in St. James,' zei Donovan een beetje buiten adem. Hij hoorde haar voetstappen op de stoep en het verkeer op de achtergrond. 'Ik heb wat mensen gesproken die met Rachel Tenison bij Christie's hebben gewerkt.'

'Heeft dat iets opgeleverd?'

'Nee, niet echt. Niets recents, in ieder geval.'

Hij vertelde haar wat Williams had gezegd.

'Wil je dat ik Karen ga helpen?' vroeg ze toen hij klaar was met zijn verhaal.

'Nee,' zei hij. Hij keek op zijn horloge en het drong met wat irritatie tot hem door dat Turner nog steeds niet had teruggebeld, hoewel de rechtbank allang klaar zou zijn. Hij vertelde Donovan wat Steele hem die ochtend over Catherine Watson had gezegd. 'Ik kan wel wat hulp gebruiken. Als jij Simon Turner zou willen zoeken om te vragen wat hij ervan denkt? Hij is de enige die beschikbaar is om te vertellen hoe het met die zaak zit.'

13

'Leuk je te zien, Sam.' Simon Turner begroette Donovan met zijn ontspannen, scheve glimlach. 'We zijn elkaar al een tijdje niet tegengekomen. Ik zou bijna gaan denken dat je me probeerde te ontlopen.'

'Ik had het gewoon druk,' zei Donovan, hoewel dat niet helemaal waar was. Ze had de laatste tijd gewoon geen zin in sociale contacten met haar collega's, zelfs niet met Turner, op wie ze meer was gesteld dan de meeste anderen.

Hij zat wijdbeens in een donker hoekje in The White Hart, een bijna leeg glas in een enorme hand, een sigaret in de andere, en hij leek wel een Viking, met zijn witblonde, wilde korte haar en zijn vreemd bleke ogen. Ze zette haar tas op een stoel en trok haar jas uit. Het had haar flink wat moeite gekost hem te pakken te krijgen, en ze had twee lange berichten achtergelaten voordat hij haar eindelijk had teruggebeld om een afspraak te maken. Ze vroeg zich af hoe lang hij hier al zat.

'Ik ga wel even wat te drinken halen,' zei ze, en ze pakte haar tas weer van de stoel. 'Was dat whisky?'

Hij maakte zijn peuk uit in de volle asbak. 'Hmm. Glenmorangie, graag. Doe maar een dubbele, als je toch trakteert, met veel ijs. Ik heb een helse dag gehad. En neem meteen een paar zakjes pinda's mee. Ik verrek van de honger. Alsjeblieft,' zei hij, en hij viste een verkreukeld briefje van twintig pond uit zijn zak. 'Ik kan een dame niet laten betalen, toch? Ook al ben je hier voor zaken.'

'Laat maar. Betaal jij het volgende rondje maar. Ik weet vrij zeker dat we hier nog wel even zitten.'

Hij haalde onverschillig zijn schouders op en stopte het biljet weer in zijn zak.

Ze liep naar de met hout betimmerde bar, en het kostte haar enige moeite de aandacht te trekken van een chagrijnig uitziende bardame met een warrige knot zwartgeverfd haar. Ze bestelde voor zichzelf een glas witte huiswijn en voor Turner een whisky en noten. De bar was naarstig aan een schoonmaakbeurt toe en ze legde haar handen er niet op terwijl ze stond te wachten. Het was niet bepaald het soort pub dat ze zelf zou kiezen en ze nam aan dat Turner hem had geselecteerd vanwege de locatie, in dezelfde straat als de rechtbank.

Het was met de aftandse meubels en het tapijt met krullen erop een van een met uitsterven bedreigde soort pubs in Londen, nep-victoriaans van rond 1980. Het was niet echt druk, maar het stonk er naar bier en sigaretten, het op handen zijnde rookverbod duidelijk nog niet van kracht. Persoonlijk hield ze wel van de moderne pubs die de stad begonnen over te nemen, die plaatsen als The White Hart omtoverden tot knusse bars met kaarsen, fluweel, planken vloeren en comfortabele banken. Ze waren allemaal min of meer uitwisselbaar, maar er hing een aangename sfeer, hoewel er maar weinig het karakter en de opmerkelijke sfeer van The Bull's Head in Barnes hadden.

Ze betaalde, kreeg alleen een kort knikje van de bardame, en liep met de bestelling terug naar hun tafeltje.

'Waarom was het zo'n rotdag?' vroeg ze, en ze ging tegenover Turner zitten.

Hij strekte zijn gespierde schouders alsof ze stijf waren en trok een zakje pinda's open, waar hij een grote hand van in zijn mond gooide. 'Een van de kroongetuigen is hem gesmeerd,' mompelde hij terwijl hij krachtdadig zat te kauwen. 'En alsof dat nog niet erg genoeg was, liet de rechter ons tot vreselijk laat blijven omdat hij er morgen niet is. Hij moet zo nodig met vakantie, dus hebben wij pech. Maar nu kan ik tenminste wel wat papierwerk inhalen.' Hij trok een grimas en spoelde de pinda's weg met een grote slok whisky.

Hij had zijn jas uitgetrokken en zijn mouwen opgerold, en zat afwezig aan de knoop van zijn effen blauwe zijden stropdas te trekken. Toen hij hem eenmaal los had, trok hij hem uit zijn kraagje en mikte hem op tafel alsof hij er nooit meer iets mee te maken wilde hebben. Hij zag er ongewoon moe uit; zijn grote, bleke gezicht stond somber, met hangende schouders, en hij had de volgende sigaret al in de aanslag tussen zijn vingers.

'Hoe is het met Nina?' vroeg Donovan; ze zag dat hij zijn trouwring niet om had.

Er ging een schaduw over zijn gezicht en hij inhaleerde diep van zijn sigaret, blies een perfecte serie kringetjes rook uit voordat hij antwoordde: 'Ze is verdomme bij me weg, zo is het. Ze is opgestapt en logeert bij een of andere vriendin tot we iets voor de flat hebben geregeld.'

'O, Simon, wat naar,' zei Donovan, en ze probeerde oprecht te klinken, hoewel het haar helemaal niet verraste.

Ze waren altijd een vreemd stel geweest, Turner zo ontspannen en meegaand, Nina prikkelbaar, serieus en gedreven. Ze liet zichzelf nooit gaan, had niet echt gevoel voor humor en Donovan had haar nooit erg aardig gevonden. Ze kende niet alle details, behalve dat Turner een keer indiscreet had laten vallen dat hun relatie het gevolg was van een dronken onenightstand toen ze samen in Hendon werkten. Maar toen Turner was overgeplaatst naar Barnes, was hij alleen, en dat was wanneer Donovan hem had leren kennen. Nina verscheen een paar maanden nadien na het werk ineens regelmatig in de pub en Donovan had aangenomen dat ze weer samen waren. Toen was Nina ineens zwanger en gingen ze trouwen. Er waren complicaties opgetreden en Nina had de baby verloren.

Hij fronste zijn wenkbrauwen. 'Heb jij haar nog gezien?'

'Eventjes. Ze was de coördinator bij onze nieuwe zaak, maar

je weet hoe dat gaat. We hebben elkaar niet gesproken. Ik wist niet dat er iets mis was. Wat is er gebeurd?'

Hij zuchtte zwaar. 'Het is mijn schuld. Ik scheen haar niet genoeg tijd en aandacht te geven. Ik was er niet voor haar toen ze me nodig had.'

Ze nam aan dat hij verwees naar Nina's miskraam. 'Denk je dat ze terugkomt?'

Hij schudde zijn hoofd. 'Ze schijnt een ander te hebben. Ik kan het me wel voorstellen. Er is toch geen weldenkend mens dat het uithoudt met wat wij doen?' Hij haalde zijn schouders op, alsof het er allemaal bij hoorde. 'Maar je bent hier niet om mij te horen zaniken over mijn privéleven. Je wilde iets weten over de zaak-Catherine Watson. Laten we dat eerst even doornemen, dan kunnen we daarna bijkletsen. Wat wil je weten?'

Ze vertelde hem de hoofdlijnen van de moord in Holland Park en dat ze een tip van een verslaggever hadden gekregen. Turner luisterde bedachtzaam, rookte ondertussen nog een sigaret en dronk de rest van zijn glas leeg.

Toen ze klaar was met haar verhaal stond hij langzaam op en rekte zich uit. 'Ik neem nog een borrel. Jij ook?' Hij torende boven haar uit en keek op haar neer terwijl hij in zijn zak naar zijn geld zocht.

'Ach ja,' zei ze, en ze zag dat haar glas bijna leeg was. Ze had toch al besloten dat ze die avond niet meer terug zou gaan naar kantoor. 'Doe maar een rode. Die witte smaakt naar azijn.'

Hij sjokte naar de bar en leunde er zwaar op terwijl hij wachtte, alsof hij uitgeput was. Nu ze hem van achteren zag viel het haar op dat zijn broek nog vormelozer en ruimer zat dan gewoonlijk, en hij zag eruit of hij flink was afgevallen. Ze vond het wel leuk dat hij geen moer om zijn uiterlijk leek te geven, dat hij zijn pakken droeg alsof hij erin woonde, alsof ze werden gebruikt. Ze vroeg zich af hoe Turner zich echt over Nina voelde. Het was moeilijk in te schatten. Zijn hele houding was die van iemand die nergens echt mee zat, die het hele leven onverschillig leek op te nemen, alsof zijn aandacht bij iets anders lag. Een dromer, zou haar oma hem hebben genoemd.

De zwartharige bardame kwam naar hem toe. Haar zure gezicht was ineens verdwenen en ze keek nu geanimeerd, kletste met Turner alsof ze oude vrienden waren terwijl ze eerst zijn whisky en daarna de wijn inschonk. Hij zei iets waarvan ze haar hoofd in haar nek gooide en wierp hem een brede, stralende lach toe voordat ze de drankjes naar hem toeschoof. Turner lachte terug, legde een biljet op de bar en wapperde haar weg toen ze hem zijn wisselgeld wilde geven. Wat er ook in zijn leven speelde, hij was zijn oude charme in ieder geval niet kwijt.

'Je hebt haar aan het lachen gekregen. Dat lukte mij niet,' zei Donovan gepikeerd toen hij de drankjes op tafel zette en met een harde kreun ging zitten.

Turner haalde zijn schouders op alsof het hem niets interesseerde en nam een grote slok whisky. Hij stak een sigaret op en leunde naar voren. 'Maar goed. Je zaak. Dat er een verband zou zijn, is intrigerend. Zoals je weet hebben wij de onze nooit opgelost. Maar wat je me hebt verteld wekt niet de indruk dat ze iets met elkaar te maken hebben.'

'Je ziet geen overeenkomsten?'

'Jawel, wel wat; genoeg voor een buitenstaander om vragen te gaan stellen. Maar ik ben niet overtuigd. Dan zou ik er veel dieper in moeten duiken.'

'Vertel eens iets over de zaak-Watson, dan.'

Hij inhaleerde diep voordat hij antwoordde: 'Catherine Watson is bijna exact een jaar geleden vermoord. Ze was eind dertig en universitair docente Engels, als ik het me goed herinner. Ze was alleenstaand, in alle opzichten een aardige, intelligente, keurige vrouw, geliefd bij familie en vrienden, bijna een heilige als je sommigen van hen moet geloven. Lief voor dieren en kinderen en zo. Ze woonde in een appartement op de begane grond in de buurt van metrostation Cricklewood, gaf in haar vrije tijd bijles om rond te kunnen komen, had af en toe een relatie, maar niets langdurigs. Op het romantische vlak een beetje een zielig geval, zou ik zeggen. Catherine was echt zo'n type dat altijd getuige was, maar nooit de bruid. Ik heb haar dagboek gelezen. En haar brieven. Haar vrienden beschreven haar als een onafhankelijke geest, zeiden dat ze genoeg had aan zichzelf, maar voor zover ik het kon inschatten was ze gedeprimeerd en eenzaam.

De week voordat ze stierf, heeft ze haar getrouwde zus in Manchester gebeld en verteld dat ze verliefd op iemand was. Die zus, die een dergelijk verhaal al vaker had gehoord, heeft beleefd geluisterd, maar geen vragen gesteld. Voordat je het vraagt: we zijn er nooit achter gekomen hoe hij heette, zelfs niet of hij wel bestond. Voor hetzelfde geld leefde hij alleen in Watsons verbeelding. Hoe dan ook, ze heeft laat op zaterdagavond iemand binnengelaten en de volgende ochtend, bingo, was ze dood. Ze was naakt, vastgebonden, had een prop in haar mond en was verkracht, daarna gewurgd met haar eigen panty. De moordenaar heeft helaas een condoom gebruikt en het bewijs meegenomen.'

Hij was even stil, maakte zijn sigaret uit, nam een slok whisky en draaide het ijs in het glas rond voordat hij verder ging: 'Het was mijn eerste zaak als brigadier en ik weet het nog heel goed.'

'Waren er verdachten?'

'Ja, hoor. Om te beginnen de buurman die haar had gevonden. Ene Malcolm Broadbent. Rare kerel, woonde in zijn eentje op de verdieping boven haar. Hij had overduidelijk een zwak voor haar. Waste haar auto, droeg haar boodschappen naar binnen, en deed klusjes in haar huis. En hij hield iets te goed in de gaten wanneer ze thuiskwam en wegging, volgens een van haar exen, tenminste.'

'Maar jullie hadden geen bewijs tegen hem?'

Hij haalde een grote hand door zijn haar, dat in plukjes omhoog stond, en schudde zijn hoofd. 'Nee. De hele plaats delict was bezaaid met zijn vingerafdrukken en DNA. Maar zoals ik al zei was hij vaak bij Catherine Watson op bezoek. En om het nog moeilijker te maken heeft hij geprobeerd haar te reanimeren toen hij haar vond; hij dacht dat ze nog leefde.'

'En dat was niet het geval?'

'Zo dood als een pier. Al uren.'

'Waarom dacht hij dan dat ze nog leefde?'

'Volgens Broadbent kreunde ze toen hij haar optilde. Maar dat was gelogen, zoals het meeste wat hij ons heeft verteld. Hoe dan ook, hij schreeuwde moord en brand, jammerde als een bang kind en zei dat iemand hem moest komen helpen. Hij maakte zo'n kabaal dat het hele pand op zijn kop stond en iedereen kwam kijken, en niemand heeft bedacht dat het een goed idee zou zijn om de andere bewoners buiten de deur te houden. Iemand heeft het alarmnummer gebeld, waarop een heel ambulanceteam de flat binnen kwam stormen om haar te reanimeren. Toen merkte het een of andere genie ineens op dat ze zo stijf als een plank begon te worden en dat ze dus wel dood zou zijn. Iemand van het wijkbureau heeft iedereen weggestuurd. Maar het kwaad was al geschied. Forensische Opsporing kon helemaal niets met de plaats delict.'

'Denk je dat Broadbent er expres een puinhoop van heeft gemaakt?'

'Het was in ieder geval wel verdacht.'

'Hebben jullie hem gearresteerd?'

'Ja, meerdere malen zelfs. Hij had geen alibi voor die avond, maar aangezien hij alleen woonde en nauwelijks sociale contacten had, was dat gebruiklijk. We hebben zijn appartement doorzocht en een berg porno gevonden. Er lagen ook foto's van Catherine Watson, en van andere vrouwen, die we nooit hebben kunnen identificeren, genomen met een telelens.'

'Was hij een gluurder?'

'Niet echt. Het waren gewone vrouwen, op straat, als ze zaten te kletsen met vriendinnen, tijdens het winkelen, allemaal heel gewoon, niets schunnigs. Wat wel interessant was, was dat ze allemaal een beetje op Catherine Watson leken, ze hadden allemaal dezelfde bouw. Hij bekeek hen op afstand en maakte foto's; hij zei dat ze voor een fotografiecursus waren, maar daar hebben we nooit bewijs van gevonden. Die man loog alles aan elkaar. Maar foto's maken op openbare plaatsen is niet tegen de wet en je mag een man niet ophangen om zijn fantasieën. De praktisch leidinggevende, Alan Gifford, was ervan overtuigd dat hij onze man was, hij wist het honderd procent zeker. Maar we moesten hem uiteindelijk laten gaan. Behalve dat Broadbent over het geheel genomen nogal een rare knakker was, hadden we geen hard bewijs, zeker niets waarmee we naar de rechtbank hadden gekund.'

'Je zei net dat er nog een verdachte was.'

'Ja. Michael Jennings. Een van Watsons studenten, hij had zijn examens verprutst en ze gaf hem bijles.'

'Is hij bij haar thuis geweest?'

'Nee. Ze spraken altijd op de universiteit af. Maar een getuige heeft iemand die op Jennings leek om een uur of acht bij Watson door de straat zien lopen. Hij zei dat hij hem Watsons huis binnen heeft zien gaan, hoewel er die avond heel wat mensen binnen zijn geweest, aangezien de Nieuw-Zeelanders op de bovenste verdieping een feest gaven. Het probleem was dat die getuige een junk was en niet echt betrouwbaar. Hij herkende Jennings niet in een confrontatie en verder hadden we niets wat hem met de plaats delict verbond. We konden er uiteindelijk niets mee.'

'Waren dat de enige twee getuigen?'

Turner knikte. 'We hebben met familie, vriendinnen, exminnaars, collega's en studenten gepraat. *Crimewatch* heeft meer dan zeshonderd tips opgeleverd, die we allemaal, hoe onwaarschijnlijk ook, hebben gecontroleerd. We hebben zedendelinquenten nagelopen en zijn bij iedereen, van alle leeftijden en achtergronden, die is veroordeeld wegens verkrachting of poging tot verkrachting en die in dat deel van Londen of in de buurt van Catherine Watsons werk woonde, op bezoek geweest. Maar het leverde allemaal niets op. Het was Alan Giffords laatste zaak voordat hij met pensioen ging. Volgens mij is hij eraan onderdoor gegaan.'

'Hoe bedoel je?'

Turner keek haar vermoeid aan. 'Je weet toch wat ze zeggen? Dat je een zaak nooit onder je huid mag laten kruipen, dat je er nooit emotioneel bij betrokken mag raken? Nou, dat was Alan allemaal vergeten. Het leek wel of hij op kruistocht was, de enige ridder op het witte paard die Catherine Watson ooit heeft gehad. Hij was altijd moe, en ik ontdekte later dat hij medicijnen slikte. Hij had net een nare scheiding achter de rug en was ziek, hoewel hij dat toen nog niet wist. Dat soort dingen kan heel ingrijpend zijn en je beoordelingsvermogen aantasten. Hij wist, denk ik, dat het zijn laatste grote zaak zou zijn en wilde vast met een succesverhaal eindigen. Hoe dan ook, hij is er veel te diep in betrokken geraakt, het vinden van de moordenaar van Catherine Watson werd een obsessie, en hij was zo ongeveer een persoonlijke vendetta tegen Broadbent begonnen, alsof hij de enige was die haar eer kon herstellen. Maar hij kon haar ook niet helpen.'

Donovan had van haar wijn zitten nippen terwijl hij vertelde en dronk haar glas nu leeg. Ze vroeg zich al de hele tijd dat hij praatte af wat Tartaglia hiervan zou vinden. 'Denk jij dat het Broadbent was?' vroeg ze na een korte stilte. 'Was je het eens met Alan Gifford?'

Turner haalde zijn schouders op. 'Eerlijk gezegd was ik er niet zo zeker van. Maar ik had ook veel minder ervaring dan Alan. Ik was het met hem eens dat de moordenaar waarschijnlijk een bekende van Catherine Watson moest zijn. Er waren rond die tijd geen vergelijkbare delicten in de buurt, of ergens anders in Londen. Hoewel de pers helemaal op hol sloeg over een seriemoordenaar, was dat allemaal onzin. Voor mij was het duidelijk: Catherine Watson was een behoedzame, voorzichtige vrouw. Ze had goede sloten op de deur, bijna overdreven, alsof ze ergens bang voor was. Ze zou niemand hebben binnengelaten die ze niet vertrouwde. We hebben overwogen of er misschien niet maar één iemand bij haar binnen is geweest. De man die in het souterrain woonde dacht dat hij meerdere mensen had horen lopen. Maar de vloer kraakte en er stond harde muziek op. We zijn nooit veel verder gekomen met dat idee.'

'Je zei dat ze eenzaam was. Denk je dat ze mannen oppikte voor seks?' vroeg Donovan, die een mogelijk verband met Rachel Tenison zag.

'Als dat zo is, hebben wij er niets over gevonden. Ze kwam op mij niet over als een type dat zoiets zou doen, als je dat bedoelt. Ik kreeg de indruk dat ze romantisch was ingesteld, op zoek naar de ware jacob. Ze koos alleen steeds de verkeerde.'

'En haar vriendjes?'

'We hebben van iedereen de achtergrond nagelopen, tot meerdere jaren geleden. Maar niemand paste in het plaatje. We kwamen uiteindelijk steeds op hetzelfde uit: als het Broadbent niet was, of, hoewel dat onwaarschijnlijker was, Jennings... wie moest het dan in godsnaam hebben gedaan?'

14

Tartaglia liep de woonkamer in en deed de luiken dicht. De dozen met het dossier van Catherine Watson stonden naast de voordeur, waar Wightman ze had achtergelaten. Hij boog zich voorover en groef erin tot hij had gevonden wat hij wilde, liep de kamer door naar de bank en ging zitten. Hij begon met de foto's van de plaats delict en bladerde erdoor tot hij die van de dode Catherine Watson vond. Ze lag op haar rug, met haar gezicht omhoog, op sommige foto's bedekt met een laken en op andere, waar het laken was weggehaald, open en bloot. Haar verwondingen waren op de close-ups goed te zien: kneuzingen en schaafwonden rond haar mond waar ze zo te zien was geslagen; diepe striemen op haar polsen, enkels en hals, waar ze blijkbaar strak was gekneveld toen ze nog leefde, hoewel niet was te zien met wat voor materiaal. Hij was eraan gewend dergelijke beelden te bestuderen, maar ze raakten hem niettemin altijd erg, vooral als het slachtoffer een vrouw of kind was. Hij staarde naar haar witte, lege gezicht, merkte de door tranen en vegen uitgelopen mascara op en zei een schietgebedje voor haar.

Hij stak een sigaret op en vroeg zich af wat, als er iets was, ze gemeen zou kunnen hebben met Rachel Tenison. De aard van haar verwondingen was tot dusverre het enige wat vergelijkbaar leek, maar er was geen duidelijke en directe parallel. Hij pakte het rapport van de lijkschouwing erbij. Het suggereerde dat er handboeien en mogelijk touw waren gebruikt om haar te knevelen terwijl ze nog leefde. Ondiepe snijwonden waren op haar borsten en buik aangetroffen, gemaakt met een scherp mes. Ze was vaginaal en anaal verkracht en gewurgd met een of andere afbindingsdraad. Er waren katoenvezels in haar mond gevonden, waarschijnlijk van de mondprop. Hij pakte de lijst met bewijsstukken erbij en vond een aantekening waarin stond dat er stukjes koord, een plukje watten en een huidkleurige panty op de plaats delict waren gevonden. In een andere aantekening stond dat identieke watten in de badkamerkast waren aangetroffen.

Hij legde alles neer en opende de map met de slotbeschouwingen, met een samenvatting van de zaak. Catherine Watson was op zaterdagavond voor het laatst gezien om halfzes, in een buurtwinkel, waar ze boodschappen had gedaan. Op het bonnetje stonden: melk, brood, slagroom, bacon, Parmezaanse kaas, eieren, spaghetti, aardbeien, een zakje sla, een bak Green & Black-vanilleijs, een fles Australische cabernet sauvignon en kaarsen. Zo te zien was ze van plan geweest spaghetti carbonara te maken, en de wijn en kaarsen suggereerden dat ze voor iemand haar best deed. Had ze het spannend gevonden, had ze uitgekeken naar haar avond? Had ze de verkeerde vertrouwd en haar moordenaar in huis uitgenodigd? Het was een aangrijpende gedachte.

Het lichaam van Catherine Watson was zondagochtend rond negen uur door een buurman, Malcolm Broadbent, gevonden en de ambulance was om zestien over negen gearriveerd, waarna ze om tweeëntwintig over negen was doodverklaard door een arts. Volgens de patholoog die op de plaats delict was geweest was ze minstens zes uur daarvoor gestorven, dus de geschatte tijd van overlijden was kort na twaalven.

Hij las verder. Men had geconcludeerd dat ze die avond niet naar bed was gegaan: het bed was opgemaakt en haar nachtpon lag keurig opgevouwen onder haar kussen. En heel belangrijk: er waren geen braaksporen. De achterdeur, die naar de tuin leidde, met toegang tot een steegje naar de straat, was goed op slot en het zag ernaar uit dat ze de moordenaar via de voordeur had binnengelaten. Niemand had haar horen schreeuwen of iets ongewoons opgemerkt, behalve dat de benedenbuurman had gezegd dat Catherine Watson ongebruikelijk hard en laat muziek had gedraaid. Maar aangezien het zaterdag was, en de bewoners van de bovenste verdieping ook een hoop herrie maakten, had niemand haar gevraagd hem zachter te zetten. Haar benedenbuurman dacht dat hij tot na één uur muziek en voetstappen in de flat had gehoord, maar er was veel heen en weer gelopen op de trap en hij wist niet helemaal zeker of het allemaal bij haar vandaan was gekomen. De moordenaar had volgens het rapport, gebaseerd op de aard van haar verwondingen en de getuigenverklaringen, zijn tijd genomen en haar urenlang gemarteld.

Tartaglia liet de gebeurtenissen door zijn hoofd gaan, dacht terug aan wat bekend was over Rachel Tenisons laatste uren. Als Jonathan Bourne de waarheid vertelde, wat zeer de vraag was, had zij ook een mysterieuze gast op bezoek gekregen. De aanval op Catherine Watson was met aanzienlijk veel meer agressie gepaard gegaan, maar in haar geval was het gebeurde zeker niet met wederzijdse instemming geweest. Misschien dat het geweld heviger was geweest naarmate het verzet groter was, wat vaak het geval was bij verkrachting.

Hij trof in een van de mappen de opnames van het forensische team aan, keurig voorzien van datum, tijd en het adres van Catherine Watson. Hij zette de televisie aan en stak de dvd in de speler. De eerste beelden waren van een brede en drukke straat in een buitenwijk, met rijen hoge panden aan beide kanten. Er reden een bus en meerdere auto's langs, en er liepen mensen over de stoep, van wie er een stopte om onnozel over de afzettingstape heen in de camera te grijnzen voordat hij werd weggebonjourd door een agent in uniform. Even later zoomde de camera in op de vervallen pui van het pand waar Catherine Watson had gewoond. De camera bewoog vooruit en liet eerst de hoge heg met het houten hek bij de stoep zien en hield toen even stil bij de betegelde voortuin met een verzameling vuilnisbakken erin. Daarna bewoog hij de trap op en een open voordeur door, door een donkere gezamenlijke hal voordat naar de deur aan de linkerkant werd gedraaid, de toegang tot het appartement op de begane grond.

De deur opende direct in een grote zitkamer met witte muren. Zwak winterzonlicht scheen naar binnen door een groot erkerraam, dat het versleten bruine tapijt lichter deed lijken; er dwarrelden stofdeeltjes in het licht. De camera registreerde de open gordijnen met bloemmotief en de versleten meubels, het goedkope lampenkapje aan het plafond en de overvolle boekenplanken aan beide zijden van de marmeren open haard. Op het schoorsteenblad stonden ingelijste foto's van een stel kinderen, naast een plant in een aardenwerken pot en twee kaarsenstandaards van wit porselein. De kaarsen erin waren bijna opgebrand en stroompjes donkerrood kaarsvet liepen van de standaards op het blad van de schoorsteenmantel. Waren dat de kaarsen die Catherine Watson eerder die dag had gekocht?

In de erker was een zithoek gemaakt met een stel grote kussens. Er lagen een pen, een stapeltje papier en wat boeken op de vloer naast, waar Watson in de zon moest hebben zitten werken of lezen. Volgens het rapport was haar lichaam in de woonkamer gevonden, maar Tartaglia zag nergens sporen van verzet op de beelden, die de hele kamer rond gingen.

De volgende opname toonde een kleine donkere hal, gevolgd door een doucheruimte en een L-vormige keuken in wat eruitzag als een aanbouw aan de achterkant. Afgaand op de rij kookboeken en de keurige rijen weckpotten hield Catherine Watson van koken. Ook hier stond alles zo te zien keurig op zijn plaats. De camera hield even stil bij de ramen en een achterdeur, zodat te zien was dat alles was gesloten, de sloten onaangeroerd, en ging toen een beetje schokkerig terug door de hal, naar de slaapkamer.

De gordijnen waren open en er was geen extra licht nodig om Watsons naakte lichaam te kunnen zien. Ze lag midden op het tweepersoonsbed, armen langs haar zij, alsof ze sliep. Terwijl de camera inzoomde op de diepe, donkere markeringen op haar enkels, polsen en hals vroeg Tartaglia zich nogmaals af wat de betekenis van de open gordijnen en de kaarsen was.

Hij besloot dat hij voor nu genoeg had gezien en zette de disk stil. Hij pakte er nog wat foto's bij en vond er een van een staande Watson toen ze nog leefde. Hij was op een zonnige zomerdag genomen en ze leunde tegen de stenen pilaar van een of ander klassiek gebouw, armen ontspannen over elkaar en met een glimlach op haar gezicht. Hij kon niet zien of ze groot of klein was, maar ze had een goed figuur en mooie benen, hoewel de wijde rok en blouse die ze droeg haar geen recht deden. Ze had schouderlang, golvend bruin haar en een breed, aangenaam gevuld gezicht met brede mond. Ze droeg zo te zien weinig of geen make-up. Haar uitdrukking leek er een van gemakkelijke warmte en vriendelijkheid en hij stelde haar zich voor als het soort vrouw naar wie mensen met hun problemen gaan, hoewel hij misschien te veel in de foto zag. Hij zag geen enkele fysieke overeenkomst tussen Catherine en Rachel.

Nu hij daar zo zat, met meer vragen dan antwoorden, drong het ineens tot hem door dat hij honger had, en hij keek op zijn horloge. De rest van het dossier moest maar wachten tot later.

Hij pakte zijn telefoon en belde de mobiel van Donovan. Ze nam vrijwel direct op.

'Ik ben thuis,' zei hij. 'Heb je Turner gevonden?'

'Die zit naast me. We zijn aan het borrelen. Hij praat me bij over Watson. We wilden net chinees gaan halen.'

'Neem maar mee hiernaartoe, en bestel ook wat voor mij,' zei hij ongeduldig. 'En neem ook een paar biertjes mee. Ik wil jullie allebei hier hebben. Ik moet hem spreken.'

'Broadbent heeft in beide kamers de gordijnen opengedaan,' zei Turner lui.

Hij gaapte uitgebreid, knoeide met een hand sigarettenas terwijl hij sprak, en een vers glas whisky bungelde in een gevaarlijke hoek in zijn andere. Hij lag als een pasja aan Donovans voeten: met armen en benen wijd, hoofd en schouders op een berg kussens in een wolk rook, omringd door borden en halflege bakjes eten.

Tartaglia had het raam een stukje opengezet om wat frisse lucht binnen te laten en Donovan voelde de koude, vochtige tocht op haar schouders. Het zachte getik van de regen maakte haar suf en ze strekte zich uit in haar stoel, rekte haar benen en vocht tegen de aandrang haar voeten op Tartaglia's duur uitziende glazen salontafel te leggen. Ze was ongelooflijk moe en had niet genoeg fut om meer te doen dan luisteren naar het pratende tweetal. Ze voelde dat Tartaglia steeds ongeduldiger werd, maar Turner had zijn eigen tempo. Hij had al flink wat centimeters van Tartaglia's Glenfiddich achter de kiezen en dreigde de fles leeg te drinken, en de vele glazen whisky van die avond begonnen eindelijk hun tol te eisen. Normaal gesproken was hij met zijn lengte en postuur beter bestand tegen alcohol dan wie dan ook, maar ze had hem nog nooit zoveel zien drinken, en ze had hem nog nooit zo teut meegemaakt. En ze had hem ook nog nooit zo zien kettingroken. Hij zou gruwelijk stinken de volgende ochtend.

'En het lichaam?' vroeg Tartaglia.

'Dat is door Broadbent verplaatst. Hij zei dat hij haar in de woonkamer had gevonden. Dat hij haar in de slaapkamer heeft gelegd. Hij heeft de prop uit haar mond gehaald, de tape waarmee ze was gekneveld losgeknipt en heeft haar op bed gelegd met een laken over haar heen.'

'Waarom heeft hij dat gedaan?' vroeg Tartaglia.

Turner haalde zijn schouders op. 'Hij zei dat hij dacht dat ze nog leefde.'

'Ze is die zaterdagmiddag inkopen gaan doen. Op de bon

staat dat ze een fles wijn en kaarsen heeft aangeschaft...'

'Ja. We dachten dat ze een afspraakje had.'

'Volgens het autopsierapport was haar maag leeg, had ze alleen wijn gedronken.'

Turner knikte. 'Kijk maar in het dossier. Er zit een lijst bij van wat er in de prullenbak is gevonden. Een hele berg eten, als ik het me goed herinner iets met pasta, genoeg voor twee personen, niets gegeten. De lege wijnfles was er ook. Iemand heeft alles opgeruimd en de borden afgewassen.'

'De ideale gast,' zei Tartaglia, en hij keek naar Turner. Maar het had geen enkel effect. 'Dus ze had een gast. En jullie zijn er nooit achter gekomen met wie.'

'Er stond niets in haar agenda voor die avond,' zei Turner vermoeid. 'Er stond sowieso weinig in; het arme mens moet behoorlijk eenzaam zijn geweest.'

'Hebben jullie naar haar e-mail gekeken?'

'Uiteraard. En naar haar telefoonrekening. Die hebben allebei niets opgeleverd.'

'Dus het moet mondeling zijn afgesproken. Misschien is ze ergens iemand tegengekomen en heeft ze hem of haar spontaan uitgenodigd.'

Turner knikte nogmaals. 'Dat kan. We hebben natuurlijk geprobeerd na te gaan wat ze de laatste dagen van haar leven heeft gedaan, maar we hebben niets gevonden.'

'Wat had ze aan?' vroeg Donovan.

'We hebben de kleren nooit teruggevonden.'

'Volgens het rapport had ze zich opgemaakt,' zei Tartaglia. 'Zo te zien heeft ze haar best gedaan voor iemand.'

Turner haalde zijn schouders weer op en nam een slokje whisky.

Er viel een korte stilte en toen zei Tartaglia: 'Het heeft geen zin hier meer tijd aan te verspillen. Watson is een cold case. Gifford en jij hebben zo te horen alles gedaan wat je kon, en het coldcaseteam heeft ook niets nieuws gevonden. De enige vraag is wat jullie zaak met Rachel Tenison te maken heeft.'

'Daar kan ik jullie niet mee helpen,' zei Turner met halfgesloten ogen.

Er viel nog een stilte. Tartaglia strekte zijn benen voor zich uit, sloeg zijn handen achter zijn hoofd ineen en staarde voor zich uit de kamer in. Hij zag er moe uit, had zijn werkkloffie nog aan, had een flinke stoppelbaard en zijn golvende zwarte haar zat warrig. Hij was zichtbaar teleurgesteld dat er geen duidelijk en helder verband tussen de twee zaken was, maar zo gemakkelijk was het nooit.

Even later sloeg Tartaglia zichzelf op zijn bovenbenen, en hij stond op. 'Volgens mij zijn we klaar voor vanavond. Toch?'

Hij ving Donovans blik terwijl hij zich vooroverboog en de vaat van de vloer begon te rapen. Ze stond op om hem te helpen; Turner lag nog aan zijn kussens gelijmd.

Tartaglia pakte de borden en wilde net de keuken in lopen toen hij zich bedacht en Turner aankeek. 'Hebben jullie enig idee in wat voor positie Catherine Watson oorspronkelijk is aangetroffen?'

'Door Broadbent?'

'Ja.'

'We hebben een reconstructie gemaakt. Er zouden foto's in het dossier moeten zitten.' Hij gebaarde vaag naar de dozen die naast de deur stonden, waarbij hij weer wat as op de vloer knoeide. 'We hebben het hem ontzettend vaak laten vertellen, hebben geprobeerd hem ergens op te betrappen, maar hij bleef consequent hetzelfde vertellen... dat was zo'n beetje het enige wat hij stug bleef volhouden. Hij heeft nooit ook maar een detail gewijzigd.' Hij tuurde in zijn glas, leek verrast dat het leeg was en reikte naar de fles, die naast hem stond.

'Oké. Ik zal er eens naar kijken. Pasten haar verwondingen in het verhaal dat hij vertelde?'

'Ja.' Turner blies luidruchtig een wolk rook uit en fronste zijn wenkbrauwen. 'Misschien dat hij over dat stukje wel de waarheid vertelde.'

Donovan liep achter Tartaglia aan de keuken in en zette de

bakjes en zakjes op het zwart granieten werkblad. De keuken was schoon en modern, roestvrijstaal met hout, een lichte vloer en een ronde glazen tafel in de hoek. Het was allemaal heel stijlvol, maar ze vond het kil en klinisch, had zelf liever de knusse en rustieke keuken die ze met haar zus Claire deelde. Ze keek uit het raam, maar het was buiten te donker, en het glas was bedekt met een mist van regendruppels, dus ze kon niets van het achtertuintje zien.

'Wat is er in godsnaam met hem aan de hand?' vroeg Tartaglia, die een ruwe hoofdbeweging naar de woonkamer maakte terwijl hij de borden en het bestek in de gootsteen begon om te spoelen.

'Hij heeft me vanavond verteld dat Nina en hij uit elkaar zijn.' Ze gooide de lege bakjes in de vuilnisbak. Ze hadden bijna alles opgegeten, behalve wat rijst met kip in gelebonensaus. Het was te lekker om weg te gooien en ze liet de bakjes op het aanrecht staan voor het geval Tartaglia ze nog wilde.

'Zij zag er anders prima uit laatst, voor zover ik dat kan inschatten.'

'Zij is degene die hem heeft verlaten. Ze schijnt een ander te hebben.'

'Waarom verbaast me dat niet?' zei hij, en hij zette de borden en het bestek in de vaatwasser. 'Als hij zo doorgaat krijgt hij problemen. Wakeley trapt hem er zonder pardon uit als hij alcohol ruikt. Je weet hoe hij is.'

'Ik ben ervan overtuigd dat Simon overdag niet drinkt.'

Tartaglia keek haar sceptisch aan en droogde zijn handen af aan een theedoek. 'Uitgaan en jezelf laveloos zuipen lost niets op.'

Donovan sloeg haar armen over elkaar en leunde tegen het aanrecht. Hij kon af en toe zo rechtlijnig zijn, alsof hij zelf nooit eens een foutje maakte, alsof zijn emoties hem nooit de baas waren. Maar zij wist wel beter.

'Hij houdt gewoon nog van haar. Hij heeft pijn. Of begrijp je daar echt helemaal niets van?'

Tartaglia pakte een doekje van het aanrecht. 'Natuurlijk wel,' zei hij terwijl hij haar opzij duwde en het aanrecht begon af te nemen. 'Maar van dronken worden krijgt hij Nina niet terug, als dat is wat hij wil, tenminste.'

'Ik weet niet wat hij wil, maar hij is niet gelukkig. Stel je voor hoe vreselijk dat moet zijn, alleen in die flat, zonder Nina, met alle herinneringen.'

Tartaglia spoelde het doekje uit en hing het over de kraan om te drogen. 'Het lijkt me een hel, maar hij kan er wat aan doen.'

Hij keek haar doordringend aan. Ze vroeg zich af of hij vond dat ze haar neus in andermans zaken stak of dat hij iets anders bedoelde. Ze voelde dat ze een kleur kreeg. Misschien dat ze in het verleden wel wat voor Turner had gevoeld, maar dat kon Tartaglia niet weten. Hoe dan ook, ze was verstandig genoeg om bij hem uit de buurt te blijven zolang hij in deze toestand was. Wat hij nodig had, was medeleven en begrip, tot hij zichzelf weer was, hoewel Tartaglia er duidelijk anders over dacht. Hij had altijd een beetje een stugge band met Turner gehad, hoewel ze geen idee had waarom. Ze vroeg zich af of het professionele rivaliteit was, of dat het gewoon kwam doordat ze in alles elkaars tegenpolen waren.

Er kletterde iets bij de keukendeur en een magere, bleekgrijze Siamese kat kwam tevoorschijn door het luikje onderin. Hij maakte een vreemd schor geluid en liep in een rechte lijn naar Tartaglia, begon om zijn benen te kronkelen en keek begerig naar hem omhoog.

'Even wachten, Henry,' zei Tartaglia, alsof het de gewoonste zaak van de wereld was.

'Ik wist niet dat je een kat had.' Donovan boog zich voorover om hem te aaien, maar de kat negeerde haar en bleef geconcentreerd naar Tartaglia kijken.

'Ik heb ook geen kat. Hij is van de bovenbuurvrouw, maar hij denkt dat hij van mij is.'

'Maar je hebt een kattenluikje.'

'Dat is van de vorige bewoner,' zei Tartaglia, die naar het aanrecht liep en de overgebleven kip met saus op een bord schepte. 'Ik heb gewoon nog geen tijd gehad om het eruit te halen.'

Hij schepte de rijst erbij en zette het bord op de vloer. Henry begon er meteen aan, alsof hij dagelijks chinees at.

'Oké, we zijn klaar.' Tartaglia gooide de bakjes in de vuilnisbak en deed het licht uit. 'Ik bel wel even een taxi voor Simon.'

Ze troffen Turner opgekruld in de foetushouding op de vloer in de woonkamer aan, diep in slaap tussen de kussens, waarvan hij er een in zijn armen had. Zijn mond hing open en hij snurkte.

'Dan ga ik maar,' zei Donovan, die haar tas en jas pakte terwijl Tartaglia Turners glas en een sigarettenpeuk uit zijn vingers peuterde. 'Wat doen we met hem?'

Tartaglia zuchtte. 'Laat maar liggen. Die wordt in deze toestand heus niet wakker. Als hij morgenochtend zo stijf is als een plank, is het zijn eigen schuld.'

Hij liep met Donovan mee naar haar auto, liep weer naar binnen en ruimde zo goed het kon om Turner heen op. Hij was blij dat hij een houten vloer had en dat Turner om de een of andere reden niets op het kleed had geknoeid, pakte de glazen en de asbak, het restje van de Glenfiddich en liep ermee naar de keuken. Hij pakte een paar dekens uit de gangkast, legde die over Turners comateuze pose, en Henry ging opgekruld tegen diens borstkas liggen, alsof hij niet anders gewend was. Tartaglia grijnsde om Henry's pertinente wispelturigheid en staarde naar Turner. Liefde maakte zelfs de meest rationele mensen onberekenbaar, hem incluis, dus misschien was hij toch een beetje ongevoelig geweest... het was wel duidelijk dat Donovan dat in ieder geval vond.

Hij begreep Turners wanhoop wel en zijn hart ging naar hem uit. Maar de man was wel een godvergeten idioot. Was het verstandig geweest om met Nina te trouwen? Had hij echt van haar gehouden? Of was het gewoon een van Turners grillen, een van zijn slecht doordachte, overdreven reacties op wat het leven hem toebedeelde? Tartaglia herinnerde zich een avond met haar, kort voordat ze gingen trouwen, toen ze hem over hun problemen had verteld. Ertoe aangezet door wijn en het late uur had ze hem in vertrouwen genomen en had hij een glimp van haar onderliggende onzekerheid en behoeftigheid gezien. Turner was duidelijk niet een man die haar gelukkig zou gaan maken, hoewel hij dat niet had gezegd omdat hij haar niet had willen kwetsen. Hij had gehoopt dat ze er samen uit zouden komen, maar had hen niet veel kans gegeven.

Hij voelde een hevige steek van verlangen door zich heen gaan terwijl hij aan hen samen dacht, aan al die verspilde emoties en hun gedoemde relatie. Hij keek op de schoorsteenmantel, waar hij de zwart-witfoto van Rachel uit Steeles kantoor even had neergezet. Ze staarde hem aan en hij sloot zijn ogen, stelde zich haar voor zoals ze was geweest: warm, plagend, energiek en vrolijk. Hij hoorde haar aan Williams vertellen wat er die avond was gebeurd. Hij zag haar voor zich in haar donkere slaapkamer met de spiegelwand, zag hoe ze zich na een lange werkdag omkleedde om uit te gaan, haar zijdeachtige haar borstelde, haar make-up en parfum opdeed en naar een café liep. Hij zag haar op een barkruk zitten en een martini voor zichzelf bestellen. Ze nipte van haar drankje, keek in de grote spiegel, ving zijn blik en glimlachte.

Hij deed zijn ogen open en schudde die onzin zijn hoofd uit. Hij zou haar nooit leren kennen. Ze was niet voor hem. Wat hij nodig had was een vrouw van vlees en bloed, warm, tastbaar en ontvankelijk, geen geest.

Hij wilde net het licht uitdoen en naar bed gaan toen hij zich ineens herinnerde waar hij het met Turner over had gehad. Hij pakte de laatste sigaret uit Turners pakje, dat op de vloer lag, en ging op de bank zitten met de doos papieren. Hij bladerde langs de mapjes tot hij er een zag met RECONSTRUCTIE PLAATS DELICT erop. Hij opende het mapje, trok er een stapel foto's op

A4-formaat uit. De eerste, het symbolische van de pose op zijn netvlies gebrand, deed hem naar adem snakken.

Het model dat Catherine Watson voorstelde, zat naakt geknield, hoofd naar voren gebogen, haar haar over haar gezicht gevallen. Haar mond was gekneveld met haar eigen panty, die strak om haar hoofd zat geknoopt. Haar benen waren bij de knieën en enkels met tape omwonden, en haar handen waren voor haar gebonden, ineengestrengeld alsof ze bad.

15

'Brigadier Turner gaat het onderzoek samen met je doen,' zei Steele van achter de brede, keurige barrière van haar bureau. 'Je moet hem natuurlijk eerst van de hele zaak op de hoogte brengen. Hij kan Gary's bureau gebruiken tot die weer terug is.'

Tartaglia zei even niets, weigerde naar Turner te kijken, die met zijn handen in zijn zakken naast hem stond, en tuurde uit het raam.

Het was laat in de middag, drie dagen nadat Turner bij hem in de woonkamer in slaap was gevallen. Tartaglia had hem sindsdien niet meer gezien, had niets van hem gehoord, en het was hem bijna gelukt hem te vergeten. Hij zou tegen Steele kunnen blijven zeggen dat Turner een ongeleid projectiel was en dat hij zijn hulp niet nodig had, maar dat zou niets uitmaken. Ze hadden te weinig hoge leidinggevenden en het had Steele niet veel moeite gekost haar baas, hoofdinspecteur Cornish, aan inspecteur Wakeley op te laten dragen Turner tijdelijk over te plaatsen. Het vooruitzicht twee belangrijke moordzaken op te lossen voor de prijs van één betekende dat Cornish alles zou goedkeuren.

'Hoe gaan we dat doen?' vroeg Tartaglia vlak.

'Jij blijft je met je team concentreren op de moord in Holland park,' zei Steele opgewekt. 'Die heeft nog steeds de prioriteit. Als we de ene oplossen, weten we misschien meteen wie die andere heeft gepleegd.'

'En de pers? Gaat u met Jason Mortimer praten?'

'Niet direct. Wat de pers betreft is de zaak-Catherine Watson nog steeds gesloten. Dat geldt ook voor Mortimer. Maar brigadier Turner gaat aan de slag met het bekijken van zijn zaak in het licht van de moord in Holland Park. Gezien de overeenkomsten moet er ergens een gemeenschappelijk thema zijn. En hij gaat ook kijken hoe het met Malcolm Broadbent en Michael Jennings is.'

Ze stond op en streek de voorkant van haar jasje glad: bijeenkomst gesloten. Het had geen enkele zin iets te zeggen en Tartaglia liep de kamer uit, op de hielen gevolgd door Turner.

'Hé, Mark,' riep Turner achter hem door de gang heen. 'Luister, het spijt me. Dit is niet mijn idee, hoor.'

'Prima.'

Turner keek hem mismoedig aan, zijn handen nog steeds diep in zijn zakken, alsof ze zaten vastgeplakt. 'Echt, Mark. Geloof me alsjeblieft. Dit is het laatste wat ik nu kan gebruiken.'

Hij knikte kort naar Turner. Hij moest tot zijn weerzin toegeven dat het best een goed idee was, zolang Turner zichzelf tenminste in bedwang kon houden. 'Als je maar niet in de weg loopt. Ik heb al genoeg aan mijn kop zonder dat ik me ook nog zorgen moet maken om jou.'

'Ja, meneer!' zei Turner met iets wat op een glimlach leek op zijn gezicht, en hij liep achter Tartaglia de open kantoorruimte in, waar iedereen die beschikbaar was al klaarzat voor een op het laatste moment ingelaste instructiebijeenkomst.

Tartaglia nam, met het beeld van de dronken Turner die op zijn woonkamervloer lag te slapen nog vers in zijn hoofd, zijn positie voor in de ruimte in. Turner kwam naast hem staan en Tartaglia legde uit wat hij kwam doen. Iedereen wist ondertussen over de zaak-Catherine Watson en dat die van Turner was, en het nieuws dat hij aan het team werd toegevoegd werd slechts met milde verrassing begroet.

'Wat we hoe dan ook niet moeten vergeten,' zei Tartaglia ter afsluiting, 'is dat er voor ons niets verandert. Ik wil dat alle namen uit de zaak-Watson worden vergeleken met iedereen die Rachel Tenison kende, maar we blijven al onze energie in haar zaak steken. Als we daarmee de moordenaar van Catherine Watson vinden is dat prachtig. Maar het is niet ons doel. Brigadier Turner houdt zich exclusief met die kant van de zaak bezig.'

'Denkt u dat er een verband tussen de zaken is, meneer?' vroeg Minderedes van achter uit de ruimte.

'Dat is een mogelijkheid,' antwoordde Tartaglia. 'Hoewel we ook met een na-aper te maken kunnen hebben. Nu brigadier Turner met ons meedoet, zal dat hopelijk hoe dan ook snel duidelijk worden.'

'Maar ik heb begrepen dat ze op exact dezelfde manier waren gekneveld,' voegde Minderedes toe.

Ja, maar hoeveel mensen hebben de foto's van die reconstructie gezien? Dat is onmogelijk na te gaan. Volgens rechercheur Turner was inspecteur Gifford heel open tegen de pers en heeft hij meerdere verslaggevers toegang gegeven tot veel van onze informatie. Hoewel dat allemaal officieus was, is er veel uitgelekt. Heel wat mensen kunnen op de hoogte zijn van hoe Broadbent het lichaam heeft aangetroffen. Maar zoals ik al zei is dat de invalshoek die rechercheur Turner nader gaat onderzoeken.'

Hij keek zijdelings naar Turner, die een beetje heen en weer stond te wiegen, zijn ogen halfdicht. Zijn pak was gekreukt alsof hij die ochtend niet de moeite had genomen een ander aan te trekken, en hij had zich niet geschoren. Toen Tartaglia naast hem had gestaan in het kantoor van Steele, had hij zweet en sigarettenrook in Turners kleding geroken. Als Turner wilde helpen, zou hij zichzelf tot de orde moeten roepen, maar zo te zien was hij dat nog niet van plan. Misschien verklaarde dat wel waarom Wakeley hem zo gemakkelijk tijdelijk had uitgeleend; misschien dat hij het zag als een manier om Turner, terwijl hij met een oude zaak bezig was, even tot zichzelf te laten komen zonder al te veel schade aan te richten.

'Wat betreft de moord in Holland Park,' ging hij verder, 'niemand krijgt foto's en bewijs van de plaats delict te zien tenzij dat strikt noodzakelijk is. Als je twijfelt, of als iemand aan je kop zeurt, stuur je die maar naar inspecteur Steele. We kunnen Jason Mortimer voor nu de mond snoeren, maar het laatste wat ik wil is dat een of andere briljante journalist het mogelijke verband ziet en erover gaat schrijven. En ik neem aan dat de familie van Catherine Watson ons dat ook niet in dank zou afnemen. Is dat duidelijk?' Alle aanwezigen, behalve Turner, knikten. 'Hoe staat het ervoor met die cafés?'

'We zijn in alle kroegen in een radius van anderhalve kilometer om haar huis geweest,' zei Feeney. 'Een paar barmannen dachten haar te herkennen, maar niemand was er helemaal zeker van. Misschien ziet ze er gewoon bekend uit vanwege de foto's in de krant. We hebben maar één bar gevonden waar ze regelmatig kwam. Hij klinkt als het café dat ze heeft beschreven, en er werkt een Viktor. Met een k. Hij komt uit Oost-Europa. Volgens degene die ik heb gesproken hebben hij en mevrouw Tenison een tijdje wat gehad, hoewel een ander zei dat Viktor dat heeft verzonnen. Hij schept schijnbaar graag op over zijn overwinningen.'

'Heb je hem gesproken?'

Ze schudde haar hoofd. 'Hij werkt er niet meer en niemand weet waar hij is. Hij schijnt een paar weken geleden ruzie met een andere barman te hebben gehad over een discrepantie in de kas en is hem gesmeerd. Ik heb mogelijk iemand anders die hem kende, maar we moeten het voorzichtig aanpakken. Het klinkt alsof hij hier illegaal is en als hij hoort dat we hem zoeken duikt hij misschien onder.'

'Oké, ga zo door,' zei Tartaglia. 'Die Viktor lijkt zo te horen op dit moment het beste wat we hebben.' Hij keek om zich heen. 'Verder nog iemand?'

'Ja, meneer,' zei Minderedes, die zijn hand had opgestoken. 'Ik heb bij Crowther en Phillips met de zaakbehartiger van Rachel Tenison gesproken. Hij zegt dat ze hem twee maanden geleden heeft gevraagd een nieuw testament op te stellen. Het interessante is dat het zou stipuleren dat Patrick Tenison niet langer executeur-testamentair is, en dat het Liz Volpe geheel onterft. Hij heeft het naar haar opgestuurd om te ondertekenen, maar heeft het nooit teruggekregen. Hij heeft haar er een keer over gesproken en ze zei dat ze erover moest nadenken, dat ze contact met hem zou opnemen. Maar dat heeft ze nooit gedaan, dus het oude testament is nog van kracht.'

'Wist hij waarom ze een nieuw testament wilde laten opstellen?'

'Nee.'

'Zei hij of hij dacht dat Patrick Tenison of Liz Volpe op de hoogte waren van de wijzigingen?'

'Nee, dat wist hij niet. Hij vond dat het niet zijn zaken waren om te vragen waarom een cliënte van mening was veranderd.'

'Wie kreeg de flat in het nieuwe testament?'

'Alles, behalve de zaak, ging naar Tenisons neefje en nichtje, en haar schoonzus Emma zou executeur-testamentair zijn.'

'Wat raar,' zei Tartaglia bedachtzaam. 'Ik ben benieuwd waarom ze het wilde wijzigen. Het geeft Liz Volpe in ieder geval een financieel motief voor moord, hoewel ik niet zie hoe ze genoeg over de zaak-Watson zou weten om de twee met elkaar in verband te brengen.'

Er viel een korte stilte, en toen zei Donovan: 'Het zou één ding kunnen verklaren. Het klinkt alsof Rachel Tenison en Liz Volpe ruzie hebben gehad. Wat de reden zou kunnen zijn dat ze geen contact hadden.' Ze zat op een bureau, naast Karen Feeney, op een potlood te kauwen en met haar benen te zwaaien. 'Waarom zou je anders je beste vriendin uit je testament schrappen? Zo veel mensen had ze nou ook weer niet om haar geld aan na te laten. Hoewel het niet verklaart waarom ze zondag een afspraak hadden... tenzij Liz Volpe daarover loog.'

'Het stond in haar agenda,' zei Wightman.

'Dat moeten we eens goed uitzoeken,' antwoordde Tartaglia, en hij vroeg zich af of het relevant voor de zaak was. Liz Volpe zou best eens over meerdere dingen kunnen hebben gelogen, maar hij zag haar nog steeds niet als moordenaar. 'Misschien dat die eetafspraak een verzoeningspoging was. We moeten nog een keer met haar gaan praten. Hoe gaat het met de telefoongegevens, Dave?'

Wightman schraapte zijn keel. 'Er zijn drie prepaidnummers die de laatste drie maanden regelmatig terugkomen, zowel op haar vaste nummer als haar mobiel. We proberen ze te traceren, maar dat wil nog niet erg lukken. Een van die nummers heeft haar drie keer kort gebeld op de avond dat ze stierf.'

'Hoe kort?'

'Maximaal dertig seconden.'

'Dan zal het antwoordapparaat wel aan hebben gestaan. Er is die avond een paar keer opgehangen.'

'We hebben contact opgenomen met de provider voor de locatie vanwaar die telefoons zijn gebruikt, en dat zouden we later vandaag moeten horen. Ze heeft de avond dat ze stierf ook Jonathan Bournes vaste nummer gebeld. Net na elven, ze hebben een paar minuten gepraat. Hij zegt dat het voor zijn artikel was.'

'Dus hij was om elf uur thuis,' zei Tartaglia. 'Maar hij woont vlakbij, dus dat zegt niets. Maar waarom zou ze hem zo laat bellen?'

'Misschien om haar verontschuldigingen aan te bieden dat ze het restaurant uit was gerend,' zei Wightman. 'Hoewel de manager daar hem niet herkent.'

'Maar dat pleit hem niet vrij. Het is daar aardedonker en de manager zei bovendien dat hij hem niet goed heeft gezien.

Hoe gaat het met jouw achtergrondonderzoek, Karen?'

Feeney ging anders zitten en glimlachte gespannen. 'Ik heb één interessant gegeven. Jonathan Bourne heeft een jaar als junior op de misdaadafdeling van zijn huidige krant gewerkt. Een paar jaar geleden al, ruim voor de Watson-moord, maar hij zou er nog contacten kunnen hebben.'

'Dat is interessant. We kunnen Bourne op dit moment niet aan Catherine Watson verbinden, maar we moeten het blijven proberen. Is er al nieuws van Forensische Opsporing over die glazen?' vroeg hij aan Donovan.

'Het rapport is net binnen. Zoals gezegd zijn er vijf glazen uit de vaatwasser gehaald, die de schoonmaakster die ochtend in de flat had aangetroffen. Drie wijnglazen en twee tuimelglazen. Op allemaal staan de afdrukken van de schoonmaakster, dus dat bevestigt dat ze ze in de afwasmachine heeft gezet. De vingerafdrukken en het DNA van het slachtoffer zaten op een wijnglas en een tuimelglas, afdrukken en DNA van een onbekende man op een wijnglas en een tuimelglas, en afdrukken en DNA van een tweede onbekende man zijn op een ander wijnglas aangetroffen. Er zaten sporen van witte wijn in de wijnglazen, mogelijk uit dezelfde of een gelijksoortige fles, en in de tuimelglazen heeft wodka en cranberrysap gezeten.'

Tartaglia knikte. 'Wat verwarrend. Zo te horen was er nog een bezoeker. Bourne zei dat hij alleen een glas wijn bij haar had gedronken. Zolang we niet weten welke afdrukken van hem zijn, is het bijna onmogelijk te zeggen wat het verhaal is. Laten we nog een keer bij hem langsgaan en het uitleggen. Misschien dat hij wel wil meewerken als hij denkt dat het hem vrijpleit.'

Wightman schudde zijn hoofd. 'Gisteren nog niet. Hij maakte er een enorm punt van en gaf me een preek over mensenrechten.'

'Oefen dan wat druk uit. We moeten weten welke afdrukken van hem zijn. Volgens Bourne heeft hij de flat eerder verlaten dan zij. Hij zei dat ze haast had hem weg te sturen.

Laten we even aannemen dat hij de waarheid vertelt en om een uur of acht is vertrokken. De reservering in het restaurant was voor halfnegen, maar ze was een kwartier te laat en die man kwam net na haar. Het is tien tot vijftien minuten lopen, maar met de auto of een taxi is het nog geen vijf minuten. Dan blijft er ruim een halfuur over.'

Er werd aangeklopt en Sharon Fuller stak haar hoofd om de deur. 'Sorry dat ik stoor, meneer. Maar ik heb net een buurman van Rachel Tenison gesproken. Hij zegt dat hij vrijdagavond iemand uit haar flat heeft zien komen.'

'Vrijdag? Weet hij dat zeker?'

'Dat zegt hij. Hij woont verderop in de gang.'

'Waarom heeft hij dat niet eerder gemeld?'

'Hij is maandag op zakenreis gegaan en is net terug.'

'Er waren geen braaksporen toen we er zondagavond waren, hoewel haar telefoon en laptop nog niet zijn gevonden. Wie had er verder nog sleutels van haar flat?' vervolgde Tartaglia.

'Alleen haar broer en de schoonmaakster,' zei Donovan.

'Nou, controleer dan nog maar een keer waar zij vrijdagavond waren. Het klinkt alsof dat het moment is dat de telefoon en de laptop zijn meegenomen.' Hij dacht terug aan hoe de flat eruit had gezien toen zij hem aantroffen. Alles was netjes, alles op zijn plaats, geen enkele aanwijzing dat iemand iets had gezocht. Als het geen van beiden is, betekent het dat de moordenaar Rachel Tenisons sleutel heeft meegenomen. We moeten erachter zien te komen of er verder nog iets mist.'

16

Liz Volpe staarde met haar handen in haar jaszakken, haar voeten een stukje uit elkaar in haar warme laarzen met dikke zolen, in de gang bij Rachels flat naar de nieuwe stalen deur die de ingang bewaakte. Ze vond het een eng ding en vroeg zich af wat er met die mooie, oude houten deur was gebeurd. Verder zag alles er gelukkig nog hetzelfde uit: het tapijt, het behang, zelfs de grote, mysterieuze schaafplek links van Rachels deur; en de eeuwige geur van poetsmiddel hing er ook nog. Maar ze zag er vreselijk tegenop om naar binnen te gaan; er waren zo veel herinneringen gevangen tussen die vier muren, samen met de onaangename echo's van wat daar drie maanden geleden was gebeurd. Ze hoorde de stem van Rachel, die wrede woorden, nog steeds in haar hoofd.

Ze haalde een paar keer diep adem en stak haar hand op om aan te kloppen. Dat had ze nog maar net gedaan toen de deur werd geopend en Tartaglia in de opening stond.

'Daar ben je,' zei hij, alsof hij wist dat ze er al een tijdje stond. Hij deed een stap naar achteren om haar binnen te laten. 'Het spijt me dat ik je hiernaartoe moet halen, maar zoals mijn agent aan de telefoon heeft uitgelegd is er iemand gezien die mevrouw Tenisons flat verliet. We moeten weten of er iets weg is.'

'Hoe is die persoon daar in vredesnaam doorheen gekomen?' vroeg Liz, en ze keek naar de deur.

'Die is zondag pas geïnstalleerd. De indringer is vrijdagavond voor het laatst gezien.'

'Weet je zeker dat het dit appartement was? Ze zien er vanbuiten allemaal hetzelfde uit.'

'Het was absoluut dit,' zei hoofdagent Donovan, die achter hem de woonkamer uit kwam lopen en vriendelijk naar haar glimlachte. 'Ik heb de man die hem heeft gezien net gesproken. Hij woont aan deze gang en weet het zeker.'

Ze was mooi, bedacht Liz, met haar fijne, regelmatige gezicht, gladde huid en grote, heldergrijze ogen, hoewel ze haar uiterste best deed haar vrouwelijkheid te verbergen met haar pijnlijk korte haar en androgyne kleding. Ze droeg vandaag een knalpaarse trui, een zwarte broek met bretels en een paar Dr. Martens. Ze had haar jas en tas over haar arm en was zo te zien op weg naar buiten.

'Hoe zag hij eruit?' vroeg Liz.

'Volgens die getuige was hij slank en ergens tussen de één zeventig en tachtig,' antwoordde Donovan. 'Hij droeg een uitgezakte spijkerbroek, gympen en een jack met een capuchon, die hij ophad. Die buurman heeft zijn gezicht niet goed gezien.'

'Er wordt nu een digitale compositieschets met die getuige gemaakt, hoewel ik betwijfel of dat zin heeft,' zei Tartaglia, die op een manier naar haar keek waar ze ongemakkelijk van werd, alsof hij dacht dat zij wist wie die inbreker was. Ze wendde zich af en zag haar vermoeide, bleke gezicht in de gangspiegel. Kon ze nou maar een nacht goed slapen, maar ze werd steeds wakker, en als ze sliep, droomde ze over Rachel.

'Ik moet ervandoor, Mark,' zei Donovan tegen Tartaglia. 'Waar ben jij straks?'

Hij keek op zijn horloge. 'Ik ben over een uur wel terug op Barnes, denk ik. En daarna ga ik naar huis. Bel maar even als je klaar bent.'

'Oké,' antwoordde ze, en ze probeerde het slot open te krijgen, dat blijkbaar erg moeilijk ging. Tartaglia liep ernaartoe, greep de knop en trok de deur open.

Ze gingen erg ontspannen met elkaar om, alsof ze vrienden waren in plaats van superieur en ondergeschikte. Misschien ging het er bij de politie minder formeel aan toe dan Liz dacht, of waren collega's van Moordzaken onderling familiairder en minder hiërarchisch. Hoe dan ook, ze konden het zo te zien erg goed met elkaar vinden en ze vroeg zich af wat voor relatie ze hadden.

Toen de deur achter Donovan in het slot viel, draaide Tartaglia zich om en keek naar Liz. 'Denk je dat je er klaar voor bent om even rond te kijken?'

'Zo klaar als ik zal worden,' zei ze, en ze haalde diep adem om een beetje tot rust te komen. Hij had geen idee hoe moeilijk het voor haar was om hier terug te zijn.

'Zoals ik al zei wil ik graag dat je je concentreert op dingen die missen of anders zijn dan je gewend bent. Onze mensen hebben begin deze week de hele flat doorzocht en hebben wat persoonlijke zaken en papieren van mevrouw Tenison meegenomen, maar we proberen altijd alles zo terug te zetten als we het aantreffen. Als er iets niet op zijn plaats is, moet je het zeggen, dan schrijf ik het op.'

Terwijl hij sprak viel haar oog op de blauw-witte schaal die op het tafeltje bij de deur stond. Daar bewaarde Rachel haar sleutels altijd. Maar hij was leeg.

'Haar sleutels missen,' zei hij alsof hij haar gedachten las. 'En haar mobieltje en laptop ook.'

'Denk je dat ze vrijdagavond door die man zijn meegenomen?'

'Daar ziet het wel naar uit.'

'Was het een gewone inbraak?'

'Nee. Het is waarschijnlijker dat haar moordenaar heeft geprobeerd elk spoor van contact uit te wissen.'

'Is dat waarom je denkt dat de moordenaar een bekende is? Iemand met wie ze contact had?'

'Dat is een deel van de reden, ja.'

'Maar als ze vrijdagochtend is vermoord, waarom zou iemand dan het risico nemen later terug te komen? En waarom zou hij dat dan pas 's avonds doen? Jullie zeiden toch dat Richard haar toen al als vermist had opgegeven?'

'Dat is niet duidelijk.'

Aangezien hij er zo te zien niet dieper op in wilde gaan, draaide ze zich om en liep naar de woonkamer.

Het zag er keurig als altijd uit, alles stond op zijn plaats, alsof de kamer nog werd gebruikt. Het was zo vreemd om er te zijn; ze voelde zich een indringer. De gordijnen waren open en er stond een hoge vaas met oranje en rode bloemen op het ladekastje tussen de twee ramen. Ze geurden sterk en zagen er vers uit, hoewel ze van vorige week moesten zijn. Ze hoopte maar dat iemand ze zou weggooien voordat ze gingen rotten. De enige sporen van beroering waren de vele grijze poedervlekken, die veel van het meubilair markeerden.

'We hebben waar het kon op vingerafdrukken gecontroleerd,' zei Tartaglia van uit de deuropening, 'maar dat heeft niet veel opgeleverd. De schoonmaakster van mevrouw Tenison heeft jammer genoeg voor ons haar werk erg grondig gedaan.'

Liz keek om zich heen en voelde zich als verdoofd. Ze was nooit dol geweest op Rachels interieur: ze vond het saai en ouwelijk. Rachel had wat meubels geërfd, maar ze had nergens haar persoonlijke stempel op gedrukt. Het leek wel of ze aan een bepaalde stereotype wilde voldoen die haar overleden ouders zou hebben geplezierd. Liz dacht aan het gesprek dat de laatste keer dat ze hier was in deze kamer had plaatsgevonden. Rachel zat op de bank, met haar voeten omhoog voor het haardvuur en een glas wijn in haar handen, en zij zat in de grote leunstoel bij het raam. Ze zag Rachel er nu bijna zitten, zag haar felle gezichtsuitdrukking terwijl ze de woorden had gesproken die alles hadden vernietigd.

Liz probeerde de herinnering te bannen en liep naar de tafel achter de bank. Ze trok met haar vinger een kronkellijn door de dunne film poeder en keek terloops naar de bekende foto's in zilveren lijstjes. Ze stonden er al zo lang ze zich kon herinneren: foto's van Rachels ouders, haar grootmoeder, haar broer Patrick, en een van haar en Rachel in schooluniform. Ze pakte hem en staarde ernaar, vroeg zich af waarom Rachel hem al die jaren had laten staan, waarom hij er nu nog stond. Ze zagen er allebei zo jong uit; haar naar achteren gekamd, gezichten nog zacht en ongevormd, witte, slungelige benen onder gruwelijke grijze plooirokken vandaan. Zelfs toen was ze al veel groter dan Rachel.

Ze dacht terug aan hoe ze elkaar twintig jaar geleden hadden leren kennen. Zuster Margaret, directrice van St. Anne, was op een ochtend midden tijdens een les het lokaal binnen komen lopen met een klein, bleek meisje in haar kielzog. Ze zag Rachel nog voor zich: een magere verschoppeling met enorme ogen met zwarte kringen eronder. Ze wipte zenuwachtig van haar ene op haar andere been en leek wel een nerveuze pony met haar rare, slordige bos lichtblond haar met een haarband. Ze hoorde pas later dat Rachel haar haar de avond ervoor met de keukenschaar van haar moeder had afgeknipt.

'Gaat het wel?' Tartaglia was naar haar toe komen lopen.

Ze zette de foto neer, maar bleef ernaar kijken. 'Ja, hoor. Het is alleen zo gek om hier te zijn.'

Hij knikte meelevend. 'Is alles nog zoals je het je herinnert?'

'Min of meer.' Ze wilde zich net omdraaien, wenste dat hij haar met rust zou laten, toen ze zag dat er achter in de fotoverzameling iets miste.

Ze fronste haar wenkbrauwen en probeerde het zich te herinneren. 'Er is een foto weg. De laatste keer dat ik hier was, stond hij er nog. Dat weet ik nog, want hij was nieuw en ik had hem nog nooit gezien. Rachel veranderde zelden iets aan haar verzameling.'

'Weet je wat erop stond?'

'Rachel, in een mooie close-up, tijdens een van de feestjes van de galerie vorig jaar, volgens mij. Ze stond met iemand te praten die niet op de foto stond; ze lachte en zag er beeldschoon uit. Richard heeft hem laten vergroten en inlijsten en heeft hem haar voor haar verjaardag gegeven. Misschien dat hij nog wel een exemplaar heeft. Hij zat in een heel mooi lijstje. Daar is Richard ontzettend goed in.'

'Waarom stond hij achteraan?'

'Geen idee. Misschien wilde ze niet dat iemand dacht dat ze ijdel was.'

'IJdel?' Hij keek haar nieuwsgierig aan. 'Was ze dat?'

IJdel? Altijd met zichzelf bezig? Onzeker? Wat was het verschil? Rachel was zich absoluut bewust geweest van de macht van haar uiterlijk. Maar Tartaglia probeerde haar te provoceren en ze had geen zin hem te antwoorden. De manier waarop hij naar haar staarde was ook provocatief, bijna intiem. Ze zag hem even als man, niet als agent, en het viel haar nogmaals op hoe waanzinnig aantrekkelijk hij was. Toen herinnerde ze zichzelf aan waarom ze hier was en wat ze wilde. Ze was hem geen verklaring van Rachels karakter schuldig... of van wat er tussen hen was gebeurd.

'Was ze ijdel?' drong hij aan. 'Je mag zeggen wat je denkt. We zijn hier met zijn tweeën, officieus, ik zal het niet in mijn rapport zetten. Wat was ze voor iemand?'

'Ze was niet echt ijdel. Maar dat is niet wat je wilt weten, hè?'

Hij stak zijn handen in zijn zakken en glimlachte luchthartig. 'Ik probeer nog steeds een beeld van haar te schetsen. En ik wil de dynamiek van je relatie met haar begrijpen. Hebben jullie ruzie gehad? Doe je daarom zo?'

'Ik heb je alles verteld wat je moet weten,' zei ze, en ze wendde zich af. Ze liep voordat hij de kans had haar nog iets te vragen de kamer uit en de gang in. Ze wilde weg, maar hij liep vlak achter haar. Zijn telefoon ging.

'Wilt u alstublieft even in haar slaapkamer gaan kijken?' vroeg hij terwijl hij zijn mobieltje uit zijn zak pakte. 'Ik kom eraan.'

Rachels slaapkamer was de laatste plek die ze wilde zien, maar ze had geen keus. Ze hoopte maar dat hij even aan de telefoon zou blijven, liep de gang door en duwde aarzelend de deur open.

Ze wist niet zeker wat ze had verwacht aan te treffen, maar het beeld dat haar hoofd zo lang had gevuld, van een donkere, bedwelmende kamer met twee mensen in dat enorme, rijk gekleurde bed, was heel anders dan de realiteit. De lampen schenen fel en het bed was ontdaan van gordijnen en beddengoed, gereduceerd tot een nietszeggend houten frame en matras. Ze haalde opgelucht adem en bleef even in het midden van de kamer staan en keek om zich heen.

De oude kist, die van Rachels grootvader was geweest, stond niet meer aan het voeteneinde en ze vroeg zich af of de politie hem om de een of andere reden had meegenomen. Dat moest ze even aan Tartaglia vragen. Ze liep naar een van de kastdeuren, die openstond, en keek in de kast. Ze zag de donkere, bekende rijen met Rachels kleren, haar schoenen op de rekken eronder. Het was net of Rachel helemaal niet weg was, alsof ze zo terug kon komen om zich om te kleden. Haar zoetige parfum hing nog in de lucht, het kwam vast uit de kleren, en Liz deed snel de deur dicht om hem niet meer te ruiken.

Het aanzicht van haar eigen, uitgeputte en onopgemaakte gezicht in de spiegeldeur maakte dat ze zich afwendde. Ze boog zich over het nachtkastje en deed het lampje aan. Ze voelde zich ineens doodmoe en ging op de rand van het bed zitten om op Tartaglia te wachten. In tegenstelling tot haar eigen nachtkastje, dat altijd propvol stond met een oneindige hoeveelheid spullen, was dat van Rachel bijna leeg, op een paar boeken en een elektrische wekker na, die hard tikte in de stille kamer. Boven op de stapel boeken lag een glanzende biografie over Bess Hardwick; daaronder Irène Némirovsky's *Suite Française*. De biografie was zo te zien nieuw en nog niet gelezen, maar toen ze *Suite Française* opende viel het in het midden open, bij een boekenlegger van een ansichtkaart met een renaissance-madonna erop. Ze keek op de achterkant. Er stond in grote, schuine zwarte letters:

dit herinnert me aan jou. ik zie overal

je gezicht en moet constant aan je

denken. waarom bel je niet terug?

ik móet je zien. bel me alsjeblieft.

alsjeblieft. ik hou van je.

Ze had wat moeite het uitzonderlijke handschrift te ontcijferen, wat nog werd bemoeilijkt door een halve-cirkelvormige veeg midden op de kaart, waar Rachel ongetwijfeld een glas of mok had neergezet. De boodschap was ondertekend met een kruisje, zonder datum of handtekening. De kaart kwam uit de National Gallery, was gestempeld in Paddington, een week of zes geleden.

'Wat is dat?'

Ze schrok op van het geluid van Tartaglia's stem achter zich en draaide zich om. Ze had hem de slaapkamer niet binnen horen komen en vroeg zich af hoe lang hij daar al stond.

Hij kwam naar haar toe lopen en ze gaf hem de kaart. 'Deze zat in een boek dat op Rachels nachtkastje lag. Jullie hebben hem vast gemist.'

Hij keek terloops naar de voorkant, draaide hem om en las de tekst. Zijn gezichtsuitdrukking verhardde. 'Is dit het handschrift van mevrouw Tenison?'

'Absoluut niet. En voordat je het vraagt: ik weet niet wie het heeft geschreven en ik heb het nog nooit gezien.'

17

'Ik ben erg benieuwd waarom u zo geïnteresseerd bent in dit specifieke gedicht, rechercheur Donovan,' zei professor Kate Spicer, haar ronde, bruine ogen sprankelend van nieuwsgierigheid terwijl ze met de parelketting om haar nek speelde. 'Mijn secretaresse vertelde dat u een moord onderzoekt.' Ze sprak het woord 'moord' met gretige nadruk uit en had een afgebeten, licht Australisch accent.

'Ik ben bang dat ik daar niet veel over kan zeggen,' antwoordde Donovan. 'Maar het gedicht is mogelijk een aanwijzing in de zaak. We proberen inzicht te krijgen in de psychologie of betekenis erachter, als die er is.'

Hun mokken stomend hete koffie met melk stonden op de vloer, en ze zaten met kopieën van het gedicht op schoot samen op een groezelig groen bankje in het met boeken gevulde kantoortje van professor Spicer op de tweede verdieping van Russell Square 30. Het grote, achttiende-eeuwse pand in het centrum van Bloomsbury huisvestte het Birkbeck College voor Engels en Humaniora. Ondanks de scherpe, klassieke lijnen van het gebouw was het interieur een doolhof van gangetjes en goedkope afscheidingswandjes die in niets blijk gaven van de voormalige glorie.

Spicer droeg een duur donkerblauw wollen broekpak en was een jaar of vijftig. Ze was bijna net zo klein als Donovan, maar aanzienlijk molliger, met een helm van strakke bruine krulletjes om een open en vriendelijk gezicht. Donovan was niet meer in een pand van de universiteit geweest sinds haar afstuderen, maar ze voelde zich meteen alsof ze weer bij haar mentor in diens armzalige kantoortje zat. Zelfs de geur was hetzelfde: sigaretten, oploskoffie en oude boeken.

'U zei dat het een aanwijzing is. Denkt u dat het iets zegt over de identiteit van de moordenaar?' vroeg Spicer, die haar hoofd een beetje opzij liet zakken en haar benen over elkaar sloeg, waarbij een paar knalroze pumps met enorme hakken tevoorschijn kwam, dat Donovan deed glimlachen. Spicers kamer was dan bijna een kopie van die van haar voormalige mentor, maar ze leek totaal niet op de stoffige academicus die Donovan had begeleid.

'Dat is mogelijk, maar het kan ook over het slachtoffer gaan. Dat weten we niet. Of het is alleen een afleidingsmanoeuvre.'

'Nou, laten we dan maar eens kijken of ik kan helpen,' zei Spicer met een zakelijk hoofdknikje. 'De volledige titel van het gedicht is "Dolores, Notre-Dame des sept douleurs". Het verwijst naar de maagd Maria en ik kan als u dat wilt zo op de symbolische betekenis daarvan ingaan. Wat weet u van Charles Algernon Swinburne?' Ze sprak elk woord nadrukkelijk uit, alsof het belangrijk was zijn volledige naam te geven.

'Niet veel, ben ik bang. Ik heb geen enkel college gevolgd waarin er over hem is gesproken.'

'Dan zal ik eerst een kort overzicht geven. Zoals u waarschijnlijk wel weet, was hij een tijdgenoot van de prerafaëlieten en nogal een radicale jongere. Hij was biseksueel, alcoholist en zwaar betrokken in het genot van zelfkastijding, wat hij, zoals zo veel jongeren in zijn tijd, op school had ontdekt. Veel van zijn medestudenten vonden hem verderfelijk. Zijn werk is een tijdje uit de gratie geweest, maar het bevat geniale fragmenten, dat vind ik tenminste. Dit is ongetwijfeld een van zijn beste gedichten. Hij is jammer genoeg op latere leeftijd flink in de war geraakt, maar dat overkomt ons allemaal, toch?' Ze haalde onverschillig haar schouders op.

'Wanneer is het geschreven?'

'Het is voor het eerst verschenen in een dichtbundel uit 1866 en deed nogal wat stof opwaaien, aangezien het over masochisme, zelfkastijding en goddeloosheid gaat. U kunt zich wel voorstellen wat ze daar in bepaalde kringen van vonden.' Professor Spicer tikte met haar glanzend roodgelakte nagels op het gedicht om haar punt te benadrukken. 'Maar "Dolores" was zo populair dat het apart is gepubliceerd, wat denk ik erg veel over de victorianen zegt. Het is nu natuurlijk niet meer zo indrukwekkend als het in Swinburnes tijd moet zijn geweest.'

'Wie is Dolores?'

'Een mooie, wrede en wellustige heidense godin. Ze heeft geen enkel mededogen en kent geen humaniteit.' Spicer zette een schildpadbril op, die aan een kralenketting om haar nek hing, en ging snel over de bladzijden. 'Luister hier maar naar,' zei ze, en ze stak een hand op. 'Hij zegt: *O, hemels gepassioneerd lichaam/ het hart nooit gekweld door de pijn*, en beschrijft haar als *O, vrouwe der kwelling* en *Dodelijke Dolores*, maar hij geniet natuurlijk van zijn pijn, gaat er helemaal in op. Kijk maar eens naar regels 180 en 181: *De pijn werd genot, zo ook tranen / de dood werd tot bloed, kijk, ze leeft*. Dat moet u wel een indruk geven.' Ze keek glimlachend over de rand van haar bril naar Donovan.

'Dat doet het zeker,' zei Donovan, die zich afvroeg wat het verband met Rachel Tenison was.

'Er is nog een stukje dat ik graag wil voorlezen.' Spicer bladerde snel door de pagina's tot ze het had gevonden. 'Luister maar:

Door de razende tanden die reten
Door de kussen als bloemen met moed
Door de lippen, vervormd en verbeten
Tot ze schuimen en smaken naar bloed
Door de hartslag, zo snel en zo hoorbaar
Door de handen die sterk zijn, dan fijn
Ik bezweer u, ontstijg toch uw altaar
O, Vrouwe van Pijn.'

Spicer keek weer op naar Donovan en sloeg enthousiast haar handen ineen. 'Is dat niet prachtig? Het doet een beetje aan een echte Zwarte Mis denken... en aan de Markies de Sade, natuurlijk.'

'Het is in ieder geval opmerkelijk.'

'Inderdaad, maar als je het sensationele aspect even terzijde legt, is het in essentie een liefdesgedicht.'

'Een liefdesgedicht? Ik heb het niet helemaal gelezen, maar ik vind het niet erg romantisch.'

'Maar dat is het wel, op Swinburnes eigen, speciale manier. Luister hier maar naar:

Overdag zal uw stem in hem klinken,
Als hij droomt zijn de boeien geslaakt;
U ontbrandt in de nacht, doet hem zinken
In slaap en ontwaakt.

Dat is best aardig, toch?'

Donovan vroeg zich af of ze het niet begreep en staarde naar haar fotokopieën, las de regels nog eens en merkte weer op hoe de woorden 'bloed', 'dood' en 'offer' als leidmotief door het gedicht gingen. 'Nou, mij klinkt het allemaal behoorlijk pervers in de oren,' zei ze na een korte stilte.

Spicer glimlachte. 'Iedereen heeft natuurlijk zijn eigen voorkeur. Maar vergeet uw vooroordelen even, rechercheur. Hoe abnormaal het allemaal ook klinkt, als u naar de essentie van het gedicht zoekt, en naar wat het in de context van uw moord betekent, kan ik u vertellen dat het over liefde gaat.'

Donovan had geen idee hoe ze die interpretatie aan Tartaglia duidelijk moest maken, en zei: 'U vertelde dat Swinburne tegenwoordig uit de gratie is. Wordt hij nog onderwezen aan de universiteit? Ik vraag me af waar iemand zijn gedicht zou tegenkomen.'

'Iedereen die negentiende-eeuwse Engelse letterkunde als hoofdvak heeft, zal het kennen. Het geeft een prachtig tijdsbeeld en ik verwijs in mijn colleges regelmatig naar Swinburne en "Dolores". De naam en generieke eigenschappen van de Vrouwe van Pijn zijn overgenomen door het rollenspel *Dungeons and Dragons*, hoewel het gedicht daar uiteraard niet in voorkomt.' Professor Spicer vouwde haar handen in haar schoot en leunde voorover naar Donovan. 'Weet u echt heel zeker dat u me verder niets kunt vertellen, rechercheur Donovan? Ik sterf van nieuwsgierigheid.'

Donovan glimlachte en wenste dat ze het kon uitleggen, maar het gedicht was een van de vele dingen die niet algemeen bekend mochten worden. 'Ik kan vast wel zeggen dat het aan een vrouw is gestuurd, die nu dood is, en dat we niet weten door wie.' Dat was niet helemaal hoe het zat, maar ze wilde toeschietelijk overkomen.

'Nou, dan hoef ik u niet te vertellen dat degene die het heeft verstuurd een man is, hè? Denkt u dat hij de moordenaar is?'

Donovan glimlachte. 'Daar kan ik echt niets over zeggen. Het spijt me.'

Spicer drukte een vinger tegen haar lippen en keek bedachtzaam. 'Die arme kerel is natuurlijk wel totaal geobsedeerd. Kent u "La belle dame sans merci", van Keats?'

'Vaag.'

'Nou, Dolores kent op vergelijkbare wijze geen genade. Was uw slachtoffer misschien een femme fatale?'

'Meer een mysterie.'

'Een mysterie. Ziet u nou wel? Dat is een deel van de aantrekkingskracht. Ik heb medelijden met de man die verliefd op haar is geworden.' Spicer liet zich met een tevreden zucht, alsof ze de puzzel had opgelost, tegen de uitgezakte kussens van het bankje zakken.

'Wacht even. Als we naar het gedicht kijken, en naar waarom iemand het kan hebben verstuurd, wat voor boodschap probeert hij dan duidelijk te maken? Er is geen woede of verbittering. Zoals u al zegt geniet die man echt van zijn pijn.'

'Dat is Swinburne.' Spicer reikte naar de vloer en pakte haar beker, nam bedachtzaam een slokje. 'Maar zelfs in een moderne context denk ik dat hetzelfde moet gelden. Ik denk dat degene die het haar heeft opgestuurd tegen haar zegt dat hij van haar houdt, ondanks wat ze hem heeft aangedaan. De menselijke natuur is pervers, rechercheur. Denk maar aan al die mensen die u kent die verliefd zijn geworden op de verkeerde... zelfs als ze weten dat het de godvergeten verkeerde is. Hoeveel advies je zulke mensen ook geeft, hoe meer die rare wezens worden gekwetst, hoe vaker ze teruggaan voor meer. Alsof ze de pijn opzoeken. Dat lees ik natuurlijk alleen tussen de regels en ik laat mijn fantasie erop los. Maar als hij uw moordenaar is, dan heeft hij er misschien eindelijk genoeg van. Is hij eindelijk gaan protesteren.'

Liz nestelde zich met haar glas wijn in de grote leren leunstoel en stak haar voeten onder haar billen. 'Als Rachel vrijdagochtend is vermoord, wat heeft ze de avond ervoor dan gedaan? Je zei dat ze met iemand heeft geborreld. Weet je al met wie?'

'We vinden gestaag steeds meer puzzelstukjes,' antwoordde Tartaglia opzettelijk vaag van de bank tegenover haar. 'Mag ik een sigaret opsteken?'

'Ja, hoor.'

Hij haalde het pakje uit zijn zak en stak er een op. Ze zaten in de woonkamer van de flat van Liz' broer. Ze hadden het hele appartement van Rachel Tenison bekeken, maar er was Liz verder niets opgevallen, behalve de missende foto en de ansichtkaart. Hij had het gevoel gehad dat ze het allemaal erg moeilijk vond en had voorgesteld ergens anders nog even te praten. Hij had veel meer vragen, maar in plaats van haar mee te nemen naar een verhoorkamer in een politiebureau, waar ze waarschijnlijk zou dichtklappen, had hij haar uitnodiging aangenomen een borrel bij haar te komen drinken.

'Waarom vertel je me niet wat je weet?' vroeg ze. 'Je wilt toch dat ik je help?' Haar toon was beschuldigend en haar blik op hem geconcentreerd, alsof ze hem op de een of andere manier kon dwingen te praten.

Hij nam een trekje van zijn sigaret en bedacht dat het haar misschien zou stimuleren te praten als hij haar wat vertelde. 'Oké,' zei hij. 'Ik zal mijn best doen opener te zijn. We weten dat ze donderdagavond tussen zeven en acht in haar flat een borrel heeft gedronken met ene Jonathan Bourne.'

'Jonathan?'

'Ken je die?'

'Ja. Ja, die ken ik.'

'Wacht even. Ik heb je een paar dagen geleden verteld dat ze wat had gedronken met iemand met de initialen J.B. Waarom heb je niets gezegd?'

Ze keek hem uitdrukkingsloos aan. 'Dat kan ik me helemaal niet herinneren.'

Hij geloofde haar niet. Hij dacht terug aan haar reactie die ochtend en wist zeker dat de initialen iets voor haar hadden betekend. 'Kom op. Dat geloof ik niet.'

Ze haalde haar schouders op alsof het onbelangrijk was. 'Ik weet het echt niet meer. En heel veel mensen hebben die initialen.'

'Heel veel mensen die je kent?'

'Maar Jonathan is de laatste die...'

'Wat zeg je nu?'

Ze zette haar glas neer. 'Nou, Rachel en Jonathan mochten elkaar niet. Dat dateert al uit de tijd dat we op de universiteit samen een huis deelden. Hij was vreselijk slordig, maakte een hoop herrie, maakte alles van iedereen op en kocht niets nieuw. Je kent dat wel, en je zult er ondertussen ook wel achter zijn wat voor iemand Rachel was. Hij maakte haar razend en ze hadden de vreselijkste ruzies. Ik zat er altijd tussen, probeerde de vrede te bewaren.'

'Ben je nog met hem bevriend?'

'Ja, heel goed.' Ze was even stil. 'Weet je waarom hij bij haar was? Was het voor zijn werk?'

'Dat zei hij wel, ja.'

'Nou, dan.' Ze sloeg haar armen over elkaar alsof de kous daarmee af was. 'Luister. Jonathan is net zo min als ik een moordenaar, of misschien ben ik ook een verdachte?'

'Als je een verdachte was, zaten we nu niet zo gezellig te babbelen.'

Ze glimlachte. 'Oké. Sorry. Maar je kunt Jonathan niet veroordelen omdat hij wat heeft gedronken met Rachel. Ze is pas de volgende ochtend vermoord.'

Hij nam nog een trekje van zijn sigaret, bleef haar aankijken, had nog steeds het gevoel dat ze net zozeer zichzelf als hem probeerde te overtuigen. 'Mevrouw Tenison is na haar afspraak met Jonathan Bourne met een man in een restaurant in Kensington gezien. Jonathan Bourne zegt dat hij het niet was, maar we weten niet zeker of dat de waarheid is.'

'Waarom zou hij daarover liegen?' vroeg ze uitdrukkingsloos.

Hij merkte haar gebrek aan verrassing of nieuwsgierigheid op, alsof ze een idee had wie die man in het restaurant was.

'Luister, ik ben open naar je. Nu wil ik dat jij hetzelfde doet. Ik moet de waarheid weten en die hoor ik liever hier van je dan dat ik je moet meenemen naar het bureau. Maar aan jou de keus.' Ze ontweek zijn blik en pakte haar wijn. 'Wist je dat je in Rachels testament wordt vermeld?'

'Ja. Dat heeft Patrick Tenison me verteld.'

'En wist je ook dat ze een paar maanden geleden heeft besloten het te wijzigen? Dat ze je niets wilde nalaten?'

Ze verslikte zich en sloeg haar hand voor haar mond. 'Nee. Dat heeft hij me niet verteld, maar het verbaast me niets.' Ze schraapte haar keel, slikte moeizaam en zette haar glas weer neer. 'Laat ik het dan maar vertellen. Zoals je terecht al dacht, hebben we ruzie gehad.'

'Waarover?' vroeg hij, geïrriteerd dat ze er in het geheel niet mee leek te zitten dat ze dat had achtergehouden.

Ze zuchtte zwaar en wreef in haar ogen, haalde toen haar handen door haar haar, waarbij ze het zo strak naar achteren trok van haar bleke gezicht dat het heel even leek of ze in de war was. 'Het spijt me. Ik denk er liever niet aan terug,' zei ze terwijl ze opstond en naar het raam liep. Ze staarde naar de straat beneden.

'Ik moet het weten,' zei hij.

Ze draaide zich naar hem om en sloeg haar armen weer over elkaar. 'Weet je nog dat ik heb verteld dat ik een paar maanden geleden met haar heb gegeten, en dat dat de laatste keer is dat ik haar heb gezien?'

'Ja.'

'Nou, het was na dat etentje. Bij haar thuis. Ik vertelde haar over mijn problemen met iemand met wie ik een relatie had. Hij was getrouwd. Ik wist niet wat ik moest en had behoefte aan goede raad, maar ze onderbrak me nogal bruusk, en ik zal nooit vergeten wat ze zei.'

'Ga verder.'

'"Waarom kan je verdomme toch nooit eens iemand uitzoeken die je voor jezelf hebt". Dat zei ze.'

'Wat een vreemde opmerking. Wat bedoelde ze ermee?'

Liz haalde haar schouders op. 'Misschien leefde ze met zijn vrouw mee. Hoe dan ook, toen zei ze dat die man me gebruikte en dat hij geen zier om me gaf.'

'Hoe wist zij dat? Kende ze hem?'

Liz schudde haar hoofd en keek weg. 'Ik probeerde er luchtig over te doen, maar het was net alsof ik haar had geslagen. En hoe ze naar me keek. Het was echt angstaanjagend. Ik had haar nog nooit zo kwaad gezien. Ze zei tegen me dat ik me onverantwoordelijk en frivool gedroeg en niet nadacht over de schade die ik berokkende. Ik weet het nog precies. "Je speelt met hem. Als een kind met een nieuw speeltje. Je geeft alleen maar om jezelf. Je hebt geen idee hoe het is om echt naar iemand te verlangen, om echt van iemand te houden."' Liz trok een grimas. 'Alsof ik ordinair en harteloos was.'

'En dat allemaal vanwege die man?' vroeg hij perplex.

'Ja.'

Hij dacht aan Rachel Tenison, aan haar fragiele, delicate schoonheid, vroeg zich af waarom het haar zo had geraakt. Voor iemand die schijnbaar zo beheerst was en emotioneel gesloten, en tegelijk seksueel promiscue, was het een heel vreemde reactie, vooral tegen een vrouw die haar beste vriendin zou zijn. Hij vond het klinken alsof ze verbitterd en jaloers was, maar de woorden pasten totaal niet in het beeld dat hij van haar had. 'Weet je zeker dat je niets weglaat?'

Ze keek weg alsof de vraag haar niet aanstond. 'Dat is alles wat ze zei.'

'Nou, het klinkt alsof ze ergens kwaad over was, alsof ze het persoonlijk opvatte. Dacht ze misschien aan haar relatie met Richard Greville? Je was toch niet...?'

'Natuurlijk niet,' zei ze, en ze zag er gepikeerd uit. 'Ik heb nooit op die manier iets met Richard gehad.' Ze keek nog een keer uit het raam, trok gedecideerd de gordijnen dicht en draaide zich weer om. 'Maar ik had geen zin om naar meer te luisteren, dus ik ben vertrokken. Zoals ik al heb verteld, heb ik haar daarna niet meer gezien of gesproken. Daarom hebben we niet gebeld of gemaild.'

Hij begreep er nog steeds niets van, het was alsof ze hem maar het halve verhaal vertelde. 'Wat is er daarna gebeurd?'

Ze duwde haar handen tegen haar gezicht. 'Jezus. Waarom kun je er niet over ophouden?'

'Omdat ik alles moet begrijpen. Vertel me wat er is gebeurd.'

Ze liep kwaad naar de salontafel en schonk nog een glas wijn voor zichzelf in. 'Als je het zo nodig moet weten: ik heb ongeveer een maand daarna een brief van haar gekregen. Ik herkende haar handschrift en was nog zo kwaad dat ik hem ongelezen heb verscheurd en weggegooid.'

'Waarom heb je dat allemaal niet eerder verteld?'

'Omdat het pijnlijk is om aan terug te denken,' zei ze met vuur in haar ogen. 'En omdat wat er tussen mij en Rachel is gebeurd niets met de moord heeft te maken. En omdat het niemand wat aangaat behalve mij.' Ze nam een grote slok wijn.

'Wat was ze voor iemand?' vroeg hij na een korte stilte. Hij had het gevoel dat hij er niets meer van begreep. 'Hoe was ze écht?'

'Hoe is wie dan ook? Hoe moet je dat definiëren?'

'Maar jij kende haar. Ik niet.'

'Dan heb je geluk,' antwoordde ze met een plotseling scherpe toon, die hem verraste. 'Luister, ik heb een knallende hoofdpijn en ik heb genoeg van die vragen.'

Hij staarde haar even aan, merkte op hoe bleek en moe ze eruitzag, knikte en stond op. Hij kon haar niet dwingen te praten. 'Vertel me één ding. Heb je daarna echt geen contact meer met haar gehad?'

'Nee. Niet tot ze me belde en zei dat we moesten praten. Ze moet hebben gehoord dat ik weer naar Londen kwam. We hebben een afspraak gemaakt en de rest weet je.'

'En verder is er niets?' vroeg hij, tevergeefs op zoek naar enig teken van de waarheid in haar gezichtsuitdrukking.

Ze schudde haar hoofd, maar hij geloofde haar nog steeds niet.

Liz liep met hem naar de deur en sloot die hard achter hem. Toen ze hem de trap af hoorde lopen, leunde ze tegen de muur en sloeg haar armen om zichzelf heen.

Jezus, wat een ellende. Ze wist dat ze totaal niet overtuigend had geklonken, maar Tartaglia had haar overvallen. Teruggaan naar Rachels flat was zenuwslopend geweest en ze had zich ineens heel kwetsbaar gevoeld. Ze had het gevoel dat hij recht door haar heen keek, haar zwaktes, schuldgevoel en leugens zag. Ze vond hem vreselijk aantrekkelijk, veel meer dan anderen, in lange tijd, maar hij leek veel geïnteresseerder in Rachel.

Haar hoofd voelde alsof het ging exploderen en ze duwde hard met haar vingers tegen haar slapen, probeerde het gesprek in haar hoofd af te draaien, was bezorgd om wat ze misschien per ongeluk had laten vallen.

Ze schrok wakker uit haar gedachten door het geluid van de intercom. Hij moest zijn teruggekomen. Met nog meer vragen. Hoe moest ze zich daar doorheen worstelen?

Ze nam met tegenzin op. Maar het was de stem van Jonathan.

'Liz? Mag ik alsjeblieft binnenkomen?' mompelde hij.

Hoewel ze helemaal geen zin had om hem te zien, was het wel een opluchting hem te horen in plaats van Tartaglia.

Ze drukte op de knop, zette de deur op een kier en liep terug naar de woonkamer om op te ruimen. Toen ze de gang op liep met haar handen vol glazen, de asbak en een halflege wijnfles, stond Jonathan voor haar.

Hij sloeg de deur achter zich dicht. 'Waarom heb ik de indruk dat je me ontloopt?' vroeg hij, en hij kwam achter haar aan de keuken in. 'Je belt steeds niet terug.'

'Ik ontloop je niet. Ik heb gewoon geen zin om iemand te zien.'

'Ik ben niet zomaar iemand.'

Ze gaf geen antwoord, draaide zich om, knalde de fles op het aanrecht, spoelde de glazen en de asbak om en zette die in de afwasmachine.

'Ik zie dat je bezoek hebt gehad,' zei hij. 'Ben je vriendjes geworden met de sterke arm?'

'Nee.'

'Dat is gek, want ik herkende die vent met het zwarte haar die net naar buiten kwam. Ik wist meteen wie het was. Het was die godvergeten rechercheur die me aan een derdegraads verhoor heeft onderworpen. Ik heb je toch over hem verteld?'

'Inderdaad,' zei ze, en ze begon haar handen te wassen. 'En dat is ook het enige wat je me hebt verteld.'

'Wat kwam hij doen?'

Ze draaide zich naar hem om, schudde haar handen af en droogde ze aan haar spijkerbroek, aangezien er geen theedoek voorhanden was. 'Hij had nog vragen over Rachel. Heeft hij je gezien?'

'Volgens mij niet. Maakt dat wat uit?' Hij pakte haar bij haar arm en trok haar naar zich toe. 'Krijgt Johnny een zoen?'

Ze gaf hem een kusje op zijn wang en probeerde zich van hem los te trekken, maar hij hield haar vast, duwde zijn neus tegen haar wang en kuste haar. Zijn stoppelbaard schraapte over haar huid en ze rook dat hij had gedronken.

'Hmm. Wat ruik je lekker. Heerlijke parfum.'

Ze duwde hem weg. 'Begin nou niet weer, zeg. Wil je wat drinken of niet?'

Hij leunde tegen het aanrecht en haalde luchthartig zijn schouders op. 'Waarom zit die juut hier trouwens wijn met je te drinken?'

Ze pakte een schoon glas uit de kast en gaf het aan hem, schoof de wijnfles over het werkblad naar hem toe. 'Omdat hij probeert te ontdekken wat mijn diepste geheimen zijn.'

'Het lijkt meer of hij mij jaloers probeert te maken.' Hij schonk de fles leeg in zijn glas, dat hij bijna tot de rand vulde. 'Je vindt het leuk om me op te fokken, hè? Val je op hem?'

Ze sloeg haar armen over elkaar en staarde hem aan. 'Hij zei dat jij de avond voor Rachel stierf met haar hebt geborreld. Dat heb je me niet verteld.'

'Is dat een misdaad?'

'Nee. Maar waarom heb je het niet gezegd?'

'Lieve Lizzie, er is zoveel wat ik je niet vertel.' Hij keek haar geconcentreerd aan en nam een grote slok wijn. Toen ze geen antwoord gaf, voegde hij toe: 'Echt, ik vond het niet belangrijk.'

'De politie vindt van wel.'

Hij gooide zijn handen in de lucht en er klotste wijn over de rand van zijn glas op de vloer. 'Jezus Christus, ik heb toevallig wat gedronken met Rachel op de avond voordat ze is gestorven, en nu denken ze meteen dat ik haar heb vermoord.'

'Ze denken dat je na dat drankje met haar uit eten bent geweest.'

'Begin jij nu ook al?' zei hij, en hij stak zijn glas naar haar uit alsof het een wijzende vinger was. 'Luister goed. Ik ben die avond niet met Rachel uit eten geweest, en ook niet op een andere avond, oké?'

'Misschien niet. Maar heb je wel met haar geneukt?'

Hij nam een slok wijn en liet die in zijn mond draaien voordat hij hem doorslikte, alsof hij er even over nadacht.

'Ik vroeg of je met haar hebt geneukt.'

Hij keek haar recht in de ogen. 'En als dat zo is, zou je het dan verklappen aan je politievriendje?'

'Dat weet ik niet,' zei ze, en ze vroeg zich af of hij een grapje maakte.

'Kom op, Lizzie, wat heeft dat met jou te maken? Ik ben een vrij man, weet je nog? Dat zeg jij tenminste altijd tegen me, toch?'

'Geef nu maar gewoon antwoord, Jonathan. Heb je die avond met Rachel geneukt? Zeg het nou maar.'

Hij zette met een zucht zijn glas neer. 'Natuurlijk niet. Waarom zou ik?' Hij liep naar haar toe en pakte haar handen vast, staarde haar met zijn bloeddoorlopen, waterige ogen aan. 'Wat je ook denkt, ik heb Rachel nooit aantrekkelijk gevonden. Niet echt. En bovendien: dat zou ik jou nooit aandoen.'

Ze schudde haar hoofd en trok zich van hem los. 'Maar vroeger wel. En dat hebben jullie allebei geheimgehouden tot Rachel het verklapte door de slaapkamerdeur open te laten staan.'

Hij zuchtte nogmaals. 'Jezus, dat is eeuwen geleden! Waar gaat dit over? Wat is er met je?'

Ze keek hem aan en zag hem en Rachel samen in bed zoals ze hen die ochtend had aangetroffen: de verraste blik op zijn gezicht en de triomfantelijke op dat van Rachel. Ze herinnerde zich hoe gekwetst ze zich had gevoeld, en verraden. Kon ze hem nu maar vertrouwen, maar haar gevoel zei dat ze dat niet moest doen.

'Wat is er?' vroeg hij oprecht bezorgd. Hij stak zijn hand uit en streelde haar haar. 'Wat heeft ze met je gedaan?'

'Niets. Hoe kan ze nu nog iets doen? Ik weet gewoon nog hoe ze was. Niet het suikerzoete meisje dat iedereen zich nu herinnert. Ik word er misselijk van. Ik heb het over de echte Rachel, die iedereen in haar macht probeerde te houden en naar haar pijpen liet dansen. Heb jij weer voor haar gedanst, Jonathan? Dat is wat ik wil weten. Was jij degene in haar bed die avond?'

Hij keek haar ernstig aan. 'Zoals ik al zei: echt niet. Waarom vind je dat zo belangrijk? Hou je iets voor me achter?'

'Nee.'

'Hou er dan over op, oké?' Hij greep zijn glas, nam een slokje en knalde het toen met een vies gezicht terug op het werkblad. 'Die wijn smaakt naar kattenpis. Heb je niets lekkers te drinken?'

'Heb jij Rachel vermoord? Dat is wat ik wil weten.'

Hij liet zijn hoofd een kant op zakken en begon te grijnzen. 'Nee. Jij?'

18

De regen kwam met bakken uit de hemel toen Donovan het pand waar professor Spicer werkte verliet. Ze had haar paraplu vergeten en rende zo snel ze kon, zigzagde door het drukke verkeer dat Russell Square verstopte naar het zijstraatje waar ze haar auto had geparkeerd. Ze viste haar sleutels uit haar zak, maakte het bestuurdersportier open en stapte in. Ze draaide het contactsleuteltje om, zette de ventilator aan, wachtte tot de ruiten niet meer beslagen zouden zijn, veegde zo veel mogelijk water uit haar haar en staarde naar de donkere vormen van de voorbijgangers die zich over de stoep haastten. Alles wat ze over Rachel Tenison wist paste perfect in de sadomasochistische verwijzingen in het gedicht van Swinburne, en wat professor Spicer had gezegd over obsessie. Dat het een liefdesgedicht was, hoe bizar ook, kon ook wel kloppen. Maar wat het verband met de moord op Catherine Watson was, was veel minder duidelijk.

Ze pakte haar mobieltje en belde Turner, maar de voicemail stond aan. Ze liet een boodschap achter en belde Tartaglia. Hij nam vrijwel direct op. Ze hoorde stemmen en harde muziek op de achtergrond.

'Schikt het wel?' vroeg ze.

'Ja hoor, ik ben net thuis.'

'Wat is die herrie?'

'*The Belly of the Beast.* Een film met Steven Seagal,' voegde hij toe, alsof ze dat had moeten weten.

'Ik snap niet hoe je naar die troep kunt kijken.'
'Zijn vroege films zijn prachtig.'
'Wat vind je er zo leuk aan?'
'Hij vecht als de beste en is onoverwinnelijk. En hij staat aan de kant van rechtvaardigheid.'
Ze hoorde de glimlach in zijn stem. 'Goed van hem, hoor. Als je maar geen paardenstaart gaat laten groeien.'
'Maak je daar maar geen zorgen om,' zei hij lachend.
'Maar goed. Sorry dat ik je kijkgenot verstoor, maar mag hij even wat zachter? Ik hoor mezelf niet eens praten.' Hij draaide het volume uit en ze vertelde hem wat professor Spicer had gezegd. 'Als het verder niets oplevert, is het gedicht in elk geval een aanwijzing over het karakter van Rachel Tenison, en over haar seksuele voorkeur. Maar er is één ding dat ik niet begrijp. Als Catherine Watson en Rachel door dezelfde moordenaar zijn omgebracht, waarom is er dan niet net zoiets bij Watson aangetroffen?'
'Voor zover ik weet is er inderdaad niets gevonden, maar dat moet je even bij Simon navragen. Heb je hem nog gesproken?'
'Ik kan hem niet te pakken krijgen. Hij neemt niet op.'
Tartaglia slaakte een diepe zucht. 'Laten we dan maar hopen dat hij nog een beetje fit is. Hij moet officieel beschikbaar zijn.'
'Heb je het dossier van Watson nog?'
'Ja. Dave zou het komen ophalen, maar hij heeft nog geen tijd gehad. Als je iets wilt inkijken, kun je hiernaartoe komen. Ik ga voorlopig nog niet naar bed.'

Een halfuur later zat Donovan op de bank in Tartaglia's flat door de lijst van bewijsstukken in de zaak-Watson te bladeren. Tartaglia stond bij het raam te roken en naar haar te kijken. Hij had zijn werkkloffie nog aan, maar had zijn colbertje uitgetrokken, zijn stropdas afgedaan en zijn overhemdsmouwen opgestroopt. Donovan was een paar maanden geleden gestopt met roken en hij had het raam opengedaan om de rook naar buiten te laten. De ijzige tocht blies die jammer genoeg net zo hard weer naar binnen en ze begon het koud te krijgen. Met stijve vingers bladerde ze door de pagina's.

De lijst van spullen die uit Catherine Watsons flat waren meegenomen bestond uit meer dan tien volgetypte pagina's, waaronder de inhoud van haar vuilnisbak en de mand met vies wasgoed, evenals sporen die waren verwijderd van de plek waar ze oorspronkelijk, volgens Malcolm Broadbent, was gevonden. Het zag ernaar uit dat Forensische Opsporing haar werk grondig had gedaan en alles had meegenomen wat mogelijk iets kon opleveren. Hoewel, en zo ging het altijd, vanwege de kosten alleen de zaken die dringend leken naar het lab waren doorgestuurd voor forensisch onderzoek. Er stond nergens in de lange lijst een gedicht.

'Misschien dat dat gedicht ons om de tuin leidt, of in ieder geval wat betreft Catherine Watson,' zei Donovan toen ze klaar was met lezen. 'Hoewel het wel toevallig is dat ze Engels gaf. Volgens professor Spicer is het niet echt een bekend gedicht.'

'Kende Spicer Watson toevallig?'

'Nee. Spicer werkt aan het Birkbeck College, en Watson gaf les aan het UCL. Het is niet verrassend dat ze elkaar nooit zijn tegengekomen. Alleen al aan het Birkbeck College werken veertig docenten Engels. Sommigen fulltime, anderen parttime, en van wat ik begreep is er een flink verloop. Dat zal aan het UCL vast niet anders zijn. Hoe was het bij Liz Volpe?'

'We zijn iets heel interessants tegengekomen.'

Het viel haar op dat hij het over 'we' had en ze vroeg bijna of hij Liz Volpe aantrekkelijk vond, gewoon om te zien wat hij zou zeggen, hoewel ze vrij zeker was van het antwoord. Hij was zelden immuun voor een aantrekkelijke vrouw, hoewel of hij daar iets mee deed een heel ander verhaal was. Liz Volpe was geen kroongetuige in de zaak, maar Donovan was ervan overtuigd dat hij het risico niet zou nemen.

'Er mist een foto van Rachel Tenison in haar appartement,'

ging hij verder. 'Net als bij Catherine Watson. En er is nog iets. Kijk maar.' Hij pakte een vel papier van de salontafel en gaf het aan haar. Het was zo te zien een kopie van de voor- en achterkant van een ansichtkaart. 'Die is een week of zes geleden naar Rachel gestuurd.'

Donovan probeerde het handschrift te ontcijferen, wat haar uiteindelijk lukte. 'Dat is behoorlijk obsessief, zeg, en het doet op een gekke manier het gedicht weerklinken. Maar degene die het heeft geschreven heeft wel gelijk. De afbeelding lijkt inderdaad op haar,' zei ze terwijl ze naar de foto op de schoorsteenmantel keek. Met haar hoge voorhoofd, blonde haar en grote, ronde blauwe ogen leek Rachel Tenison op een engel, of op de renaissance-madonna op de ansichtkaart. Hij liet zien hoe verraderlijk indrukken kunnen zijn.

'Waar heb je die gevonden?'

'Hij zat in een boek dat Rachel aan het lezen was, het lag op haar nachtkastje. Forensische Opsporing moet het om de een of andere reden hebben gemist. Ik heb het origineel naar het lab gestuurd om te kijken of ze er daar iets mee kunnen.'

'Het is wel een karakteristiek handschrift. Is er iets dergelijks aangetroffen in de flat van Catherine Watson?'

Hij schudde zijn hoofd. 'Ik heb voordat jij er was het rapport nog eens gelezen. Al haar correspondentie is ten tijde van het onderzoek grondig doorgenomen. Er is niets uitzonderlijks aan het licht gekomen, zeker niet zoiets.'

Hij maakte zijn sigaret uit en sloot het raam, deed de houten luiken dicht om inkijk van de straat tegen te gaan. 'Ik heb Dave net gesproken,' zei hij terwijl hij in de stoel tegenover haar ging zitten. 'Ze is die vrijdagavond een paar honderd meter van haar huis vandaan gebeld door een prepaidnummer. Hetzelfde nummer staat in de top dertig van nummers die de afgelopen drie maanden haar vaste nummer hebben gebeld, een paar keer heel laat in de avond. Die telefoon is vier maanden geleden aangeschaft.'

'Kunnen we achterhalen door wie?'

'Nee. Maar hij is alleen gebruikt om Rachel, thuis en op kantoor, mee te bellen, dus hij is speciaal daarvoor aangeschaft.'

'Iemand is heel voorzichtig te werk gegaan.'

Hij knikte. 'Heb je die vrouw kunnen vinden die drie maanden geleden in de galerie werkte? Al weet Richard Greville niet eens welke dag van de week het is, misschien dat zij wel weet of Rachel door iemand werd lastiggevallen.'

'Ze is ondertussen verhuisd. We proberen haar te vinden via haar burgerservicenummer, maar dat schiet nog niet op. Ze heeft na de galerie nog wat uitzendwerk gedaan, maar het uitzendbureau zei dat ze van plan was een paar maanden naar het buitenland te gaan. Misschien is ze nog niet terug. Nick probeert haar ouders te vinden. Greville denkt dat ze misschien in Surrey wonen.'

'Dat verhaal over het gedicht is intrigerend,' zei hij na een korte stilte. 'Waar is Simon? We moeten nu met hem praten.'

'Hij heeft me nog steeds niet teruggebeld.'

Hij stompte op de armleuning van zijn stoel. 'Verdomme. Hij kan niet zomaar onbereikbaar zijn als hem dat zo uitkomt, en dat zou hij moeten weten. We hebben zijn hulp nodig. Hij is er wél of hij is er niet, een andere keuze is er niet.'

Ze fronste haar wenkbrauwen. 'Hij heeft het echt heel erg moeilijk momenteel.'

'En dat begrijp ik, maar wat moeten we dan? Wachten tot hij weer boven jan is? Er zijn twee vrouwen vermoord. Dit kan gewoon niet.'

Ze was het wel met hem eens, maar zei niets. Turner maakte het zichzelf al moeilijk genoeg en het had geen enkele zin voor hem in de bres te springen als ze geen idee had waar hij was of wat hij deed. Hij zat vast ergens zijn verdriet weg te zuipen.

'Weet je, hij had nooit met Nina moeten trouwen,' zei Tartaglia.

'Wat bedoel je?'

'Hij heeft, zoals altijd, maar wat gedaan zonder stil te staan bij de gevolgen.'

'Ze was zwanger.'

'Dat is geen reden om te trouwen.'

'Maar hij hield van haar.'

'Misschien,' zei hij aarzelend. 'Maar Nina is een vrouw die iemand nodig heeft die veiligheid biedt, die stabiel is, niet iemand die, nou ja...' Hij maakte een afwijzend handgebaar.

'Hoe ken jij Nina zo goed?' vroeg ze. Ze was ineens geïntrigeerd, en voegde toe: 'Je gaat me toch niet vertellen...'

'Nee, hoor,' antwoordde hij resoluut, en hij ving haar blik. 'Ik ben één keer met haar uit geweest, dat is het enige.'

'Dat wist ik niet.'

'Waarom zou je ook? Het stelde niets voor. We kwamen elkaar gewoon op een avond na het werk tegen. We waren de laatsten die nog in die kroeg zaten en raakten aan de praat. Je weet hoe dat gaat. We hadden allebei geen zin om naar huis te gaan, dus we hebben Thais gegeten bij die tent achter The Bull's Head.'

'En?'

'En niets. Ze was ontzettend aardig, maar mij een beetje té intens, en gecompliceerd. Ik had met haar te doen. Het was wel duidelijk dat ze niet gelukkig was en ze heeft me wat over Simon verteld. Volgens mij waren ze op dat moment uit elkaar. Misschien dacht ze dat trouwen alles zou oplossen, maar dat is maar zeer zelden het geval.'

'Waar was Simon?'

'Geen idee. Hoe dan ook, we hebben heel gezellig gegeten, ik heb haar naar huis gebracht en dat was dat.'

Donovan keek weg, geamuseerd over hoe onbewust hij ervan was hoe anders een vrouw een situatie kan interpreteren. Ze vroeg zich af of Nina er net zo laconiek onder was als hij. Maar ze begreep zijn gebrek aan interesse wel. Nina was zijn type niet, of tenminste niet het type dat zij in haar hoofd had als zijn type. Voor zover zij er zicht op had voelde hij zich aangetrokken door vrouwen die hoe dan ook onbeschikbaar waren, alsof hij gedijde op de uitdaging of de onzekerheid. Het was het enige vlak waar zijn gebruikelijke nuchtere en realistische kijk op de wereld hem in de steek liet.

'Probeer Simon nog eens,' zei hij met een zucht.

Donovan haalde haar mobieltje uit haar tas en belde Turner. De telefoon ging over, maar de voicemail nam weer op. Ze liet nog een bericht achter en verbrak de verbinding. 'Het is wel vrijdagavond, hoor. Misschien heeft hij wel een afspraakje.'

'In zijn toestand? Dat lijkt me niet.' Hij fronste zijn wenkbrauwen en schudde gefrustreerd zijn hoofd. 'We hebben echt niets aan hem op deze manier. Ik wil hem niet afkraken, maar hij had nooit bij de zaak gehaald mogen worden als hij het niet aankan.'

Ze knikte langzaam. 'Waarom heb je niet meteen wat tegen Steele gezegd?'

Hij spreidde zijn handen. 'Wat had ik kunnen zeggen? Ik wilde hem niet nog meer problemen bezorgen. Hoewel ik hem wat aandoe als hij onze zaak versjteert.'

Hij leunde achterover in zijn stoel en gaapte, alsof hij de hele wereld op zijn schouders droeg. Ze zaten even in stilte en toen stond hij op, alsof hij ineens iets bedacht, en liep naar de dozen bij de deur. Hij zocht erin en toverde een dvd tevoorschijn.

'Wat is dat?'

'Opnames van de plaats delict in de zaak-Watson. Ik heb ze al een keer gezien, maar ik wil nog eens kijken, voor het geval we iets hebben gemist. Vind je het goed? Je hoeft niet te blijven, hoor. Het is behoorlijk deprimerend.'

'Nee, ik vind dat ik het ook moet zien.'

Hij zette de televisie aan, stak de dvd in de speler en zakte zwaar op de bank, naast Donovan. Hij zapte met de afstandsbediening door de straatbeelden, een aanzicht van het pand en naar waar de camera naar binnen ging en de woonkamer in. Daar liet hij hem afspelen.

'De woonkamer is aan de straatkant,' zei hij terwijl de camera langzaam door de ruimte ging en bij elk meubelstuk even stilhield. Tartaglia wees met de afstandsbediening naar het beeldscherm. 'Broadbent zegt dat hij daar het lichaam van Catherine Watson heeft gevonden. Zoals je wel ziet zijn er geen sporen van verzet.'

'Wat is er dan gebeurd?'

'Er zijn met ultraviolet licht piepkleine bloedspetters van Watson aangetoond. Op de rand van het kleed en op de vloer, en een paar spetters laag op de muur naast de open haard. Ze waren met het blote oog niet te zien, wat waarschijnlijk de reden is dat de moordenaar ze niet heeft geprobeerd te verwijderen.'

'Is ze hier aangevallen, niet in de slaapkamer?'

'Ja. Forensische Opsporing heeft in de slaapkamer niets kunnen vinden.'

'Waarom waren er zo weinig bloedspetters? Volgens Simon moet het een gruwelijke aanval zijn geweest.'

'De theorie was dat de moordenaar een zeil of mat op de vloer heeft gelegd voordat hij haar molesteerde, wat verklaart waarom er midden in de ruimte niets is gevonden.'

'Dus hij kwam voorbereid?'

'Daar ziet het wel naar uit. En hij heeft alles wat hij heeft gebruikt weer meegenomen.'

'Denk je dat Alan Gifford en Simon hun werk hebben gedaan?' vroeg ze.

'Zo te zien wel, ja. Dat was ook de conclusie van het coldcaseteam. Dat heeft ook niets nieuws gevonden.'

Toen de camera langs de planken van een hoge, overvolle boekenkast ging legde Donovan haar hand op Tartaglia's arm. 'Stop eens. Ik wil even naar haar boeken kijken. Misschien doceerde ze wel negentiende-eeuwse Engelse letterkunde, is er een verband met Swinburne.'

Ze kneep haar oogleden halfdicht en probeerde de ruggen te lezen, maar de boeken stonden te ver weg.

'We kunnen het beeld digitaal laten vergroten.'

'Simon zou moeten weten wat haar hoofdvak was,' zei ze, en ze gaf het op nadat hij het beeld een paar keer op verschillende plekken had stilgezet.

'Als hij nuchter is, bedoel je.'

Ze zei niets. Het had geen zin met hem in discussie te gaan of iets ter verdediging van Turner te zeggen.

Tartaglia liet de opname weer lopen en de camera ging van de boekenkast naar de open haard, bleef stilstaan bij de schouw en de familiefoto's, een plant en een paar witte kaarsenstandaards met helderrood kaarsvet, dat was gesmolten en over het schoorsteenblad liep.

'Wat is daar gebeurd?' vroeg ze.

'Weet je dat niet meer? Ze heeft eerder die dag kaarsen gekocht, en wijn en eten. Aan de hoeveelheid kaarsvet te zien hebben ze de hele avond gebrand.'

'Arm mens,' zei ze met een diepe zucht, en ze stelde zich de nietsvermoedende Watson voor, die haar avond plande, de wijn, het diner en de kaarsen, die zich aankleedde en de moordenaar binnenliet. De rillingen liepen haar over de rug, en ze dacht terug aan hoe dichtbij zij zelf bij een andere moordenaar was geweest, en hoe gemakkelijk ze zich had laten bedriegen.

De camera draaide terug naar het raam en hield stil bij een paar kussens op de vloer, maakte toen een snelle draai en ging de kamer uit, alsof de cameraman zich verveelde. Vage beelden van een donkere, smalle gang werden gevolgd door een piepkleine badkamer, de keuken, en de slaapkamer achter in de flat. De camera zoomde eerst op het bed in en daarna op Catherine Watsons bleke, naakte lichaam.

'Dat is gek,' zei Donovan, en ze wendde zich af. 'Er zijn inderdaad helemaal geen sporen van verzet. Ze was toch niet gedrogeerd?'

'Nee. En ook niet dronken. Ze had alleen twee glazen wijn gehad.'

'Denk je dat ze zich met instemming heeft laten vastbinden?'

Tartaglia drukte op stop en legde de afstandsbediening weg. 'Dat moet wel. Dat betekent dat ze degene die er was, vertrouwde.'

'Toch is het niet normaal.'

'Misschien heeft hij haar overgehaald, of haar ergens mee gedreigd als ze het niet deed.'

Donovan schudde haar hoofd en keek nogmaals naar de foto van Rachel Tenison op de schoorsteenmantel. 'De eenvoudigste verklaring zou zijn dat Catherine Watson van sm hield.'

'Dat zijn ze nergens tegengekomen.'

'Dan was het misschien een nieuwe hobby. Ze heeft haar zus verteld dat ze verliefd op iemand was. Of misschien heeft ze alleen gedaan wat hij wilde om hem een plezier te doen en had ze geen idee hoe ver hij wilde gaan.'

Hij keek haar even bedachtzaam aan en knikte. 'Misschien heb je gelijk. Het doet me wel denken aan iets wat dokter Williams zei. Ik ben ervan overtuigd dat Richard Greville loog toen hij zei dat hij geen idee had van Rachels voorkeur voor sm. Ik denk zelfs dat ze het bij hem heeft geleerd. Jammer genoeg kunnen we daar niets mee, en wat Catherine Watson betreft zullen we er wel nooit achter komen. Soms denk ik dat het veel eenvoudiger zou zijn geweest als ik nooit van die arme vrouw had gehoord.' Hij stond met een zucht op en haalde zijn handen door zijn haar. 'Borrel?'

Ze stond op. 'Nee. Ik ga maar eens naar huis.'

'Van uit een psychologisch profiel gezien lijken de moorden zo verschillend,' zei hij, alsof hij ergens anders was met zijn gedachten. 'Misschien moeten we ons alleen op Rachel concentreren en Simon, of wie dan ook, zich zorgen laten maken over die andere moord. Wat maakt het uit als een verslaggever dreigt een verhaal te publiceren waarin staat dat ze verband houden?'

Donovan trok haar jas aan en gooide haar tas over haar

schouder. 'Als wij het al niet voor elkaar krijgen, hoe lukt het hem dan wel?'

Hij liep naar de televisie, haalde de dvd uit de speler en legde hem terug in de doos bij de deur. 'Ik heb Trevor vandaag gesproken,' zei hij terwijl hij zich naar haar omdraaide en over zijn kin wreef. 'Ik kan altijd heerlijk mijn verhaal bij hem kwijt en hij zegt zinnigere dingen dan wie dan ook. Ik hoopte dat hij een van zijn beroemde inspiratiemomenten zou krijgen.'

'Wat zei hij?' vroeg ze achterdochtig. Hoewel ze het met Tartaglia eens was over Clarkes kwaliteiten, vond ze dat Tartaglia toch eens afstand moest gaan nemen van zijn mentor. Het zou Tartaglia bovendien geen goed doen als Steele erachter kwam dat Clarke zich vanaf zijn ziekbed nog steeds met hun werk bemoeide.

'Hij vond het heel interessant. Hij ziet ook niet meteen een duidelijk verband en denkt dat Steele gelijk heeft dat ze de zaken voor nu gescheiden houdt. Maar hij had wel een briljante ingeving: hij heeft wat mensen gebeld van wie hij nog wat tegoed had en heeft morgen een afspraak met Angela Harper voor me geregeld.'

'Angela Harper?'

'De psycholoog die een profiel heeft geschetst in de zaak-Watson.'

'Je maakt een grapje. Een profiler? Straks vertel je me nog dat je moslim bent geworden.'

Zijn gezicht brak open in een brede grijns en hij schudde zijn hoofd. 'Ik blijf voorlopig katholiek. Maar zoals alle katholieken heb ik een open vizier.'

'Zoals alle katholieken? Ben je gek? Dat zijn de meest bevooroordeelde...'

Hij wapperde haar opmerking weg. 'Laat maar zitten, Harper is anders. Ze weet wat ze doet en is een van de weinige profilers voor wie Trevor ooit tijd heeft gemaakt.'

'Dat zegt wel wat. Ga je het aan Carolyn vertellen?'

'Nee, dit is officieus. Zelfs als ze er toestemming voor zou geven, en daar is helemaal geen reden toe, dan weet je hoe lang het duurt als we de officiële instanties moeten inschakelen. Dan zijn we zo weken, of maanden, verder.'

Ze glimlachte. Hij kon zichzelf overal uit kletsen. 'Je hoeft je naar mij niet te verantwoorden, hoor. Steele is degene om wie je je zorgen moet maken, als ze erachter komt dat je achter haar rug om bent gegaan.'

Hij spreidde zijn handen. 'Luister, Harper woont bij Trevor om de hoek en wilde meteen tijd voor me maken. We hebben bij hem thuis afgesproken. Het is per slot van rekening weekend. We doen het in haar eigen tijd, en die van mij.' Hij sprak gehaast, in een poging te bagatelliseren wat hij deed.

Ze schudde haar hoofd. Het had geen enkele zin te proberen Mark over te halen en al helemaal niet als hij Trevor Clarke achter zich had. 'En Simon? Die ga je het toch hoop ik wel vertellen?'

Tartaglia keek haar uitdrukkingsloos aan. 'Die is er niet, dus dan kan ik ook niets tegen hem zeggen, toch? En zoals je al zei kan ik het risico niet nemen dat Steele erachter komt. Het heeft geen enkele zin haar onnodig kwaad te maken en ik vertrouw er niet helemaal op dat Simon zijn best voor me doet.'

19

Het was zo laat op de avond rustig op de weg en Donovan was binnen vijf minuten van Tartaglia's appartement in Shepherd's Bush thuis in Hammersmith, waar ze met haar zus Claire woonde. Het pand stond midden in een laat-victoriaanse rij laagbouw en de smalle straat liep naar de Theems, vlak bij Hammersmith Bridge. Ingeklemd tussen de rivier en de drukke A4, die een dikke geul van oost naar west door Hammersmith groef, was het een klein, karakteristiek hoekje van de stad, met een keurig parkje langs de oever en een paar geweldige pubs met uitzicht op het water en de brug. De enige nadelen waren de luchtvervuiling en de permanente stroom verkeer over de A4. Maar die waren tegelijk ook de redenen waarom Claire het huis had kunnen betalen, en nu ze er ondertussen bijna vijf jaar woonde, merkte Donovan het geluid nauwelijks nog op.

Ze liep het pad over en liet zichzelf door de voordeur binnen. De televisie klonk hard uit de kleine woonkamer aan de voorkant van het huis, waar Claire op de bank lag, in haar pyjama met een nieuwe, roze badjas eroverheen. Ze keek de film met Steven Seagal, die blijkbaar nog steeds niet was afgelopen.

'Hoe is het?' vroeg Claire zonder opkijken terwijl ze geestdriftig een bak Ben & Jerry's-ijs leegschraapte en de laatste lepel in haar mond stak.

'Nog steeds geen doorbraak, of ook maar iets wat erop lijkt.

En jij?' Donovan trok haar jas uit en gooide hem met haar tas op een stoel.

'O, het gebruikelijke. Hoewel er vandaag een zaak is binnengekomen die best eens interessant zou kunnen zijn. Een Russische postorderbruid die wordt beschuldigd van moord op haar man, hoewel niemand het lijk kan vinden. Het Openbaar Ministerie neemt volgens mij een enorme gok.'

Claire was strafpleitster en verdedigde iedereen, van cliënten met parkeerbonnen en mensen die te snel hadden gereden tot af en toe zelfs een moordenaar.

Er klonk geschreeuw en gegil uit de televisie en haar blik ging even terug naar het scherm. Een groep oosters uitziende mannen vloog door de lucht en voerde onwaarschijnlijke sprongen en trappen uit terwijl Seagal in het midden van het strijdperk stond om hen met één hand en zonder ook maar een druppeltje zweet van zich af te slaan. Hij was zo te zien flink aangekomen en heel wat jaartjes ouder sinds de laatste film die Donovan van hem had gezien, maar het paardenstaartje was nog hetzelfde. *Kill Bill I* en *II* kon ze blijven kijken, maar Seagal deed haar niets.

Nadat hij iedereen op het scherm in de pan had gehakt werd de reclame ingestart. Claire zwiepte haar lange, bleke benen van de bank en stond op.

'Je ziet er doodmoe uit,' zei ze terwijl ze in haar donzige roze pantoffels stapte en vooroverboog om Donovan een kusje op haar wang te geven. Ze rook naar een of andere bloemige zeep of badolie. Zelfs op blote voeten was Claire bijna dertig centimeter langer dan Donovan, met schouderlang, krullend haar, dat ze op haar hoofd had gespeld, de wispelturige eindjes in haar nek nog nat van het bad. Ze was twee jaar ouder dan Donovan en leek wat betreft bouw en teint op hun vader, terwijl Donovan meer van moederskant weg had. Hoewel, aangezien haar moeder ruim een meter zevenenzestig was, niemand begreep waarom Donovan zo klein was gebleven. Er waren heel wat irritante grappen over gemaakt, evenals over het gebrek aan overeenkomsten tussen de meisjes.

'Ik ging net theezetten,' zei Claire. 'Jij ook?'

'Ja, hoor. Hoewel ik eerlijk gezegd wel iets sterkers kan gebruiken.' Donovan liep achter Claire aan de smalle gang door en de keuken aan de achterkant van het huis in. 'Is er nog wijn? Ik kon gisteravond niets vinden.'

Claire schudde haar hoofd. 'Ik haal morgen wel even. Ik moet toch naar de stad en het is mijn beurt om te koken. Ben je thuis of moet je werken?'

'Ja, werken, maar ik zou wel met het eten terug moeten zijn. Aangezien we niet eens een verdachte hebben.'

Behalve in een glas wijn wist ze eigenlijk niet waar ze zin in had. Ze liep naar de kast in de hoek en nadat ze wat achterin had gerommeld, haalde ze een blikje cacao tevoorschijn. 'Misschien dat ik even warme chocolademelk maak.'

'Alleen als je hem met water wilt,' zei Claire, die de ketel vulde en hem opzette. 'De melk is bijna op.'

'Shit. Doe maar thee, dan.' Donovan zette het blik terug in de kast en knalde de kast dicht. 'Weet je, we zouden iemand als Mark Tartaglia moeten hebben om het huishouden te doen. Ik durf te wedden dat die altijd melk en wijn in huis heeft.'

'Je bedoelt dat hij een of ander arm mens dat laat halen.'

'Nee. Zo is hij gewoon. Je zou zijn kasten moeten zien. Hij heeft minstens drie soorten azijn, en ik weet niet hoeveel varianten olijfolie.'

'Nou, dan mag hij bij ons komen wonen,' zei Claire terwijl ze een paar doosjes thee uit een ander kastje pakte en erin tuurde.

'Hij zou erin blijven.'

'Kruiden of Engelse? Hoewel er nog maar één zakje Engelse is, en de kruidenthee is kamille.'

'Jij wilt zeker de Engelse? Geef mij dan maar de kamille, als er verder niets is.'

'Dank je. Ik vind kamille niet te zuipen. Heb jij hem gekocht?'

'Volgens mij heeft hij dat met koken van zijn familie,' zei Donovan, die heel zeker wist dat zij geen kamillethee in huis had gehaald. 'Zijn moeder heeft zelfs een Italiaans kookboek geschreven.'

'Ze hebben toch een of andere Italiaanse hapjeswinkel, in Edinburgh?'

'Ja. Hoewel een hapjeswinkel net zoiets is als het Ritz een motel noemen.'

'Nou, dat zal dan wel verklaren waarom hij die spaghetti carbonara niet te vreten leek te vinden, de laatste keer dat je hem hier te eten hebt gevraagd.' De ketel begon te fluiten. Claire pakte twee mokken van het afdruiprek en zette de thee. 'Hij was veel te beleefd om er iets van te zeggen,' zei ze terwijl ze Donovan haar mok aangaf, 'maar ik heb wel gezien dat hij alle bacon onder zijn bestek verstopte.'

'Het verbaasde me nog dat hij zijn bord bijna heeft leeggegeten. Het was net elastiek.'

Claire haalde haar schouders op. 'Nou, morgen speel ik op veilig. Je krijgt een kant-en-klaarmaaltijd van de Tesco. Ik heb geen tijd om de keukenprinses uit te hangen.'

'Godzijdank.' Donovan trok het theezakje uit haar mok en gooide het in de prullenbak.

'Ik heb morgenochtend een berg boodschappen te doen en daarna ga ik lunchen met een vriendin, dus het zal wel eind van de middag worden voor ik naar de Tesco ga. Laat het even weten als je nog iets nodig hebt.'

Donovan glimlachte. 'Boodschappen doen' betekende meestal dat ze kleren ging kopen. 'Vergeet geen wijn.'

'O, ja.' Claire scheurde een velletje uit een blocnote bij de koelkast en voegde het aan haar al lange lijst toe. 'Als je nog iets bedenkt, schrijf het er dan maar bij. En als je Mark of iemand anders wilt uitnodigen voor het eten, bel me dan even.'

'Is Jake er niet?' Jake was Claires vriend. Hij was ook strafpleiter en ze waren een maand of zes samen, hoewel ze elkaar zelden zagen, aangezien ze allebei lange dagen maakten en in het weekend ook vaak moesten werken. Donovan vroeg zich weleens af wat voor zin het had, hoewel haar eigen werk dezelfde onmogelijke eisen aan haar privéleven stelde.

'Hij is het weekend naar zijn ouders, dus we zijn met zijn tweetjes.' Claire pakte haar mok thee en liep terug naar de woonkamer. Toen ze de deur opendeed, blèrde de herrie van de Seagalfilm de gang in.

Donovan besloot in de keuken haar thee op te drinken en dan naar boven te gaan voor een bad. De kleine houten keukentafel lag vol met dossiers en papieren van de zaak waarmee Claire bezig was en Donovan moest voorzichtig het een en ander opzijschuiven om haar mok neer te kunnen zetten. Toen ze Claires gele blocnote en pen oppakte en op de stapel wilde leggen, moest ze ergens aan denken. Ze ging zitten en nam een slokje van haar hete thee. Toen wist ze ineens weer wat het was.

Ze liep terug naar de woonkamer, pakte haar telefoon uit haar tas en belde Tartaglia.

'Ik bedenk ineens iets,' zei ze toen hij opnam. 'Er lagen mappen, of boeken of iets dergelijks op de vloer bij het raam in de flat van Catherine Watson.'

'Dat herinner ik me niet.'

'Kun je die dvd er nog even indoen? Spoel maar door naar de woonkamer. Bij het raam, naast een van die grote kussens. Ik weet zeker dat er papieren lagen of iets dergelijks.'

'Oké. Wacht even.'

Ze luisterde hoe hij met de telefoon naar de deur liep en ze hoorde de film in stereo tot de dvd-speler het overnam.

'Gevonden,' zei hij even later. 'Je hebt gelijk. Het lijkt alsof ze bij het raam had zitten werken. Ik zie een pen, wat papieren en een paar boeken op de vloer, maar ik kan niet lezen welke. Dat moeten we morgen laten uitvergroten.'

'Kun je even in de lijst met bewijsstukken kijken?'
'Oké.'
Hij kwam even later terug naar de telefoon. 'Hier staat het: twee boeken... tien vellen A4-papier. Dat is alles. Ze vonden het duidelijk niet interessant te noteren wat precies.' Ze hoorde op de achtergrond nog een telefoon gaan. 'Wacht even,' zei hij. 'Dat is Simon. Ik vraag meteen of hij nog weet welke boeken het waren.'
Ze kon vanwege de herre op de televisie niet horen wat er werd gezegd, maar Tartaglia was al snel weer terug.
'Hij is ladderzat,' zei hij met afschuw in zijn stem. 'En het is nog erger. Ik ben blij dat hij niet in dezelfde ruimte is als ik.'
'Hoezo?' vroeg ze, verrast door zijn felle toon. 'Wat zei hij?'
'Hij kan zich geen boeken herinneren, alleen die papieren. Hij zei dat er niets interessants in stond en dat we onze tijd verdoen. Toen ik zei dat ik dat zelf wel bepaal en dat we willen weten welke boeken het waren, zei die achterlijke zool: "Gewoon iets waar ze mee aan het werk was."' Hij imiteerde Turners luie toon. '"Niets belangrijks. Over een of ander meisje dat Dolores heette."'

20

'Ongelooflijk, dat het je niets zei, dat je het verband niet zag.' Donovan staarde Turner verbijsterd aan en wapperde met de stapel papieren onder zijn neus, hoewel ze eigenlijk meer zin had ze in zijn gezicht te duwen. Het waren fotokopieën van de originelen die uit Catherine Watsons flat waren gehaald. De tien op dubbele regelafstand getypte pagina's waren deel van een hoofdstuk over Swinburne waarmee Watson bezig was geweest, en ze citeerde overvloedig uit 'Dolores', waarvan ze ook de betekenis besprak.

Zoals altijd wanneer een plaats delict werd onderzocht, was de flat van Watson min of meer leeggehaald en was alles wat was meegenomen op een lijst genoteerd. Zaken waarvan men dacht dat ze de kosten van forensische analyse waard waren, waren naar het lab gestuurd, waarna ze in een beveiligde opslagruimte werden bewaard voor als de misdaad ooit op een rechtszaak zou uitlopen. De rest van de spullen, waaronder de papieren, werd ergens anders opgeslagen voor het geval er later nog iemand in geïnteresseerd zou zijn. Karen Feeney en Dave Wightman waren de hele ochtend bezig geweest ze op te sporen.

Turner trok een gezicht en schudde langzaam zijn hoofd, alsof hij niet kon geloven hoe stom hij was geweest. 'Sam, kom op, het is meer dan een jaar geleden. We zagen er niet meer in dan een pak papier waarmee Catherine Watson bezig was. Waarom zou ik een verband zien met jouw gedicht?

En trouwens, je zei toch dat het "Vrouwe van Pijn" heette?'

'Nee, dat zei ik niet,' zei ze kwaad, en ze keek hem recht in zijn ogen. Ze hoopte maar dat hij niet ging proberen de schuld van zijn fout op haar te schuiven.

Het was zaterdag, vroeg in de middag en de eerste keer die dag dat Turner zijn gezicht op kantoor liet zien. Hij stond naast haar bureau tegen de muur geleund, zijn grote handen in zijn te kleine broekzakken gepropt. Alles leek over hem heen te komen alsof zijn gedachten en prioriteiten elders lagen. Hij had voor de verandering eens de moeite genomen zich te scheren en droeg een schoon lichtblauw overhemd, dat de kleur van zijn ogen mooi deed uitkomen. Als ze niet zo kwaad op hem was geweest, zou ze hebben gezegd dat hij er leuk uitzag vandaag. Ze had nog steeds de papieren in haar hand geklemd en staarde hem aan zonder iets te zeggen, vroeg zich af of de stress die hij ervoer zijn observatievermogen had aangetast of dat hij altijd zo vaag was. Ze kon zich niet voorstellen dat Tartaglia ooit een detail van een zaak zou vergeten, hoe oud ook. Maar niet iedereen was zoals hij.

Turner leunde voorover naar haar toe en spreidde zijn handen. 'Weet je, achteraf is het mooi praten, Sam. Maar je moet één ding begrijpen: die papieren betekenden helemaal niets voor de zaak zoals we die toen hadden. Helemaal niets. Ze waren van Watson, iets waarmee ze aan het werk was. Ze hadden niets met haar moordenaar te maken.'

Ze legde de papieren op het bureau. Ze moest met tegenzin toegeven dat daar wel wat in zat, hoewel ze er niet van overtuigd was dat Tartaglia het ook zo zou zien. Turner en Gifford hadden geen reden gehad een tweede blik op die paperassen en boeken op de vloer bij Watson te werpen. Het zou voor beiden niet relevant zijn geweest dat Catherine Watsons specialisme negentiende-eeuwse Engelse letterkunde was, en regels uit het gedicht zouden ook betekenisloos zijn geweest.

Turner leunde naar voren en pakte de papieren op. 'Wat is het, dan?' Hij begon ze langzaam door te lezen en likte aan zijn duim om de pagina's om te slaan. 'Een essay, neem ik aan?'

'Nee. Het is hoofdstuk zes van wat eruitziet als een academisch artikel of een boek. De titel van het hoofdstuk is: "Decadentie: een herbeschouwing".'

'Weet je zeker dat het geen essay van een student is?'

'Daar is het veel te goed voor geschreven en bovendien is het te lang. Aangenomen dat de notities en correcties van haar zijn, neem ik aan dat ze haar eigen werk zat te redigeren.'

'Dat handschrift kunnen we gemakkelijk controleren,' zei hij terwijl hij verder bladerde. 'Zo te zien heeft ze het niet afgekregen. De aantekeningen houden halverwege op.'

'Misschien werd ze onderbroken, of is ze om de een of andere reden even gestopt en had ze geen gelegenheid om verder te gaan.'

Hij legde de papieren op zijn bovenbeen en keek haar aan. 'Misschien werd ze gebeld, of was ze er zelfs mee bezig toen de moordenaar arriveerde.'

'Ik kan me niet voorstellen dat je de concentratie kunt opbrengen zoiets te gaan doen als je afspraakje er zo aankomt.'

Hij glimlachte. 'Ik neem aan dat jij je zou staan optutten?'

'Of ik zou in de keuken bezig zijn,' zei ze streng, geïrriteerd dat hij zo luchtig deed. 'Maar ik zou zeker niet mijn boek gaan redigeren.'

'Nee, maar jij bent ook geen lerares Engelse letterkunde. En Catherine Watson was niet zo mooi als jij.'

'Universitair docente,' corrigeerde ze hem, en ze weigerde hem aan te kijken. Ze was normaal gesproken niet betweterig, maar ze wilde niet dat hij dacht dat hij haar zo gemakkelijk kon inpakken.

'Wat dan ook. We weten eerlijk gezegd niet wie ze die avond verwachtte. De kaarsen en alles gaven ons de indruk dat ze een afspraakje had, maar misschien vergisten we ons wel. Misschien kwam er gewoon een collega langs.'

'Dat maakt niet uit. Waar het om gaat is dat de papieren in die kamer lagen toen ze is omgebracht en dat de moordenaar ze gezien moet hebben.'

Hij knikte langzaam. 'Je weet toch dat er in het midden twee pagina's missen, hè?'

'Wat? Laat eens zien.'

Hij gaf haar de papieren en ze bladerde erdoor.

'Bladzijden 63 en 64.'

'Je hebt gelijk,' zei ze, geïrriteerd dat haar dat niet was opgevallen. Ze liet zich achteruit zakken op haar stoel en sloot haar ogen even, probeerde het zich voor te stellen. 'Volgens mij lagen er twee stapeltjes papieren op de vloer. Misschien heeft ze haar werk toen ze werd gestoord in twee bergjes neergelegd zodat ze daarna verder kon. Ik moet wat close-upfoto's van de opname laten maken.'

Turner haalde zijn schouders op alsof het niets uitmaakte. 'Stuur je alles op voor analyse?'

'Ja. Er wordt haast mee gemaakt.'

'Dat zal wel wat kosten. Wat verwacht je te vinden?'

'Een vingerafdruk, of DNA, als we geluk hebben.'

'Denk je echt dat de moordenaar eraan heeft gezeten?'

'Hoe kan hij het gedicht anders hebben gezien? Het is een paar pagina's verder het hoofdstuk in.'

Hij knikte. 'Oké. Dat zal het voordeel van een frisse blik wel zijn.'

En een heldere, nuchtere geest, wilde ze zeggen, maar ze hield haar mond. 'Wat heb je verder gedaan vandaag, behalve uitslapen?'

Ze klonk scherper dan de bedoeling was, maar ze glimlachte vergevensgezind.

Hij wreef in zijn handen. 'Nou, om te beginnen heb ik Malcolm Broadbent gevonden. Zoals je vast wel weet was hij onze belangrijkste verdachte. Maar het ziet ernaar uit dat we hem kunnen afschrijven, in ieder geval voor de moord in Holland Park. Als zijn alibi klopt, was hij bij zijn moeder in Hull.'

'Dus dan hebben we alleen nog... hoe heet hij ook alweer?'

'Michael Jennings. Die is verhuisd. Ik heb hem nog niet gevonden. Maar ik ben ermee bezig, Sam.' Hij was even stil en staarde haar geconcentreerd aan met zijn vreemde, bleke ogen. 'Maak je geen zorgen. Ik weet wat je denkt, maar ik kom er wel uit. Echt. Ik ga het niet verzieken en jullie teleurstellen. Echt niet.'

Ze zei bijna dat hij dat al had gedaan, maar hield zich in. Hij glimlachte schaapachtig naar haar en deed haar denken aan een slonzige golden retriever, hard kwispelend met zijn staart op de vloer, wanhopig te behagen. Meer dan wat dan ook voelde ze zijn eenzaamheid en ze had, ondanks haar irritatie, vreselijk met hem te doen.

Haar mobieltje redde haar ervan een gepast antwoord te moeten verzinnen. Het was Claire, bij de Tesco, met de vraag wat ze wilde eten.

'Ik kan niet kiezen,' zei Claire, die over het achtergrondlawaai heen stond te schreeuwen. 'Lasagne, ovenschotel met gehakt en aardappelpuree, of macaroni met kaas?'

'Lasagne of macaroni. De laatste keer dat het mijn kookbeurt was, hadden we die ovenschotel en die was niet geweldig.'

'Dan ga ik maar eens,' zei Turner op de achtergrond, en hij stond op.

Donovan hoorde Claire in haar oor. 'Is dat Mark? Wil je hem te eten vragen?'

'Nee, dat is Mark niet. Wacht even. Hé, Simon,' riep ze achter Turner aan, die net de deur uit wilde lopen. 'Heb je plannen voor vanavond?'

Hij keek om. 'Alleen een afspraakje met Nicole Kidman. Niets wat ik niet kan afzeggen.'

'Kom je dan bij ons eten? Mijn zus Claire kookt vanavond, wat betekent dat ze een kant-en-klaarmaaltijd van de Tesco opwarmt. Ik kan geen haute cuisine beloven, maar het is best te eten.'

'Dat lijkt me leuk. Graag.' Hij aarzelde. 'Als je het zeker weet, tenminste...'

'Zeker weten.'

Ze hoorde de stem van Claire: 'Wie is dat? Wie is Simon? Jullie staan toch niet mijn kookkunsten belachelijk te maken, hè?'

'Zal ik iets meenemen?' mompelde Simon.

'Jezelf en een fles whisky, als dat is wat je wilt drinken.'

'Sam, hoor je me wel?' schreeuwde Claire. 'Wie is dat?'

'Dat hoor je nog wel, en ik neem iemand mee voor het eten. Vergeet de wijn niet.'

Liz nipte van haar mok thee en staarde het keukenraam uit naar de onheilspellende donkergrijze lucht. Ze had bijna de hele dag binnen gezeten om dozen met spullen uit te zoeken die ze had opgeslagen in de logeerkamer van de flat van haar broer. Ze was op zoek naar haar fotoalbums, maar God mocht weten waar die waren, vast nog bij haar moeder; dat hoopte ze tenminste. Ze had wel een stapel oude brieven en ansichtkaarten gevonden, en een adresboekje en een agenda uit haar eerste studiejaar waarvan ze niet eens wist dat ze hem nog had. Ze bladerde erdoor en was direct terug in de tijd. De weinige korte notities deden haar, zoals alles, aan Rachel denken.

Ze was een koffer met oude kleding tegengekomen, voornamelijk truien en een paar T-shirts, van minstens tien jaar geleden. Het meeste kon zo de vuilnisbak in, aangezien de motten er een feestmaal aan hadden gehad. Maar één jurk ving haar blik. Het was een tweedehandse, uit de jaren veertig, zwart met roze en rode bloemetjes. De randen rafelden, de onderzoom hing eruit en er zaten een paar slijtgaatjes langs de naden, maar hij was nog steeds mooi en ze herinnerde zich dat ze hem bijna twintig jaar geleden voor een paar pond op de markt aan Portobello Road had gekocht. Ze droeg in die tijd alleen maar spijkerbroeken met T-shirts en het was de enige jurk die ze graag had gedragen; ze was broodmager en vond dat niets haar stond.

Ze stond op en liep ermee naar de spiegel aan de muur, hield hem zichzelf voor, vroeg zich af of ze hem nog zou passen. Maar hij zag er idioot kort uit; de tailleband te hoog; ze was vast gegroeid sinds de laatste keer dat ze hem aanhad. Ze vouwde hem zorgvuldig op en legde hem terug in de koffer. Ze zou later wel bedenken wat ze ermee ging doen. Ze wist eigenlijk niet waarom ze hem zolang had bewaard, en het drong tot haar door hoeveel er sindsdien was veranderd.

Ze was stijf geworden van het op de grond zitten. Ze moest even naar buiten, haar lichaam rekken en frisse lucht in haar longen voelen. Ze jogde al sinds haar tienerjaren en had het vaak samen met Rachel gedaan. Ze gingen elke vrijdag na school op de fiets naar Holland Park, zetten die bij de speeltuin en renden achter elkaar aan over de paden tot ze met bonkend hoofd hun fiets weer ophaalden en naar huis gingen. Ze stopten op weg altijd even bij een café, waar ze koffie verkeerd dronken en een Mars aten. Het was een wekelijks ritueel tot ze naar de universiteit gingen. Dat café was al lang weg en vervangen door iets glimmends en duurs, zoals dat nu in de omgeving paste, die er de afgelopen twintig jaar ook enorm op vooruit was gegaan. Het park was tenminste nog min of meer hetzelfde.

Ze was nog niet één keer gaan joggen sinds ze terug was in Londen. Het was zulk smerig weer geweest, met al die sneeuw en regen, dat ze er gewoon geen zin in had gehad. Maar toen ze uit het raam staarde en een vrouw rustig over de groene rechthoek gras in het parkje beneden zag rennen, besloot ze dat het tijd was. Ze zou naar Holland Park gaan. Hoewel ze er niet naar uitkeek na wat er was gebeurd, wilde ze zien waar Rachel was gestorven. Ze hoopte dat het haar om de een of andere reden rust zou geven. Misschien zou het haar ook weer dichter bij Rachel brengen.

Ze liep naar de slaapkamer en trok haar trainingsbroek, een T-shirt en een fleecetrui aan. Ze stapte in haar gympen, deed haar haar in een staart en pakte haar iPod. Het was al laat en het park zou over niet al te lang sluiten. Ze pakte de sleutels van de auto van haar broer en reed het kleine stukje bergopwaarts naar het park, waar ze bij de ingang parkeerde. Op het bord bij het hek stond dat het om halfvijf dichtging. Ze had twintig minuten, wat ruim voldoende moest zijn.

Behalve een groep mensen met honden die samen over het hoofdpad wandelden, kletsend terwijl hun dieren zich uitleefden op het veld, was het park verrassend leeg voor een zaterdag. De glooiende, modderige velden en speelveldjes zagen er vredig uit en een lichte mist hing boven de kuiltjes en holtes in het gras, verzamelde zich in heiige slierten onder het dak van boomtakken. Liz bleef staan bij het hoge, glanzend zwarte hek en keek even om zich heen, probeerde zich voor te stellen hoe alles eruit had gezien op de ochtend dat Rachel was gestorven. Alles was wit geweest, bedekt met een dikke laag sneeuw. Ze kon het zich moeilijk voorstellen in het afnemende middaglicht.

Ze liep een paar minuten om op te warmen en begon toen langzaam over het pad onder het zuidelijke terras te joggen, U2's 'With or Without You' stampend in haar koptelefoontje. Het nummer deed haar aan de universiteit denken, aan de uren waarin ze met Rachel muziek had geluisterd in haar kamer, hoe ze hadden gekletst tot diep in de nacht en eindeloos veel koffie en thee hadden gedronken.

De ruïne van Holland House stak trots af tegen de donker wordende hemel. Ze draaide zich om, keek naar de lege ramen en vroeg zich af of Rachel die ochtend via dit pad was gelopen. Ze werd overweldigd door een golf van verdriet. Schuldgevoel was een gruwelijke, arglistige emotie. Het kon je verteren. Zou het ooit overgaan? Ze vocht tegen de tranen en dwong zichzelf sneller te gaan, langs de oranjerie en door de landschapstuinen naar het bosgebied. Ze voelde haar voeten op de stenen bonken, toen op zand en kiezels, maar ze hoorde niets boven de muziek uit.

Het licht dimde toen ze het bos in rende en het duurde even voor haar ogen aan de duisternis waren gewend. Dichtbegroeide, groenblijvende struiken stonden aan beide zijden langs het pad en de kale takken van de bomen bogen boven haar hoofd naar elkaar toe als vingers tegen de donkere hemel. Ze rende de heuvel af, volgde het pad en de scherpe bocht naar links. Na ongeveer een minuut verbreedde het zich in een grote open plek waar meerdere paden samenkwamen. Een sliert blauw-witte politietape fladderde in de wind, een uiteinde om een boom geknoopt. Ze bleef staan, zette de muziek uit en deed het hoofdtelefoontje af. Ze wilde de geluiden van deze plaats horen. Tartaglia was vaag gebleven over waar Rachels lichaam precies was gevonden, maar het moest hier ergens zijn. Hoog staketsel stond langs beide zijden van het pad en scheidde het af van het beboste gebied erachter. Ze nam aan dat het er stond om te voorkomen dat mensen de flora en fauna verstoorden, hoewel alles achter het hek er donker en overwoekerd uitzag en ze zich niet kon voorstellen dat iemand er zou willen lopen.

Ze voelde in de zak van haar trui en pakte het pakje sigaretten en de aansteker die Tartaglia de laatste keer bij haar had laten liggen. Ze was vast van plan om niet weer te gaan roken, maar ze stak er toch een op, in de hoop dat ze er rustiger van zou worden. Er stonden een paar bankjes rond de open plek. Ze koos er een die werd beschut door dikke hulsttakken en ging zitten. De lucht voelde koud en klam. Ze ademde uit en de rook dreef voor haar uit als een geest. Er ritselde iets in de begroeiing op de grond, een vogeltje misschien, dat voedsel zocht tussen de droge bladeren. Ze keek om zich heen en zag een ander lint politietape, aan de andere kant van het hek, een stukje verderop langs het pad het bos in. Ze wilde net opstaan om te gaan kijken toen een groep roeken luid fladderend en schreeuwend uit een boomtop wegvloog, alsof ze ergens door waren gestoord.

Ze keek door de takken heen en zag een jogger haar kant op komen. Het licht was zo slecht dat het even duurde voor ze zag dat het een man was. Hij was bijna op de open plek toen hij vertraagde tot wandelpas en iets later bleef staan. Hij was lang en goedgebouwd en droeg een donkere parka, de capuchon over zijn hoofd, waardoor ze alleen de bleke ovaalvorm van zijn gezicht zag. Hij had iets groots in zijn hand en liep even langs het hek heen en weer, alsof hij iets zocht. De roeken werden weer onrustig in de bomen en hij keek snel beide zijden van het pad op, alsof hij keek of er iemand aankwam. Zijn bewegingen waren steels en ze bleef doodstil zitten, beschermd door de takken van de hulst; ze hoopte maar dat hij haar niet had gezien. Hij keek nog een keer beide kanten op, stapte door wat zo te zien een gat in het hek was en verdween in de struiken erachter.

Het park werd dagelijks door heel veel mensen gebruikt en er kon natuurlijk een heel onschuldige verklaring zijn. Misschien had hij wel een geheim afspraakje, hoewel ze hier in de buurt verder niemand had gezien. Maar zijn gedrag was vreemd en ze vervloekte zichzelf dat ze haar telefoon in de auto had laten liggen. Ze reikte naar beneden, maakte haar sigaret naast het bankje uit en wachtte. De man kwam een paar minuten later de bosjes weer uit. Hij had lege handen, stapte het gat in het hek weer door en bleef even op het pad staan, staarde de bosjes in, ademde een witte wolk uit. Hij veegde met de rug van zijn hand zijn voorhoofd en mond af, alsof hij tevreden was met wat hij had gedaan, en rende toen terug naar van waar hij was gekomen.

Ze stond op zodra hij uit zicht was, nieuwsgierig wat hij had gedaan. Ze was koud geworden van het stilzitten, stampte met haar voeten, rekte haar armen en benen tot ze haar bloed weer voelde stromen. Ze liep naar het gat in het hek en stapte na even aarzelen de bosjes in. De grond was onregelmatig en lag vol met takken. Overal stonden adelaarsvarens. Ze duwde zich een weg door de struiken en zag een kleine open plek, omringd door hoge hulstbomen. Er lag iets wits in het hoge gras. Ze liep ernaartoe en zag dat het een bos rozen was, in papier ingepakt. De blaadjes zaten strak in hun knoppen en waren diep donkerrood.

21

Tartaglia drukte net na vier uur die middag op de bel van Trevor Clarkes nieuwe, halfvrijstaande huis in Wandsworth. Sally-Anne, Clarkes verloofde, deed open, gekleed in een strakke spijkerbroek met hoge hakken en een blauw trainingstopje, haar lange blonde haar in een paardenstaart. Ze ging op haar tenen staan om hem een kus te geven en liet hem binnen. Clarke zat vlak achter haar in een glanzend rode elektrische rolstoel.

'Fijn je te zien, kerel,' zei Clarke terwijl hij naar voren rolde. Hij greep grijnzend Tartaglia's hand en kneep er hard in.

'Je ziet er goed uit, Trevor,' antwoordde Tartaglia, en hij bekeek hem van top tot teen. De laatste keer dat hij hier was geweest, lag Clarke nog in bed en was hij angstaanjagend uitgemergeld en bleek. Hoewel hij nog steeds mager was, vergeleken bij voor het ongeluk, was hij wel iets aangekomen, en hij had eindelijk weer wat kleur in zijn lange, verweerde gezicht. 'Dat macrobiotische dieet lijkt aan te slaan, en ik zie dat je eindelijk afscheid hebt genomen van die jaren-zeventigsnor.'

Clarke haalde zijn schouders op. 'Sally-Anne stond erop.'

'Hij prikte,' zei Sally-Anne giechelend. 'Hij ziet er zo veel jonger uit, vind je ook niet?'

'Het is een hele vooruitgang. Nu lijkt hij eindelijk niet meer op Tom Selleck.'

'Heel aardig van je,' gromde Trevor. 'Wat vind je van mijn stoel? Leuk apparaatje, hè?'

Tartaglia bestudeerde hem uitgebreid. 'Leuk' was niet het woord dat hij zou hebben gekozen, maar hij nam aan dat het ding zijn werk deed. 'Het is net een kantoorstoel op wielen.'

'Dat is hoe ze ze tegenwoordig ontwerpen.'

Hij schudde zijn hoofd. 'Ontwérpen? Nou ja, hij is tenminste wel veiliger dan een motorfiets.'

Clarke begon weer te grijnzen. 'Hij is bijna even snel, en moet je zien: hij kan allemaal prachtige trucjes.' Hij deed iets met het pookje en de stoel voerde een paar houterige manoeuvres uit. 'Nu heb ik alleen nog een satellietnavigeersysteem nodig en dan kan ik de schade op kantoor komen opruimen.'

'Het is net een kind met een nieuw speeltje,' zei Sally-Anne.

'Nou, hij heeft anders genoeg gekost,' zei Clarke terwijl hij een pirouette draaide. 'Dan kan ik er net zo goed wat plezier mee maken. Het leek me slim maar meteen de beste aan te schaffen. Ze schijnen te denken dat ik er nog wel even gebruik van ga maken.'

'Hou eens op met opscheppen en laat Mark doorlopen, wil je? Dokter Harper zit te wachten.'

'Sorry. Ik liet me even meeslepen. Maar er is werk aan de winkel.'

Hij draaide een half rondje en ging hen voor de gang door en het opritje op de keuken in. Dokter Angela Harper zat aan de keukentafel uit een grote mok te nippen.

'Fijn dat u kon komen,' zei Tartaglia. Ze stond op en gaf hem een ferme, koele hand.

'Geen probleem. Ik doe alles voor Trevor, en ik ben natuurlijk heel benieuwd naar ontwikkelingen in de zaak-Watson.'

Haar stem was vriendelijk en laag, met een spoortje van een noordelijk accent. Ze droeg een kolengrijs broekpak en was langer dan hij zich haar herinnerde. Haar vroeg zilvergrijs geworden haar was in een keurige boblijn geknipt en benadrukte haar brede, uitgesproken gezicht. Behalve wat bruinroze lippenstift droeg ze geen make-up.

‘Geef je natte spullen maar even hier, Mark,’ zei Sally-Anne. ‘Je bent vast doorweekt. Wil je koffie of thee?’

‘Nee, dank je,’ zei Tartaglia, en hij gaf haar zijn natte jack en helm.

‘Het is na vijven,’ zei Clarke, die langs de tafel zoemde en zijn plaats aan het hoofd innam. ‘Mark wil vast wel een borrel.’

‘Nee, dank je, Trevor. Ik moet zo nog terug naar kantoor.’

Tartaglia ging tegenover Angela Harper zitten. Regen stroomde langs het raam achter haar, maar hij kon door de beslagen ruit net de achtertuin met de nieuwe tegels en het keurige vierkante grasveldje zien. Er stonden wat kinderfietsen tegen de zijmuur, naast een grote, met zeil bedekte barbecue, en hij bedacht hoe vreselijk veel er was veranderd voor Clarke sinds Sally-Anne negen maanden daarvoor in zijn leven was gekomen.

‘Als ik echt niets voor je kan inschenken laat ik jullie verder met rust,’ zei Sally-Anne, en ze gaf Clarke een groot glas ijswater. ‘Ik heb boven nog wat te doen en ik ga even tegen de jongens zeggen dat ze zich koest houden zolang jullie er zijn.’

Terwijl ze dat zei, denderden er voetjes over het plafond. De jongens waren haar twee zoons uit haar eerste huwelijk, die nu bij haar en Clarke woonden.

‘Ze wordt misselijk als ik over mijn werk praat,’ zei Clarke verontschuldigend toen ze zich de keuken uit haastte. ‘Ze kan er niet tegen als er over de dood wordt gepraat, laat staan als we het over de smerige details gaan hebben.’ Hij spreidde zijn handen plat op tafel. ‘Maar goed, Mark: ga je gang. Ik zal proberen mijn mond te houden. Ik heb Angela de hoofdlijnen van de moord in Holland Park beschreven, maar doe dat nog maar een keer, voor het geval ik iets heb vergeten.’

Tartaglia gaf een samenvatting van de zaak en voegde het laatste nieuws toe over de papieren en het gedicht dat in de flat van Catherine Watson was gevonden. Harper nipte van haar drankje en luisterde stil. Het was onmogelijk haar reactie in te schatten. Toen hij klaar was, zette ze haar mok neer en vouwde haar handen op tafel voor zich.

'Ik begrijp wel dat het jullie verwart. Ik moet toegeven dat ik het ook niet meteen zie.'

'De werkwijzen zijn heel verschillend,' zei Tartaglia. 'Het gedicht en de manier waarop de lichamen zijn achtergelaten vormen een direct verband, maar ik heb moeite te begrijpen hoe dezelfde persoon beide misdaden kan hebben gepleegd.'

Harper knikte langzaam. 'Dat is inderdaad niet meteen duidelijk, hoewel beide moorden wel wat dingen gemeen hebben. Laten we beginnen met Catherine Watson, wier zaak ik ken. Zoals je wel weet uit het dossier is het heel waarschijnlijk dat Catherine Watson haar moordenaar kende en dat ze een specifiek doel was. Uit het bewijs dat we hebben blijkt ook dat de moordenaar een zeer georganiseerd persoon is. Het plannen van de aanval, tot en met de details van de spullen die hij heeft meegenomen – zijn verkrachtingsuitrusting, zeg maar – moeten buitengewoon belangrijk voor hem zijn geweest, waarschijnlijk even belangrijk als de aanval zelf. Het is één groot ritueel. Het is ten eerste een seksueel gemotiveerde misdaad. Ik denk dat het uitermate belangrijk voor hem was dat ze de hele tijd bij bewustzijn was. Ik neem aan dat hij tegen haar praatte, dat hij beschreef wat hij ging doen. Hij was net zo opgewonden van wat er zou komen, van dat zij dat ook wist en van haar angst, als van de seks zelf.'

'Dus hij is behalve pervers ook nog een sadistische klootzak?' vroeg Clarke, die een gezicht trok.

Ze knikte. 'De misdaad is zonder twijfel sadistisch. Ik ben ervan overtuigd dat hij haar geestelijk heeft gemarteld en hij heeft haar zonder meer buitensporig zwaar verwond. Maar meer dan dat gaat het om controle en macht, gebaseerd op de rituele vernedering en onderwerping van het slachtoffer terwijl ze nog leeft. Zoals ik al zei moet het buitengewoon belangrijk voor hem zijn geweest dat ze leefde en reageerde op wat hij deed. In tegenstelling tot veel seksueel gemotiveerde moordenaars is hij echter geen necrofiel. De dood zelf windt hem niet op.'

'Denkt u dat het relevant is dat Catherine Watson docente was?' vroeg Tartaglia, die ook aan Rachel Tenison dacht terwijl hij dat zei.

Ze glimlachte. 'Misschien dat hij een hekel aan docentes heeft, maar ik denk dat het meer om haar rol als vrouw met autoriteit gaat. Een vrouw heeft hem zich ergens in zijn verleden machteloos of betekenisloos doen voelen, of misschien hebben meerdere vrouwen hem dat gevoel gegeven, en wat hij Catherine Watson heeft aangedaan, gaat om zelfbevestiging. Hij heeft controle over leven en dood. Hoewel hij in essentie een verkrachter is en geen moordenaar, wat voor het profiel een belangrijk onderscheid is.'

Clarke beet op zijn onderlip en schudde ongelovig zijn hoofd.

'Denk je van niet, Trevor?' vroeg Tartaglia.

'Hij heeft dat arme mens door de hel laten gaan en het heeft haar haar leven gekost. Ik vind het moeilijk aan te nemen dat het niet de bedoeling was haar te doden.'

Harper knikte. 'Daar kom ik zo op terug. De marteling heeft meerdere uren geduurd, maar wat interessant is, is dat hij die hele periode geen woede, waanzin of verlies van controle heeft laten zien. Hij was zelfs zeker en kalm genoeg om erna alles keurig op te ruimen en de flat achter te laten alsof er niets was gebeurd. Dat is ongebruikelijk, en het vertelt ons veel over zijn karakter.'

'En de manier waarop het lichaam is achtergelaten?' vroeg Tartaglia, die nogmaals aan Rachel dacht en het beeld dat op zijn netvlies stond gebrand weer voor zich zag: hoe ze vastgebonden in de sneeuw zat.

'Dat is ook belangrijk. Sommige seksueel gemotiveerde misdadigers laten hun slachtoffer als vuil achter als ze klaar zijn, maar deze ziet het als trofee, zoals een jager op groot wild. Hij posteert haar op een bepaalde manier om gevonden te worden. Hij laat een boodschap achter.'

'Ze was aan handen en voeten gebonden en knielde alsof ze zat te bidden,' zei Clarke, die zich niet kon beheersen. 'Wat is dat voor boodschap? Maakt hij een grap? Steekt hij zijn tong naar ons uit?'

'Op een bepaalde manier wel, of hij doet dat naar elke vrouw die hem zich in het verleden klein heeft doen voelen. Als hij een appel in haar mond had gedaan, had me dat helemaal niet verbaasd. Hij zegt dat ze zijn bezit is, zijn slavin; hij kan met haar doen wat hij wil.'

'Probeert hij haar onpersoonlijk te maken?' vroeg Tartaglia, die Rachel Tenison nog steeds voor zich zag, en hoe haar gezicht werd gesluierd door haar haar.

'Inderdaad. Hoewel het op dit punt zoals ik al zei niet meer uitmaakte of ze dood was of leefde. Het gaat niet om haar dood.'

'Het arme mens,' zei Clarke, en hij nam een grote slok water.

'Dus u accepteert het verhaal van Malcolm Broadbent over hoe hij het lichaam van Catherine Watson heeft aangetroffen?' vroeg Tartaglia, die zich Broadbents verklaring herinnerde, en wat Turner erover had gezegd.

'Je zei toch dat die Broadbent een leugenaar was?' zei Clarke tegen Tartaglia.

'Dat zei Simon Turner.'

'Nou, ík geloof Broadbent in ieder geval,' zei Harper stellig. 'Ik geloofde tenminste wat hij zei over hoe hij haar lichaam had aangetroffen. Hij kan best over andere dingen hebben gelogen, maar je moet niet vergeten dat hij onder erg veel druk is gezet tijdens de verhoren. Volgens mij zou hij hebben gelogen over de kleur van zijn eigen ogen, zo verward en overstuur was hij. Ik vind het verslag van zijn gedrag op de plaats delict psychologisch overeenstemmen met zijn persoonlijkheid.'

'Bedoel je de manier waarop hij alles verziekt heeft?' vroeg Clarke.

'Ik denk dat hij geen idee had van wat hij deed, Trevor. Hij komt beneden en treft de deur van de flat open aan. Hij klopt aan, en als er niet wordt gereageerd, loopt hij naar binnen en krijgt de schrik van zijn leven. Een vrouw die hij respecteert en om wie hij geeft, sommigen zeggen misschien zelfs dat hij van haar hield, zit vastgebonden en met een prop in haar mond, poedelnaakt geknield op de vloer, waar iedereen haar kan zien. Hij hoort haar kreunen...'

'Jezus, ze was hartstikke dood,' protesteerde Clarke.

'Het kan gas zijn geweest, Trevor,' zei Tartaglia. 'De eerste keer dat ik in het mortuarium stond en een lijk dat deed sprong ik bijna op van schrik. Broadbent is een leek. Die heeft niet geweten wat het was.'

Clarke knikte chagrijnig. 'Oké, gas, levendige fantasie, wat dan ook. Ga verder, Angela. Ik zal niet meer onderbreken.'

'Broadbent snijdt de tape dus los, draagt Catherine naar de slaapkamer, legt haar op bed en bedekt haar met een deken. Hij schreeuwt om hulp terwijl hij probeert haar te reanimeren. Ik vind het een volkomen logisch verhaal. We weten van hem dat hij een buitengewoon chaotische persoon met een laaggemiddeld IQ is. Ik geef toe dat hij er wat bizarre gewoonten op na hield, maar ik denk niet dat hij in staat was tot zo'n methodische en gecontroleerde aanval, en dat heb ik inspecteur Gifford indertijd ook gezegd.'

'Dat stond niet in het eindrapport,' zei Tartaglia.

Clarke gebaarde afwijzend met zijn hand. 'Waarschijnlijk omdat het door Alan Gifford is geschreven of goedgekeurd.'

'Weet je, als ze Broadbent als getuige in plaats van verdachte hadden behandeld, zou hij zich misschien wel iets nuttigs hebben herinnerd,' zei Harper mismoedig.

'Zegt u nu dat Gifford uw profiel en advies volledig heeft genegeerd?' vroeg Tartaglia verrast.

Harper trok haar wenkbrauwen op en glimlachte, alsof dit

niet de eerste keer was dat dat gebeurde. 'Dit is een officieus gesprek.'

Tartaglia wendde zich tot Clarke. 'Jij kende Gifford, Trevor. Wat denk jij?'

Clarke haalde zijn schouders op. 'Alan was geen gemakkelijke om tegenin te gaan. Hij was absoluut een goede agent, hoor, maar hij kon weleens last hebben van tunnelvisie. Als hij eenmaal besloten had dat iets op een bepaalde manier was gegaan, bleef hij daarbij.'

'Zoiets zei Simon Turner ook, maar heel indirect,' voegde Tartaglia toe. 'Was hij maar wat duidelijker geweest.'

'En niemand wil kwaadspreken over de doden, toch?' antwoordde Clarke. 'En al helemaal niet als het je baas betreft, die in veel opzichten een prima kerel was. Ik ben ervan overtuigd dat het team als geheel goed werk heeft geleverd, ondanks Alans oogkleppen.'

'Zoals ik al zei heb ik mijn ideeën aan Alan Gifford verteld toen Broadbent werd gearresteerd,' zei Harper emotieloos, alsof ze het er niet mee eens was. 'Ik heb alle gesprekken met Broadbent op video gezien en niets wat ik zag, deed me van idee veranderen. Hij paste niet in het profiel en dat vind ik nog steeds.'

'Als ze voorzichtiger met hem waren geweest, wat denkt u dan dat ze uit hem hadden kunnen krijgen?' vroeg Tartaglia.

'Nou,' antwoordde ze met een hoofdknikje, 'Broadbent was erg op Watson gesteld, bijna tot in het obsessieve, dat moet ik wel toegeven. Hij volgde haar regelmatig als ze de deur uit ging en heeft foto's gemaakt met een telelens.'

'Dat heeft hij ook met andere vrouwen gedaan.'

'Ja. Het was allemaal vrij onschuldig, maar hij heeft Watson maandenlang in de gaten gehouden. Je vraagt je gewoon af of Broadbent zich misschien wel iets nuttigs had herinnerd als Gifford en zijn team hem vriendelijker hadden bejegend. Misschien dat hij iets heeft gezien toen hij haar stalkte.'

'Als dat zo is, waarom heeft hij dat dan niet meteen gemeld?'

'Omdat hij misschien niet wist dat het belangrijk was, en de manier waarop hij is ondervraagd was onnodig agressief en confronterend. Nogmaals: mijn advies is genegeerd. Zoals ik al zei was Broadbent niet bepaald slim en hij was al behoorlijk emotioneel door wat er was gebeurd. Ze hadden hem anders moeten aanpakken, veel sympathieker, als ze iets uit hem hadden willen krijgen.'

Tartaglia bedacht dat hij meteen na deze bijeenkomst met Turner moest praten. Het was het belangrijkste wat hij in lang had gehoord en zeker de moeite waard om uit te zoeken. Broadbent als getuige in plaats van verdachte. Ze zouden zo snel mogelijk opnieuw met hem gaan praten, of Turner het er nu mee eens was of niet. 'Dank u. Daar gaan we zeker achteraan. Misschien vindt u het goed om te weten dat Broadbent een alibi heeft voor de moord op Rachel Tenison.'

Ze glimlachte. 'Ik ben blij dat te horen. Dat zou ik tegen hem zeggen. Als hij weet dat hij niet verdacht wordt, krijg je misschien iets uit hem.'

'En die andere verdachte, Michael Jennings? Wat vond u van hem?'

'O, wat ik van hem heb gezien paste veel beter in het profiel. En hij heeft ook de juiste leeftijd; Broadbent was veel te oud om met dergelijke praktijken te beginnen.'

'Is er nog iets van daarvoor?' vroeg Clarke zacht.

'Nee,' antwoordde Tartaglia. 'Jennings was schoon. Wat vond Gifford van Jennings?'

Harper zuchtte. 'Als je mijn oprechte mening wilt: hij wilde zo graag dat Broadbent de moordenaar was dat hij niet goed genoeg naar Jennings heeft gekeken.'

'Maar volgens het rapport hebben ze tot twee keer toe een grondige huiszoeking bij hem gedaan.'

Ze haalde haar schouders op. 'Ik kan alleen maar zeggen dat ik zeer verrast was dat ze niets konden vinden wat Michael Jennings verdacht maakte. Er miste een foto van Catherine

Watson, en ik ben ervan overtuigd dat de moordenaar die als souvenir heeft meegenomen.'

'Er miste bij Rachel Tenison ook een foto. Het probleem is dat Broadbent noch Jennings in Rachels leven terug zijn te vinden. We hebben foto's van beiden aan haar familie en vrienden laten zien en niemand herkent hen.'

Tartaglia leunde achterover in zijn stoel en tuurde door het raam naar de donkere hemel. Hoewel de woorden van Harper logisch klonken waren er geen gemakkelijke antwoorden. Hij had nog steeds het gevoel dat hij mijlenver vandaan stond van begrijpen wat beide zaken met elkaar in verband bracht.

'Als we aannemen dat de moorden door dezelfde persoon zijn gepleegd,' zei hij, en hij keek Harper aan, 'vindt u het dan niet gek dat er zo'n lange periode tussen zit?'

'Een jaar is helemaal niet zo lang, vooral niet als dit zijn eersten zijn. Zoals je weet zijn dit soort misdaden zelden eenmalig, maar als het hem lukt om op een andere manier zijn lusten te bevredigen, met herinneringen aan het gebeurde of op een andere manier, kan dat genoeg zijn. Dan hoeft hij niet te moorden om aan zijn gerief te komen.'

Hij wendde zich tot Clarke, die zacht met zijn vingers op de tafel zat de tikken. 'Wat denk jij, Trevor?'

'Misschien zit de moordenaar vast, of is hij in het buitenland. Dat is meestal waar ze blijken te zijn als ze van de radar zijn verdwenen.'

'We proberen Jennings te vinden, maar dat wil nog niet lukken,' antwoordde Tartaglia, die bedacht dat Turner een gigantische schop onder zijn kont verdiende. 'Rachel Tenison is in exact dezelfde positie in Holland Park aangetroffen als Catherine Watson is gevonden.'

'Ook daar vertelt de moordenaar iets mee,' zei Harper.

'Net als met dat gedicht in haar mond?'

'Ja. Het gaat over het type vrouw dat zij was, en ook over hem. Hij identificeert zich met de obsessieve minnaar, het slachtoffer van de vrouw. Wellicht probeert hij haar ook met zijn herinneringen aan Watson te verbinden.'

'U zei dat de twee moorden overeenkomsten hebben.'

'Oppervlakkig gezien wel, ja. De manier waarop de lichamen zijn geposteerd, zoals we al zeiden. Beide vrouwen kenden hun moordenaar, een foto van beiden is uit hun huis meegenomen en op een dieper niveau is het slachtofferprofiel vergelijkbaar. Ze waren ongeveer even oud: Rachel vijfendertig en Catherine Watson maar drie jaar ouder; ze waren allebei goed opgeleide, intelligente en succesvolle vrouwen in hun eigen veld. Voor zijn type man waren ze autoritair en intimiderend.'

'Kan jij hier iets mee, Trevor?' vroeg Tartaglia, die naar Clarke keek.

Clarke haalde zijn schouders op. 'Misschien is het een naaper. Heb je daar al aan gedacht?'

'Waarom? We zochten helemaal niet naar een serie.'

'Er is nog een verklaring,' zei Harper. 'Als dezelfde man verantwoordelijk is voor de moord op Watson en die in Holland Park, is het mogelijk dat hij niet van plan was Rachel Tenison om te brengen. Misschien is het een seksuele escapade die uit de hand is gelopen.'

Clarke schudde zijn hoofd, alsof hij dat ook niet zag.

'Even terug naar Catherine Watson: haar moordenaar houdt waarschijnlijk van relatief normale seksuele relaties met vrouwen,' vervolgde Harper. 'Ze hebben vast geen idee van zijn fantasieën, of van waartoe hij in staat is.'

'Je maakt een grapje,' zei Clarke, die met een hand op tafel sloeg. 'Hoe kan zijn vrouw of vriendin nou niet weten dat ze het met een sadistische engerd doet? Dat zou een vrouw toch weten?' Hij keek Harper veelbetekenend aan.

Harper begon te lachen. 'Trevor, als ik een pond kreeg voor elke keer dat iemand zo reageerde als jij, zou ik rijk zijn. Heel veel mensen houden hun diepere seksuele neigingen verborgen. Ik kan je meerdere voorbeelden geven van partners van gewelddadige verkrachters die geen idee hadden wat hem echt opwond.'

Clarke maakte een afwijzend handgebaar. 'Ja, ja. Dat zal ik dan maar aannemen.'

'Het gaat om de fantasie. Bij sommige vrouwen kan hij die uitleven en zich laten gaan, bij anderen durft of wil hij dat niet. We hebben te maken met een man die zijn leven strikt in hokjes indeelt.'

Tartaglia knikte; haar woorden waren een vreemde echo van wat dokter Williams over Rachel Tenison had gezegd. 'Aan de oppervlakte zie je niets van wat zich eronder afspeelt.' Het begon allemaal op zijn plaats te vallen, maar hij had nog steeds geen flauw idee wat het betekende. 'Gek,' zei hij. 'Uw beschrijving sluit perfect aan bij het slachtoffer in Holland Park.'

'Dat is niet zo gek, hoor,' voegde Harper toe. 'Het is alleen een kwestie van gradatie. Zoals heel veel mannen fantasieën hebben die ze liever niet thuis vertellen, gebruikt de moordenaar misschien prostituees om zichzelf in te tomen.'

'Niets zo gek als de menselijke geest, zoals mijn oppas altijd zei,' antwoordde Clarke in een slecht geïmiteerd noordelijk accent. Hij zag er nog steeds niet overtuigd uit.

'Ik dacht dat je familie uit Zuid-Londen kwam,' zei Tartaglia.

'Je weet niet alles over me, Mark. Ik heb ook nog wel wat geheimpjes, hoor.'

Tartaglia glimlachte en keek naar Harper. 'Wat ik niet begrijp is waarom iemand plotseling doet wat de moordenaar met Watson heeft gedaan. Als donderslag bij heldere hemel, zonder duidelijke aanleiding.'

'We weten niet hoe lang de moordenaar al met de fantasie heeft rondgelopen, hoe lang hij al overwoog en plande zoiets te doen. Misschien dacht hij wel dat hij nooit de kans zou krijgen het echt te doen. Het kan geïnitieerd zijn door iets simpels, misschien iets wat Watson heeft gezegd, of iets wat in zijn leven speelde. De vriendin van Jennings heeft het een paar weken voor de moord op Watson uitgemaakt. Hoewel Jennings het ontkende, zeiden vrienden van hem dat hij er razend over was. Bovendien was het misschien ook wel helemaal niet de bedoeling om Watson om te brengen.'

'Is ze misschien voor een deel meegegaan met zijn fantasieën?' vroeg Tartaglia, die aan Donovans theorie dacht en de mogelijkheid dat Watson verliefd op iemand was.

'Ja. Misschien kwam van het een het ander en liep het uit de hand.'

'Maar je zei dat alles tot in de puntjes was voorbereid,' zei Clarke. 'Je zei dat alles was gepland.'

'Ja. Maar voorbereid zijn is één ding. Echt iets doen is iets heel anders.'

Clarke knikte langzaam en nam een slokje water.

'Wees voorbereid. Nou moet ik ineens aan de padvinderij denken,' zei Tartaglia.

'Zo ver zit je er dan niet naast,' antwoordde Harper. 'Zoals iemand die een expeditie voorbereidt kan hij heel goed droog hebben geoefend, zijn uitrusting hebben getest om te kijken of alles werkte, hebben in- en uitgepakt tot alles precies goed was. Hij heeft zijn uitrusting misschien wel altijd bij zich. Alleen al de gedachte dat hij alles paraat heeft, de wetenschap dat het er is, zal hem opwinden en een machtig gevoel geven. En hij zal zich ook op een bepaalde manier kleden.'

'U bedoelt een rollenspel,' zei Tartaglia, die aan de maskers en andere dingen in de kist moest denken, de zogenaamde verkleedkist, in Rachel Tenisons slaapkamer, en de manier waarop Williams had beschreven wat haar ritueel van aankleden om uit te gaan was. Hij vroeg zich af wat haar ritueel in de slaapkamer was geweest, en of ze verschillende rollen of fantasieën had, afhankelijk van haar bui of de man met wie ze was.

'Inderdaad, een rollenspel. Om even terug te gaan naar het profiel: wat ik interessant en niet in zijn karakter vond passen, was het feit dat hij Watson met haar eigen panty heeft gewurgd. Als hij was gekomen met het plan haar te vermoorden, zou hij een eigen wurgdraad hebben meegenomen. Het zet mij ertoe aan te denken dat hij is overrompeld door de gebeurtenissen, dat ze misschien verder zijn gegaan dan hij van plan was, en dat hij moest improviseren. Vandaar dat ik twijfel of hij van plan was haar te vermoorden.'

'En de moord op Rachel Tenison dan? U zei dat het een uit de hand gelopen seksuele escapade kan zijn geweest.'

'Ze liet zich graag vastbinden en hield van ruige seks,' zei Clarke voordat Harper kans had te antwoorden. 'Het is wel een perfect stel, hè?'

'Dat zou heel goed kunnen zijn wat hen in eerste instantie bij elkaar heeft gebracht,' zei Harper. 'Hij kan bij haar zijn fantasieën uitleven zonder dat hij haar hoeft te vermoorden. Hoewel alles wat hij doet over hem gaat. Ik vraag me af of hij wel iemand zou willen die zo'n ontwikkelde eigen fantasiewereld heeft.'

'Maar hij heeft haar wél vermoord,' drong Tartaglia aan, die nog steeds het gevoel had dat hij een vierkante schroef in een rond gat probeerde te wrikken.

'Misschien is hij op de een of andere manier gedwongen het te doen. Normaal gesproken lukt het hem zijn meer sadistische neigingen onder controle te houden, of ze in ieder geval zo in te tomen dat niemand hem aangeeft. Misschien heeft hij het slachtoffer uit Holland Park ontmoet en zijn ze naar haar flat gegaan om seks te hebben. Misschien heeft ze iets gedaan wat hem kwaad heeft gemaakt of heeft gekleineerd. Hij is een man die de controle wil hebben, hij wil vertellen hoe alles gaat. Misschien heeft ze hem bekritiseerd, of wilde ze hem wegsturen voordat hij daar aan toe was, zoiets. Of misschien heeft hij haar iets van zichzelf laten zien waarvan hij niet wilde dat iemand het wist.'

'Dus die moord was een opwelling nadat waarom het ging al was gebeurd,' zei Tartaglia, die terugdacht aan de plaats delict en alle inconsistenties die nog steeds nergens op sloegen. Wat hem nog steeds parten speelde was dat het lichaam post mortem was verplaatst en geposteerd.

'Misschien.'

'Dat zijn wel een heleboel misschiens,' zei Clarke, die zijn armen over elkaar sloeg en weer met zijn hoofd begon te schudden alsof hij er geen woord van geloofde. 'Ik zou er een hele muur mee kunnen behangen.'

'Waarom ben je zo sceptisch?' vroeg Tartaglia, die het wel geruststellend vond dat Clarke ook niet was overtuigd.

'Die godvergeten psychologen ook altijd. Ze kunnen goud uit stro spinnen. Maar dan wel nepgoud.'

Harper glimlachte. 'Nu begin je als Alan Gifford te klinken.'

Clarke gromde. 'Ik lijk helemaal niet op die man en dat weet jij ook. Maar serieus, Angela. Veel van wat je zegt klinkt logisch, maar ik vind het er nog steeds naar uitzien dat die twee moorden niets met elkaar te maken hebben.'

Harper glimlachte weer. 'Dat ben ik met je eens, Trevor. Maar Mark vroeg hoe dezelfde persoon in staat kan zijn die twee moorden te plegen. Dit is de enige manier waarop ik dat psychologisch kan verklaren.'

'En het is niet helemáál onwaarschijnlijk,' zei Tartaglia, die ineens doodmoe was van het hele gesprek. 'Hij heeft al eens eerder een moord gepleegd. Het is wel logisch dat je dan de tweede eruit probeert te laten zien als de eerste. Hij heeft het idee gekregen door dat gedicht in de papieren van Catherine Watson. Het feit dat hij besluit het te gebruiken laat zien dat hij arrogant is. En als we het dan toch over arrogant gedrag en aandachtzoekerij hebben: ik vraag me af of hij degene is die de pers die tip heeft gegeven.'

'Daar zit wat in,' zei Clarke. 'Als ik jou was, zou ik meteen naar Jason Mortimer gaan.'

Tartaglia voelde zijn telefoon trillen in zijn borstzakje. Hij zag dat het Donovan was, excuseerde zich en stond op van tafel.

'Ik ben nog bij Trevor,' zei hij, en hij liep naar het raam.

'Sorry dat ik stoor,' zei ze, 'maar ik ben net door Liz Volpe gebeld. Ze probeert je te bereiken. Ze was vanmiddag joggen in Holland Park en heeft iets raars gezien.' Hij luisterde naar wat ze vertelde. De plaats die ze beschreef klonk exact als die waar ze Rachel Tenisons lichaam hadden gevonden.'

'Heb je Forensische Opsporing gebeld?'

'Er is een team onderweg naar het park. Karen haalt Liz op zodat ze precies kan aanwijzen waar ze die man heeft gezien.'

'Zeg tegen Karen dat ze een verklaring opneemt en probeer na het park een elektronische schets te laten maken, nu het nog vers in haar geheugen ligt. Hoe klonk ze?'

'Behoorlijk overstuur. Ze zei dat ze jou wilde spreken.'

Hij keek op zijn horloge. 'We zijn hier bijna klaar en dan wilde ik naar het bureau. Zeg maar dat ik vanavond nog naar haar toe kom. Maar ik moet eerst Simon Turner spreken.'

22

Tegen de tijd dat Tartaglia terug was op het bureau in Barnes was het bijna zeven uur 's avonds. Het was aardedonker, en hoewel het was gestopt met regenen, was het harder gaan waaien, en de lucht voelde koud en klam.

Hij zette zijn motorfiets in een beschut hoekje op de parkeerplaats en liep naar de achterdeur, de enige die open was. Een veel te zware man van middelbare leeftijd en een mooie jonge vrouw uit een van de andere kantoren stonden samen met hun jas aan bij de deur stil te roken. De grond waar ze stonden lag vol doorweekte peuken, ondanks een bordje en de prullenbak die naast de deur stond. Het was een angstaanjagend voorproefje op wat er zou komen als het rookverbod in de zomer zou worden ingesteld. Hoeveel behoefte Tartaglia vaak ook had aan een sigaret, het was hem gelukt te minderen tot vijf of zes per dag, die hij over het algemeen rustig thuis of bij iemand op bezoek rookte, bij de ochtendkoffie of een glas wijn in de avond. Die vrijheid kon niemand hem tenminste afnemen. Maar wat voor genot was er als je buiten in de ijzige koud moest staan rillen, alleen maar voor een sigaret? Dan moest je echt wanhopig zijn, en zo erg was hij er niet aan toe.

Hij glimlachte sympathiek naar de jonge vouw, en ze lachte vriendelijk terug. Hij toetste de toegangscode in en liep naar binnen. Hij had jammer genoeg geen tijd voor een babbeltje, vroeg zich af op welke verdieping ze werkte en waarom hij haar nog niet eerder had gezien. Hij was halverwege de trap toen de deur op de eerste verdieping openzwiepte en Simon Turner de overloop op kwam rennen. Hij floot hard en melodieloos, en kwam daverend de trap af met zijn rugzak en jas in de hand.

'Simon, daar ben je. Heb je even?'

Turner bleef een paar treden boven hem staan. 'Wat is er? Ik ben laat.'

'Weet je wat er is gebeurd met al die foto's die Malcolm Broadbent van Catherine Watson heeft genomen?'

'Nee. Hoezo?'

'Ik vroeg me af of Broadbent misschien zonder het te weten iemand anders heeft vastgelegd terwijl hij Watson fotografeerde, misschien iemand met wie ze samen was.'

'Dat betwijfel ik. Het waren over het algemeen close-ups, op afstand genomen met een telelens. Heel veel van die foto's waren niet eens van Watson, maar van onbekende vrouwen die over straat liepen. Er zat er niet één bij van een man, als je je dat afvraagt.'

'Weet je dat zeker? Heb je ze gezien?'

'Ik heb ze niet allemaal persoonlijk bekeken. Alan heeft het door een paar agenten laten doen.'

'Maar Gifford was op zoek naar iets om Broadbent te kunnen beschuldigen, toch?'

Turner beet bedachtzaam op zijn onderlip. 'Bewijs dat hij geobsedeerd was door Catherine Watson, ja. En dat was hij ook,' voegde hij er met nadruk aan toe. 'Daar was geen twijfel over mogelijk.'

'Wat ik bedoel is dat Gifford tegen degene die hij die foto's heeft laten bekijken heeft gezegd waarnaar hij moest zoeken. Misschien dat hij niet heeft gezegd naar iets anders te kijken.'

Turners bleke, uitgemergelde gezicht werd rood. 'Wat bedoel je in godsnaam? Staat Alan nu terecht?'

'Je zei dat hij er nogal op was gebrand Broadbent te pakken.'

'Daar kan ik me niets van herinneren.'

Tartaglia schudde zijn hoofd. Al koos Turner ervoor om dingen te vergeten, híj wist nog precies wat hij had gezegd. 'Misschien was het de whisky, maar je wekte absoluut de indruk dat Gifford er alles voor over had Broadbent als schuldige aan te wijzen en dat hij bewijs zocht om dat te staven. Als dat zijn insteek was, heeft hij misschien iets over het hoofd gezien.'

'Luister, Alan was niet de enige die dacht dat Broadbent schuldig was. We stonden allemaal achter hem.'

Tartaglia leunde tegen de muur en staarde naar Turner, vroeg zich af waarom hij plots zo in de verdediging schoot. Misschien had Clarke gelijk over Turners loyaliteit jegens zijn voormalige baas. Hoe dan ook, hij was ervan overtuigd dat Turner in eerste instantie de waarheid had verteld over hoe het onderzoek was gegaan. *In vino veritas*, zoals ze zeiden, en whisky had hetzelfde effect, vooral in de hoeveelheden waarmee Turner hem achteroversloeg. Maar het had geen enkele zin om nu een discussie met hem aan te gaan over wat hij wel of niet zou hebben gezegd toen hij dronken was. 'Dus je hebt niet zelf alle foto's bekeken?' vroeg Tartaglia.

'Maak je een grapje? Het was een JPEG-bestand met duizenden plaatjes. Ik heb afdrukken gezien van alle foto's die we als bewijs hebben gebruikt, en die spraken boekdelen over Broadbents karakter, maar dat is alles.'

'Heeft Gifford de foto's geselecteerd die bewaard zouden blijven?'

Turner zuchtte alsof het allemaal tijdverspilling was. 'Dat zul je in de lijst met bewijzen moeten nagaan, maar als niemand een back-up van die harde schijf heeft gemaakt, hebben we niet meer dan een handjevol interessante kiekjes bewaard.'

'Wat is er met de rest gebeurd?'

'Alles stond op Broadbents computer. Die heeft hij teruggekregen nadat hij als verdachte was afgeschreven.'

'Weet je of er een kopie van is gemaakt?'

'Nee. Zoals ik al zei, dat moet in de lijst met bewijzen staan.' Turner verschoof de rugzak over zijn schouder en keek hem achterdochtig aan. 'Waarom begin je er nu over? Komt het door dat gedicht?'

'Ja,' zei Tartaglia. Hij zat er helemaal niet mee om te liegen tegen Turner. Hij zou hem absoluut niet vertellen dat hij met Angela Harper had gepraat. Turner was duidelijk niet van plan om te gaan luisteren naar twijfel over hoe de zaak was aangepakt en hij zou linea recta naar Steele gaan om stampij te maken.

Turner keek hem aan. 'Heb je met iemand over de zaak gepraat? Als dat zo is moet ik het weten. Om te voorkomen dat we dubbel werk gaan doen.'

'Ik heb niemand gesproken,' zei Tartaglia. Het moest een toevalstreffer van Turner zijn, of agenteninstinct. Turner kon niet weten dat hij een afspraak met Angela Harper had gehad. 'Luister, ik bekritiseer de manier waarop de zaak is aangepakt niet...'

'Nou, zo klinkt het anders wel.'

'Echt niet. Maar dat gedicht werpt een heel nieuw licht op alles. Het spreekt mijn gezonde verstand tegen, maar het ziet er toch naar uit dat er een verband tussen de twee zaken is. Dat betekent dat we alles opnieuw moeten bekijken.'

'Ga je gang.'

'Ik denk ook dat we nog eens met Broadbent moeten gaan praten, deze keer als mogelijke getuige in plaats van verdachte.'

Turner staarde hem aan of hij gek was geworden. 'Waarom in vredesnaam?'

'Broadbent volgde haar als een verliefde puppy. Misschien heeft hij iets gezien... of iemand.'

'Dat is tijdens de verhoren niet naar boven gekomen.'

'Misschien hebben jullie niet de goede vragen gesteld. Hebben jullie hem een foto van Jennings laten zien?'

'Natuurlijk. Voordat je onze zaak onderuit gaat halen, Mark, stel ik voor dat je het dossier er even bij pakt. Alles staat erin. En het coldcaseteam heeft ook niets nieuws gevonden.'

'Maar ik wil toch die foto's zien.'

Turner staarde hem uitdrukkingsloos aan en zuchtte. 'Prima. Ik stuur meteen iemand naar Broadbent. Laten we hopen dat hij ze nog heeft. En nu moet ik echt gaan.' Turner liep langs Tartaglia heen en begon de trap verder af te rennen.

'Nog één ding, Simon.'

Turner draaide zich fronsend om.

'Zijn jullie Michael Jennings al op het spoor?'

'Daar zijn we nog mee bezig, maar op het moment zitten we muurvast. Ik heb een bericht voor je achtergelaten. Heb je dat niet gekregen?'

'Jawel, maar ik wil precies weten wie je hebt gesproken. Heb je het op de universiteit nagevraagd?'

'Natuurlijk. Jennings heeft zich kort na de moord op Catherine Watson laten uitschrijven. Hij heeft zijn studie nooit afgemaakt.'

'En zijn vrienden?'

'We hebben iedereen die we konden vinden gezien of gesproken. We hebben zijn hele adresboekje nagelopen.'

'Iemand moet toch weten waar hij is.'

'We hebben overal navraag gedaan, maar tot dusverre weet niemand waar hij is, of ze willen het niet zeggen.'

'Heb je de gevangenissen gebeld?'

'Dat was zo ongeveer het eerste wat we hebben gedaan, gezien het tijdsverloop tussen de twee moorden. Maar hij heeft niet vastgezeten.'

'Burgerservicenummer?'

'Hij heeft geen baan en ook geen uitkering, volgens het systeem.'

'Al is hij een godvergeten houdini. Ik wil hem vinden.'

Turners gezichtsuitdrukking verhardde. 'Dan zal je Steele om meer mankracht moeten vragen. Het is hoe dan ook vast weggegooide tijd. Sam heeft me net verteld wat er vanmiddag in Holland Park is gebeurd met die vrouw... hoe heet ze...'

'Liz Volpe?'

'Die, ja. Die vent die zij heeft gezien heeft een andere lengte en bouw dan Jennings. Jennings was maar een meter zeventig en broodmager.'

'Misschien dat de man die ze heeft gezien niet de moordenaar is.'

'Ja, hoor.' Turner draaide zich om om te vertrekken.

'Wacht even,' riep Tartaglia. 'Dit is ook jouw zaak, Simon.'

Turner keek naar hem op en schudde zijn hoofd. 'Nee, hoor. Holland Park is jouw pakkie-an, vriend. Dus als er verder niets is, moet ik nu echt gaan.' Met die woorden denderde hij de laatste treden af naar de parkeerplaats. De deur sloeg achter hem dicht.

Tartaglia stond hem op de trap even na te staren. Hij kon wel op de muur timmeren van frustratie. Turner was sowieso niet erg mededeelzaam: Trevor had hem ooit beschreven als een eenling, geen teamspeler. Maar zijn houding was vanavond nog meer kortaf en defensief dan gewoonlijk, bijna ontwijkend, alsof hij iets te verbergen had. Misschien dat Donovan wist wat erachter zat en of het iets met de zaak had te maken. Als dat niets opleverde ging hij naar Steele. Zij was over het algemeen zo direct dat het op het botte af was. Als Turner bij haar was geweest om te klagen, of om de een of andere reden iets achter Tartaglia's rug om had gedaan, dan zou hij daar snel genoeg achter komen.

'Vanwaar die heksenjacht?' vroeg Turner terwijl hij tegen het randje van het kleed trapte en chagrijnig naar het glas whisky in zijn enorme handen staarde. Wat heeft het voor zin om ouwe koeien uit de sloot te halen? Alan is dood.'

'Ik beloof je dat dat niet is wat Mark doet,' antwoordde Donovan. 'Zo zit hij niet in elkaar.'

Turner zat helemaal in het hoekje van de bank, fronste zijn

wenkbrauwen en strekte zijn lange benen voor zich uit. Donovan vroeg zich af wat er precies tussen hem en Tartaglia was voorgevallen, hoewel ze zich wel kon voorstellen hoe Tartaglia zich zou hebben gedragen. Als hij iets wilde, liet hij zich niet afschepen. Dan maakte het niet uit wie er in de weg stond. En Turner, in zijn huidige defensieve toestand, zou alles verkeerd opvatten.

Turner was bijna een halfuur te laat komen opdagen. Hij was een en al excuses geweest en had iets gemompeld over oponthoud op kantoor en eerst naar huis willen om te douchen. Hij had een spijkerbroek aangetrokken, met een overhemd en een donkerblauwe trui erover. De ellebogen van zijn overhemd waren sleets en het kraagje was een beetje gerafeld, maar hij zag er goed uit en ze rook een frisse, citroenachtige aftershave of zeep toen ze hem een kusje op zijn wang gaf. Het was leuk dat hij zijn best deed. Hij had zelfs een goede fles whisky van de slijterij om de hoek meegenomen en was relatief opgewekt en ontspannen overgekomen, en zijn oude charme was naar boven gekomen toen hij grapjes stond te maken met Claire in de keuken en hielp met tafeldekken. Maar zodra ze over de zaak was begonnen, met het nieuws over het park en Liz Volpe – ze kon zichzelf wel voor de kop slaan dat ze daar iets over had gezegd – was zijn humeur omgeslagen. Het was net of er een donderwolk boven zijn hoofd hing, en hij leek niet in staat die van zich af te schudden.

'Waarom wil hij ons onderzoek onderuithalen?' mompelde Turner in zichzelf. 'Wat is hij van plan? Is het een politiek spel of zo?'

'Doe niet zo paranoïde. Mark heeft voor zover ik weet niets tegen je. Hij probeert geen punten te scoren en wil geen problemen veroorzaken voor jou of iemand anders.'

'En dat moet ik zeker geloven.'

'Als hij opnieuw naar aspecten uit de zaak-Watson wil kijken, is dat vanwege het gedicht, omdat hij oprecht denkt dat er misschien iets over het hoofd gezien kan zijn, iets wat in eerste instantie onbelangrijk leek.'

'Omdat wij ons werk niet hebben gedaan, bedoel je,' zei Turner verbitterd.

'Dat is onzin en dat weet jij ook.'

'Maar dat is wel wat hij wil, toch? Je had hem bezig moeten zien vanavond. Een man met een missie.'

Ze schudde wanhopig haar hoofd. 'Hij wil de moordenaar van Rachel Tenison vinden, verder niets, en dit zou best een goede aanwijzing kunnen zijn. Bedenk maar eens hoe jij je zou voelen in zijn positie,' voegde ze toe, hoewel ze toen ze het zei al besefte dat het geen zin had. In zijn huidige, op zichzelf gerichte gemoedstoestand zou hij het moeilijk vinden om met wie dan ook in te voelen, Tartaglia in het bijzonder.

'Misschien hebben we ons inderdaad te veel op Broadbent gericht en te weinig op Jennings,' zei Turner met een afwijzende grom. 'Misschien hebben we fouten gemaakt. Dat kun je achteraf mooi zeggen. Maar zelfs als we het anders zouden hebben aangepakt, zou het resultaat hetzelfde zijn geweest. We hebben keihard gewerkt aan die zaak en er was tegen geen van tweeën een enkel bewijs.' Hij praatte zacht, maar zijn gezicht was rood en gespannen van de emotie.

'Dat geloof ik meteen,' zei ze, en ze bedacht nogmaals wat een vreemde teint hij toch had, benadrukt door het bloed dat naar zijn gezicht was gestegen, en ze vroeg zich af of hij echt de weg kwijt was. 'Maar Simon, dit gaat niet over jou en de zaak-Watson. Het gaat allemaal om de moord in Holland Park en dat bizarre gedicht. Daar maakt Mark zich zorgen om. Ik wou dat dat tot je botte hersens doordrong, en dat je alles niet zo persoonlijk zou opvatten.'

Turner schudde ongelovig zijn hoofd. 'Je bent een schat Sam, maar je ziet het verkeerd. Je hebt een blinde vlek waar het Mark Tartaglia betreft.'

'En jij bent je eigen ergste vijand,' antwoordde Donovan

verbijsterd; ze wist niet wat ze anders moest zeggen. Zoals Turner er nu aan toe was, zag hij niets zoals het was.

Even later keek hij haar aan. 'Val je op hem?' Hij mompelde de woorden zo zacht dat ze ze bijna miste.

'Nee,' zei ze vastberaden, en ze vroeg zich af waarom hij het vroeg. Dacht iedereen op het werk dat ze warmliep voor Tartaglia? 'Mark is een goede vriend. Verder niets.'

Hij knikte en nam een grote slok whisky. 'Ik had me nooit door Wakeley moeten laten overhalen hieraan mee te doen. We hebben onze kans gehad toen Alan er nog was en het coldcaseteam heeft alles afgesloten. Het heeft geen enkele zin om de doden te proberen te doen herrijzen.'

Hij trok een gezicht en sloot zijn ogen, alsof hij probeerde er niet aan te denken.

Ze vroeg zich af wat er nodig zou zijn om hem helder te krijgen. Hoelang duurde het om over een kort, mislukt huwelijk heen te komen? Dat was waar hij echt last van had, niet van Tartaglia, hoewel Turner dat nooit zou toegeven. Het was eenvoudiger om zijn woede op Tartaglia te richten dan zijn gezicht te verliezen en toe te geven waar hij het echt moeilijk mee had: met Nina. Die vrouw had een hoop op haar geweten.

Ze had haar de dag ervoor nog gezien, met Karen Feeney in een eetcafé aan Barnes High Street. Ze zaten samen bij het raam een sandwich te eten, zo diep in gesprek dat ze niet eens hadden opgemerkt dat Donovan binnen was gekomen en koffie had besteld. Nina zat met haar elleboog op tafel, haar gezicht half afgeschermd door haar hand. Haar gezichtsuitdrukking was gespannen en Donovan dacht te zien dat ze had gehuild. Donovan had geprobeerd af te luisteren waarover ze het hadden, maar er was te veel achtergrondgeluid om iets te kunnen opvangen, hoewel ze zeker wist dat ze Turners voornaam een paar keer had horen vallen. Ze had zich afgevraagd of Nina enig idee had hoe hij eraan toe was, en of het haar kon schelen, en was bijna op haar afgestapt.

Maar wat zou ze daarmee bereiken? Ze kende Nina helemaal niet en het was niet aan haar zich ermee te bemoeien.

Ze had Karen er nadien naar gevraagd, en hoewel die zorgvuldig haar best had gedaan niet te veel te vertellen, had ze wel gezegd dat Nina erg overstuur was. Toen Donovan vroeg waarom, terwijl zij degene was geweest die was opgestapt en bovendien een ander had, had Karen geantwoord dat dat niet waar was. Dat ze alleen maar was weggegaan omdat ze doodongelukkig van hem werd en hoopte dat hij zou bijdraaien.

'Ze heeft helemaal geen ander,' had Karen toegevoegd. 'Dat heeft Simon verzonnen.'

'Waarom zou hij dat doen?' had Donovan gevraagd.

'Hij zal wel op zoek zijn naar medelijden,' zei Karen met zo'n nadrukkelijke blik in haar ogen dat Donovan erover was opgehouden. Het laatste waar ze behoefte aan had was kantoorroddel over haar en Simon, hoewel ze zijn versie van het verhaal veel eerder zou aannemen dan iets wat Nina zou zeggen.

Claire stak haar hoofd om de woonkamerdeur. Ze had een schort voor met roze en rode hartjes erop en zwaaide met een grote houten lepel alsof ze kwaad was.

'Meekomen jullie, het eten is klaar.' Claire keek van Donovan naar Turner. 'Wat een grafstemming, zeg. Wat is er met jullie aan de hand?'

Turner keek gegeneerd en mompelde iets.

Donovan stond op. 'Ach, werk. Je kent dat wel.'

'Nou, kom op dan,' zei Claire met een glimlach. 'Zó erg is het allemaal niet. Het is zaterdagavond en er staat heerlijke lasagne op tafel, met citroencake en custard toe. Ik heb zelfs muziek klaarstaan zodat we er echt een feestje van kunnen maken.'

Turner stond op en glimlachte vaag naar haar. 'Sorry. Ik ben vanavond niet al te best gezelschap.'

'Dat geeft niets,' zei Claire opgewekt. 'Je mag komen lachen om mijn zielige pogingen iets eetbaars te koken. Dat doen de meeste mensen.'

23

Viktor Denisenko, de favoriete barman van Rachel Tenison, ijsbeerde door zijn kleine woon- slaapkamer als een gekooid dier, wat Karen Feeney vreselijk nerveus maakte. Ze stond naar hem te kijken met haar rug naar de gesloten deur, wachtend tot hij zou kalmeren.

Hij draaide zich met een hulpeloze blik in zijn ogen naar haar om, zijn grote handen lusteloos langs zijn zijden. 'Ik heb haar niet vermoord, echt niet, ik heb haar niet vermoord.'

'Daar kunnen we nu wel over ophouden,' zei ze geïrriteerd. 'Je alibi is bevestigd, dus je hoeft je geen zorgen te maken. En ga nu alsjeblieft even zitten.'

Hij schudde zijn hoofd alsof hij haar niet geloofde en bleef ijsberen, mompelde iets in zichzelf wat als Russisch klonk. Het was koud in de kamer, ze zag nergens een verwarming, maar hij zweette. Hij was lang en breed gebouwd, waardoor de ruimte nog kleiner voelde. Hij droeg een spijkerbroek, oude gympen en een ruime trui, was eind twintig, met heel kort, geblondeerd haar en donkere stoppeltjes op zijn kin. Hij voldeed aan de algemene beschrijving die Liz Volpe een paar uur daarvoor van de man had gegeven die ze in Holland Park had gezien. Maar Denisenko zei dat hij net een uur thuis was van zijn werk in een pizzeria in de buurt. Minderedes was naar het restaurant om navraag te doen, maar ze nam voor nu aan dat Denisenko de waarheid vertelde.

Ze hadden moeite gehad om hem te vinden, maar het was

uiteindelijk gelukt via een andere barman in het café waar hij had gewerkt, die om de een of andere reden duidelijk boos op hem was en zich openlijk verkneukelde dat Denisenko door de politie werd gezocht. Gezien het bijna totale gebrek aan persoonlijke bezittingen – alleen een scheermes en tandenborstel op de wastafel en een T-shirt dat over de enige stoel hing – leek het niet of hij hier al lang woonde. Gelegen in het niemandsland van pensions en goedkope hotels rond station Paddington deed het denken aan alle eenkamerwoningen waar ze ooit was geweest, inclusief die waar ze zelf had gewoond toen ze net in Londen was, hier maar een paar straten vandaan. Ooit onderdeel van een grootse eerste verdieping had de kamer een hoog plafond, met uitzicht op een rij gelijksoortige, wit gestuukte panden met pilaren aan de overkant van de straat, maar het geheel ademde een sombere sfeer uit, onpersoonlijk geworden door het eindeloze verloop aan mensen dat er tijdelijk woonde. Het rook er naar vocht en de wind deed het schuifraam klepperen alsof er een trein passeerde.

'Wil je een sigaret?' vroeg ze. Ze haalde een pakje Silk Cut uit haar tas en vroeg zich af hoe ze het voor elkaar moest krijgen dat hij zich zou ontspannen en zou gaan praten.

'Ik rook niet.'

'Nou, ga dan tenminste zitten. Ik word helemaal duizelig van je.'

'Duizelig?'

'Draaierig, je weet wel,' zei ze terwijl ze met haar vinger een rondje door de lucht cirkelde om het uit te leggen. 'Ik word licht in mijn hoofd als ik naar je kijk.'

Denisenko aarzelde even en knikte toen. Hij veegde zijn voorhoofd af met de achterkant van zijn mouw en plofte op het smalle bankje, waar een slaapzak op lag.

'Goed zo. En nu wil ik graag dat je me vertelt over de man die je met mevrouw Tenison hebt gezien.'

'Stella, bedoelt u,' zei Denisenko nadrukkelijk.

'Ja, Stella, als je haar zo wilt noemen.' Ze hadden ontdekt dat Rachel Tenison een heel scala aan aliassen had gebruikt bij de mannen die ze had opgepikt en mee naar huis had genomen, allemaal onderdeel van het rollenspel. Voor Denisenko heette ze Stella. 'Dus ze was iets meer dan twee weken geleden in de bar waar je werkte.'

'Op woensdag. Ik werkte er op woensdag.'

'In Covent Garden, toch?'

'Ja. Ik was heel blij haar te zien, maar ze was met een man. Ze zaten heel druk te praten.'

'Hoe zag die man eruit? Hoe oud was hij? Wat voor kleur haar had hij?'

'Hij was ouder dan Stella. Lang, net als ik. Zijn haar... hij had een enorme bos.'

'Jouw kleur?'

'Donkerder. Hij zag er belangrijk uit. Mooie kleren. Duur, dat viel me op.'

'Heb je haar gesproken?'

Hij haalde zijn schouders op. 'Ik stond achter de bar. Zij was druk met hem. Ik wilde haar niet storen.'

'En dat was rond elf uur 's avonds?'

'Ja.'

'Wilden ze iets eten?'

'Nee. Ze kwamen alleen wat drinken. Ze hadden zo'n rood boekje bij zich, van de opera...' Hij gebaarde in de lucht op zoek naar het goede woord.

'Een programmaboekje?' zei Feeney.

Denisenko knikte.

Ze wist over welke bar het ging. Hij lag recht tegenover het Royal Opera House, een paar deuren van het voormalige politiebureau Bow Street vandaan, waar ze haar carrière bij de politie was begonnen.

'Stella zag er zo mooi uit,' zei Denisenko terwijl hij zijn handen spreidde. 'Zoals altijd. Zo... zo perfect. Mijn vriend Mickey heeft hen bediend. Stella heeft mij helemaal niet gezien. Ze zaten te drinken en praten. Toen werd ze boos, en ze sloeg hem. Zo.' Hij sloeg met een hand op zijn eigen wang. 'Hij werd razend. Hij kwam naar de bar om te betalen en toen zijn ze vertrokken.'

Het leek het verhaal over het restaurant in Kensington wel. 'Had je de indruk dat ze gewoon vrienden waren, of meer?'

Denisenko fronste zijn wenkbrauwen. 'Vrienden? Ze keek naar hem alsof ze van hem hield. Die man was haar minnaar.'

'En jouw relatie met mevrouw Tenison is maanden geleden verbroken,' zei Feeney. 'Waarom?'

'Stella zei dat ze me niet meer wilde. Ze heeft me als vuil aan de kant gezet. 'Ik probeer haar te vergeten, dat is beter.'

'Maar je geeft nog steeds om haar, toch?'

Hij knikte.

'Was je jaloers toen je haar met die man zag? Was je kwaad?'

Denisenko keek haar met vochtige, felle ogen aan. 'Mevrouw de politieagent. U vergist u. Ik vermoord geen vrouwen omdat ik kwaad ben. Ik ben in dit land vuilnisman, en ik werk in bars omdat ik geen geld heb. Alles wat ik verdien gaat naar huis, naar mijn moeder. Maar waar ik vandaan kom, ben ik een hoogopgeleide man. Ik heb in Kiev geschiedenis en politicologie gestudeerd. Ik ben geen primitieveling. Ik ben geen beest. Ja, ik was jaloers toen ik haar met die man zag. Maar ik heb haar niet vermoord.'

'Is dit de man met wie je haar hebt gezien?' vroeg Feeney, die een kopie van de compositietekening van de man in La Girolle uit haar tas pakte en die aan hem gaf.

Denisenko keek er terloops naar en knikte langzaam. 'Misschien. Misschien is het hem. Als hij Stella heeft vermoord, gaat u hem vinden, hè?'

'Hoe heeft hij voor de drankjes betaald?'

'Met een creditcard.'

'Dan hebben we daar de gegevens van nodig, zodat we hem kunnen opsporen.'

Denisenko glimlachte zwakjes. 'Dat is niet nodig. Toen hij kwam betalen, heb ik tegen Mickey gezegd dat ik ziek was en naar huis moest. Ik heb gewacht tot ze vertrokken...' Hij was even stil en staarde naar de vloer.

'Was je van streek?'

Denisenko knikte en beet op zijn onderlip. 'Ik wilde weten wie het was.'

'Ben je hen gevolgd?'

'Ja. Ik ben hen gevolgd.'

'En?'

'Ik weet hoe hij heet. Ik weet waar hij woont.'

24

'Herken je een van deze gezichten?' vroeg Tartaglia. 'Zit de man die je in Holland Park hebt gezien erbij?'

Liz bestudeerde de kleurenfoto's een voor een. Ze nam er de tijd voor en hoopte dat ze iemand zou herkennen. Het waren allemaal aantrekkelijke jonge mannen, jonger dan Rachel, midden twintig of begin dertig. Er zat een donkere bij en drie ervan hadden verschillende tinten blond haar, niet dat dat wat uitmaakte. Voor Rachel waren ze allemaal gezichtloos geweest.

Ze schudde met een zucht haar hoofd. 'Het spijt me. Ik herken niemand.'

Ze zaten tegenover elkaar aan een tafeltje in een bar op de hoek van Portobello Road en Westbourne Grove, een straat van de flat van haar broer vandaan. De eigenaar was een Italiaan en de bar serveerde alleen Italiaanse wijn en had een goede, eenvoudige hapjeskaart. Ze hadden allebei niet echt honger, dus ze hadden een bord rundvleestagliata met rucola gedeeld, en ze waren ruim halverwege een goede fles Barolo, die Tartaglia per se had willen bestellen. Het eetcafé was een van haar favoriete plekjes en zij had voorgesteld ernaartoe te gaan, in de hoop dat Tartaglia het er leuk zou vinden en dat hij dan misschien wat opener zou worden en haar over de zaak zou vertellen. Maar dat was tot dusverre niet het geval.

Ze gaf de foto's aan hem terug. 'Wie zijn het?'

'Mannen die Rachel het afgelopen jaar heeft ontmoet.'

Ze glimlachte geamuseerd om zijn discretie. 'Met wie ze naar bed is geweest, bedoel je. Probeer mijn gevoelens maar niet te sparen. Ik schrik er niet van. Heeft ze hen in een bar opgepikt?'

Hij knikte. 'Ze hebben allemaal een alibi voor het tijdstip van de moord, maar ik wilde weten of je een van hen in het park hebt gezien.'

Ze dacht terug aan de bos donkerrode rozen op de grond tussen de struiken en vroeg zich af welke emoties er met dat eenvoudige gebaar gepaard waren gegaan. Die bloemen lagen nu ergens in een politielab te verleppen, werden getest op God mag weten wat. Maar het zag er in ieder geval naar uit dat iemand om haar had gegeven. Ze vroeg zich af of Rachel dat effect op iemand op die foto's had gehad, of ze belangrijk was geweest voor iemand van hen.

'Ik kan alles wat je me over Rachel hebt verteld gek genoeg niet uit mijn hoofd krijgen. Ik blijf me maar afvragen waarom ik nooit enig idee heb gehad van wat zich in haar leven afspeelde. Ik voel me zo stom.' Ze keek naar de wijn in haar glas, hield het even omhoog tegen de kaarsvlam, genoot van de kleur. Bijna dezelfde als die rozen. 'En ik begin steeds meer het gevoel te krijgen dat ik Rachel helemaal niet kende.'

'Als ze voor jou al een mysterie is, is ze dat des te meer voor mij,' zei hij met een blik in zijn ogen die heel ver weg leek en die ze niet helemaal begreep.

Ze staarde hem nieuwsgierig aan en vroeg zich af waarom het hem zo fascineerde. Misschien dat rechercheurs zich altijd zo in hun zaken verdiepten, probeerden het slachtoffer te leren kennen, maar ze had het gevoel dat er meer aan de hand was. Hij was ook gevallen voor Rachels betovering. Wat kon ze vertellen?

'Rachel was voor heel veel mensen een raadsel. Dat was een van haar aantrekkelijkste eigenschappen.'

'Vertel me eens over die man die je hebt gezien,' zei hij plotseling, alsof hij van onderwerp wilde veranderen. 'Probeer hem eens te beschrijven. Het is heel belangrijk dat we hem vinden.'

Liz zuchtte. 'Ik zie hem wel voor me, maar het lukte helemaal niet met die compositie; zo herinner ik me hem niet.'

'Maar je had hem nog nooit gezien?'

'Absoluut niet,' zei ze stellig, en ze vroeg zich af of hij weer dacht dat ze iets achterhield.

Hij keek bedachtzaam en knikte toen, alsof hij accepteerde wat ze zei. 'Oké. Dan proberen we iets anders. Doe je ogen eens dicht. Denk terug aan toen je hem voor het eerst zag en vertel me wat je ziet.'

Ze dacht niet dat dat zou werken, maar ze wilde hem een plezier doen en sloot haar ogen. Ze sloot zich af voor de achtergrondgeluiden en muziek in de bar en voelde de donkere, vochtige kou in het bos, hoorde de stilte, rook de aarde en bladeren. Ze zag het bankje waar ze had zitten roken voor zich; de hulsttakken die eromheen hingen als een dak.

'Zie je hem voor je?' vroeg Tartaglia zacht.

Ze hoorde het geschreeuw van de roeken. 'Ja. Hij komt op me af rennen. Maar het begint donker te worden en het is een vaag beeld. Hij stopt bij het hek voordat hij bij mij is aangekomen.'

'Wat doet hij?'

'Dat weet ik niet.'

'Zoekt hij naar een ingang?'

'Misschien. Hij loopt even heen en weer.'

'Dus hij weet niet precies waar hij is.'

'Nee.'

'Beschrijf hem eens. Hoe ziet hij eruit? Hoe beweegt hij?'

'Atletisch. Hij draagt donkere, ruime kleren en een parka of fleecetrui met capuchon. Ik zit ongeveer dertig meter van hem vandaan. Hij is lang...'

'Langer dan ik? Ik ben een meter tachtig.'

Ze deed haar ogen open en keek naar hem, probeerde de

twee in haar hoofd te vergelijken. Tartaglia was een centimeter of twee langer dan zij; de man in het park was langer, zwaarder, dat had ze tenminste toen gedacht. Ze raakte ineens in de war en vertrouwde haar geheugen niet. 'Ik weet het niet. Het is moeilijk te zeggen op die afstand. Ik kreeg de indruk dat hij lang was, in ieder geval langer dan ik. Meer kan ik niet zeggen.'

'Wat deed hij toen?'

Ze kneep haar ogen weer dicht, dwong zichzelf terug te gaan, wenste dat ze het nog beter wist. 'Hij kijkt om zich heen, alsof hij controleert dat er verder niemand is. Ik werd nerveus van zijn gedrag, alsof hij geen goed in de zin had of zo. Ik ben doodstil blijven zitten.'

'En hij heeft je niet gezien?'

Ze schudde haar hoofd. 'Zoals ik al zei was het licht slecht. Ik zat op een bankje onder een hulstboom.'

'Kijkt hij jouw kant op?'

'Ja. Eventjes.'

'Vertel me wat je nu ziet. Probeer dat beeld in je hoofd stil te zetten.'

'Oké.' Ze fronste haar wenkbrauwen en probeerde het weer voor zich te zien. 'Volgens mij kijkt hij eerst de andere kant op. Ja. Dan draait hij zich naar me om. Ik zie een flits van zijn gezicht. Hij is blank, tussen de twintig en veertig. Dat is alles wat ik kan zeggen. Hij heeft een capuchon over zijn hoofd en ik kan zijn haar en voorhoofd niet zien. Zijn gezicht valt niet te ontdekken.' Ze probeerde hem scherper voor zich te zien, maar dat lukte niet. Ze deed gefrustreerd haar ogen open en reikte naar haar glas. 'Het spijt me. Ik ben een vreselijke getuige, hè?'

'Hij was vrij ver weg en het moet allemaal heel snel zijn gegaan.'

'Ja, het ene moment was hij er en toen was hij weer weg. Ik bedacht niet echt wat het kon betekenen tot hij alweer was verdwenen, en toen ben ik ernaartoe gelopen en trof die rozen aan. Het probleem is dat hoe meer ik probeer me te herinneren wat er is gebeurd en hoe hij eruitzag, hoe meer het me lijkt te ontglippen.'

'Het geheugen is een raar ding. Soms is het beter ergens niet te veel aan te denken. Laat je onbewuste het werk doen. Dan komt het misschien ineens weer omhoog.'

Ze zuchtte, geïrriteerd dat ze het zich niet beter kon herinneren. 'Misschien moet je me hypnotiseren.'

'Laten we iets anders proberen,' zei hij. 'Ik ga even naar buiten en dan loop ik daar, bij die lantaarnpaal, even heen en weer. Dat is een meter of dertig hier vandaan. Dan kom ik terug en vertel je me wat je hebt gezien.'

Ze keek toe hoe hij de deur uit liep en de weg overstak. Het was er altijd druk op zaterdag, de straat en stoep vol straatventers en toeristen die naar de antiekstalletjes kwamen aan Portobello Road en Westbourne Grove. Maar de winkels en kraampjes waren al uren dicht en er was nu niemand. Toen Tartaglia een stukje over Portobello Road liep, zag Liz dat het weer was gaan regenen; de zware miezer was zichtbaar in de oranje gloed van de lantaarnpaal. Toen hij iets verder was, trok hij zijn trui uit en deed die over zijn hoofd als een capuchon, bedekte zijn haar en draaide zich toen naar haar om. Zijn gezicht werd er totaal anders door. Ze bedacht hoe grappig het was dat een van de aantrekkelijkste mannen die ze in lange tijd had gezien, nu, op afstand en met zijn hoofd bedekt, iedereen kon zijn. Het toonde aan hoe zinloos die reconstructieschets was geweest, en ze was vreselijk teleurgesteld.

Een paar seconden later kwam Tartaglia teruglopen.

'Jezus, wat is het koud,' zei hij toen hij weer binnen was. Zijn zwarte haar glinsterde van het vocht in het beetje licht en hij schudde zijn trui even goed uit voordat hij hem weer aantrok. 'Wat kun je over mij zeggen? Ik weet dat het licht anders is, maar wat is je indruk? Probeer het te vergelijken met de man die je zag.'

Ze keek hem bedachtzaam aan; ze wilde zo graag helpen.

Eén ding was zeker: de man die zij had gezien leek totaal niet op Tartaglia.

'Nou, je huidskleur, om te beginnen. Zelfs met die trui over je hoofd zag ik nog dat jij getint bent. Je wenkbrauwen vallen op. Ik besef nu dat ik die man zijn wenkbrauwen, ogen en lippen niet heb gezien; alles is dezelfde tint en er waren geen schaduwen of lijnen.'

'Dus hij is blond...'

'Ja. Dat zou ik wel zeggen. Zelfs op die afstand kon ik goed zien dat jouw huid veel donkerder is.'

'Maar het helpt niet dat ik me nodig moet scheren,' zei hij nors terwijl hij over de dikke stoppels op zijn kin wreef. 'Verder nog verschillen?'

Ze bestudeerde hem en probeerde zo objectief mogelijk te zijn, niet te blijven hangen bij één kenmerk, en ze hoopte maar dat hij niet zag hoezeer ze ervan genoot naar hem te kijken. 'Nou, de vorm van jouw gezicht is anders,' zei ze op zakelijke toon. 'Die man had een langer gezicht, misschien met minder regelmatige trekken... En volgens mij was hij ook langer dan jij, breder gebouwd, hoewel dat misschien door die parka zo leek.'

'Dat is heel nuttig. Verder nog iets?'

Ze schudde haar hoofd en nam een slokje uit haar glas. 'Die wijn is heerlijk,' zei ze na een korte stilte waarin ze had besloten dat het tijd was voor een ander onderwerp. Ze hoopte dat hij nog even bleef zitten. 'Niet dat ik er verstand van heb.'

'Ik ook niet. Mijn familie importeert wijn uit Italië, maar volgens mijn vader proef ik het verschil tussen de goedkoopste chianti en een sassicaia niet. Wat natuurlijk onzin is, maar hij geeft me uiteraard geen kans te bewijzen dat hij ongelijk heeft.'

'Nou, ik zou het in elk geval niet kunnen. Ik haat al die poeha over wijn.'

Hij keek ineens bedachtzaam, alsof hij ergens anders was met zijn gedachten.

‘Wat is er?’ vroeg ze. ‘Je zit toch niet nog steeds over het park na te denken, hè?’

‘Nee, hoor. Ik bedacht alleen dat je er helemaal niet Italiaans uitziet.’

Ze glimlachte, opgelucht dat ze het over iets anders konden hebben dan Rachel. ‘Half maar. Mijn moeder is Engels. Mijn ouders zijn gescheiden toen ik nog heel jong was en ik ben hier opgegroeid. Ik spreek bijna geen Italiaans.’

‘Zie je je vader nog?’

‘Af en toe, als ik in Italië bij familie op bezoek ga. Hij heeft een restaurant in Siena. En jij? Aan jou is het tenminste wel te zien.’

‘Vierde generatie, gebruikelijke verhaal. Mijn overgrootvader heeft rond 1890 een dorpje in de heuvels van Abruzzi ingeruild voor Schotland. Ze hebben zich uiteindelijk in Edinburgh gevestigd en bijna de hele familie woont daar nog, behalve mijn zus en ik.’

‘Is zij ook politieagent?’

‘Jezus, nee zeg,’ zei hij, en hij verslikte zich bijna in zijn wijn. ‘Alleen al het idee. Nicoletta zou nooit in een systeem passen dat zo georganiseerd en bureaucratisch is als de politie. In de moderne politiewereld is geen plaats voor buitenbeentjes, en dat is zij in alle opzichten, zowel goede als verkeerde. Ze doceert Italiaans aan de universiteit van Londen. En in haar vrije tijd bestiert ze een echtgenoot en twee kinderen.’

‘Lijkt ze op jou?’

‘Dat zeggen ze, hoewel ik haar net Ronnie Ancona vind, maar dan zonder al die make-up, en daar lijk ik helemaal niet op.’

‘Nee, inderdaad.’ Hij kwam zo normaal en aardig over, maar wat leefde hij in een donkere wereld, waar hij dagelijks met gewelddadige sterfgevallen te maken had. Het leek in het geheel niet op wat zij kende, en Italiaans bloed was vast het enige wat ze gemeen hadden. ‘En jij? Heb je een gezin?’

‘Nee. Ik ben niet getrouwd, nooit ook maar bijna. Dat is een beetje een pijnpunt, voor mijn moeder en zus tenminste.

Aangezien ik eind dertig ben en nog steeds alleenstaand, denken ze dat er iets mis is met me.'

Liz schoot in de lach. 'Dat klinkt precies als mijn moeder. Die is ook zo godvergeten veroordelend, alsof ze zelf zo'n smetteloos verleden heeft. Ze is momenteel voor de derde keer getrouwd. Dat is genoeg om iedereen angst aan te jagen. Zou het niet fijn zijn als ze hun eigen leven zouden leiden en ons met rust zouden laten?'

'Als dat toch eens kon,' zei hij oprecht.

'Ik maak heus wel heel veel fouten, maar het zijn tenminste wel mijn eigen fouten. En misschien dat ik het op een dag nog leer. Misschien dat ik dit ooit onder de knie krijg.'

Hij glimlachte en er verschenen lijntjes in zijn ooghoeken. Het was voor het eerst sinds ze hier zaten dat hij er echt ontspannen uitzag. 'Ik heb ook wel wat gekke dingen gedaan,' zei hij. 'Stomme dingen. Maar als je geen risico's neemt bereik je ook nooit iets, en anders zou het ook maar saai worden. Ik vind het alleen niet zo prettig dat mijn zus alles becommentarieert en analyseert. Nicoletta denkt geloof ik dat ze psychologe is.'

Liz vroeg zich af of hij dacht dat hij een risico nam door hier met haar te zitten, te kletsen over van alles alsof ze twee normale mensen waren zonder moordzaak aan hun hoofd. Hoewel hij er helemaal niet ongemakkelijk uitzag, had ze wel het gevoel dat hij voorzichtig was, alsof hij zich inhield. Misschien maakte hij zich zorgen dat hij over een grens ging. Misschien speelde hij het ondanks wat hij net zei toch graag op zeker.

Het beeld van de rode rozen ging weer door haar hoofd en ze vroeg zich af wat die man ertoe had aangezet ze neer te leggen op de plek waar Rachel was gestorven. Híj had zeker een risico genomen.

Ze dronk haar glas leeg. 'Denk je dat die man in het park de moordenaar van Rachel is?'

'Dat kan. Alles is mogelijk.'

'Maar je legt toch alleen bloemen neer op de plek waar iemand is overleden als je heel veel om degene geeft?'

Hij haalde zijn schouders op alsof het zinloze speculatie was, maar ze liet het er niet bij zitten.

'Maar als hij van haar hield, waarom heeft hij haar dan omgebracht? En als hij haar heeft vermoord, neemt hij dan geen enorm risico door terug te gaan naar die plaats? Als je iemand om het leven brengt, neem ik aan dat er geen ruimte is voor sentiment.'

'Als iemand in staat is een moord te plegen, zou je denken dat hij logisch redeneert. Maar ik heb gemerkt dat dat vaak niet het geval is. En deze man leek precies te weten waar haar lichaam is gevonden. Die informatie is nooit vrijgegeven aan de pers.'

'Maar iemand die daar komt joggen zou het toch wel ongeveer weten? Zo groot is het daar niet.'

Hij fronste zijn wenkbrauwen. 'Ik vind dat je er uit de buurt moet blijven.'

'Ik kan wel voor mezelf zorgen. Ik ben geen kind, hoor.'

'Dat was Rachel ook niet.'

Die woorden maakten haar stil en ze dacht even na. Ze had uit alles wat hij had verteld afgeleid dat wat er met Rachel was gebeurd een eenmalige gebeurtenis was. Ze vroeg zich ineens af of hij haar de waarheid had verteld. 'Denk je dat het nog een keer kan gebeuren? Denk je dat er een gek losloopt?' Dat was vreemd genoeg gerustellender dan denken dat iemand die ze kende het had gedaan.

'We hebben op dit moment geen idee wie haar heeft omgebracht. We weten niet welke risico's er zijn.'

'Maar je denkt wel dat het nog eens kan gebeuren?'

'Dat zeg ik niet. Maar als ik een vrouw was, zou ik niet alleen gaan joggen, en al helemaal niet als er weinig andere mensen in de buurt zijn.'

Hij zei het op een toon die haar het gevoel gaf dat ze dom was. 'Nu klink je net als mijn broer. Ik kan morgen ook worden doodgereden door een bus, maar dat weerhoudt me er niet van over te steken.'

Hij perste zijn lippen op elkaar alsof hij het er niet mee eens was.

'Wat vertel je me niet?'

'Ik ben gewoon bezorgd om je, verder niets.'

'Onzin.' Ze schudde haar hoofd en sloeg haar armen over elkaar. Hoe kon hij verwachten dat ze hem hielp als hij haar zo weinig vertelde? 'Waarom vertel je het niet?'

'Omdat dat niet gepast zou zijn. Je bent er te dicht bij betrokken.'

Ze wilde zeggen dat dat precies het punt was, maar als ze hem zo zag, wist ze dat dat geen zin zou hebben.

Hij bestudeerde haar even, waardoor ze zich heel ongemakkelijk voelde, en toen vroeg hij: 'Waarom hadden jullie ruzie? Rachel en jij?' Ze wilde net iets gaan zeggen toen hij zijn hand opstak. 'En voordat je antwoord geeft: ik wil niet nog een keer die onzin horen die je me laatst hebt verteld. Ik wil de echte reden weten.'

Hij gaf het niet op. Ze was zijn aanhoudende vragen zat en vluchtte in haar wijn. Ze zag voor zich wat er was gebeurd: het beeld van hém en Rachel, samen in Rachels grote, donkere bed. Misschien was het tijd om een einde aan die huichelarij te maken en Tartaglia te vertellen wat voor iemand Rachel echt was. Het zou een goed gevoel geven om hem zijn illusies te ontnemen.

Ze keek hem aan. 'Wat ik heb verteld is de waarheid, en die sms was er echt toen we aan tafel zaten. Ik heb alleen één belangrijk detail weggelaten. Rachel heeft iemand van me afgepakt. Iemand van wie ik dacht dat ik zielsveel hield. Ze heeft het heel bewust gedaan, omdat ze ons uit elkaar wilde drijven. En meer dan alles heeft ze het gewoon gedaan omdat ze het kón.'

'Afgepakt? Maar jullie waren toch goede vriendinnen, je hield toch van haar?'

Ze schudde haar hoofd. 'De laatste twee maanden haatte ik haar. Ik heb haar niet vermoord, maar ik heb haar heel vaak dood gewenst.'

Hij keek verward en deed zijn mond open om iets te gaan zeggen.

'Sorry dat ik je teleurstel,' onderbrak ze hem voordat hij die kans had. 'En ik ga niet in op de details. Zoals ik al zei heb ik haar niet vermoord en wat er tussen ons is voorgevallen heeft absoluut niets met haar moord te maken. Maar dit kan ik je wel vertellen: ik zal haar nooit vergeven wat ze heeft gedaan. Als ik me schuldig voel dat ik die emotie ervaar, is dat het enige schuldgevoel dat ik heb.'

Hij zei even niets, reikte toen over tafel en raakte zacht haar hand aan, met zo'n meelevende blik dat ze er tranen van in haar ogen kreeg. 'Wat naar,' zei hij. 'Dank je dat je het vertelt.'

Zijn telefoon ging en hij haalde hem met een zucht uit zijn zak, alsof hij baalde van de onderbreking. Hij luisterde even naar degene aan de andere kant van de lijn, fronste zijn wenkbrauwen, zei iets wat ze niet verstond met al het achtergrondlawaai, en klikte hem dicht. Hij stond op.

'Er is iets gebeurd en ik moet gaan,' zei hij terwijl hij snel zijn jas aantrok. 'Iets met de zaak. Kun je zelf thuiskomen?'

'Natuurlijk. Ik blijf nog even zitten om de rest van de wijn op te drinken als je dat goed vindt. Zonde om weg te gooien.' Ze probeerde niet te teleurgesteld te klinken.

'Het spijt me. Echt. Ik zou het leuk vinden om nog even te blijven.' Hij aarzelde, alsof hij nog iets wilde zeggen.

'Maak je om mij geen zorgen,' zei ze opgewekt. 'Ik vermaak me prima alleen en het is nog veel te vroeg om naar bed te gaan.'

Hij fronste zijn wenkbrauwen. 'Ik heb soms het gevoel dat ik met die baan getrouwd ben. Er is geen ruimte voor iets anders.' Hij aarzelde en voegde er toen aan toe: 'Maar ik vond het een leuke avond. Misschien kunnen we hem een andere keer goed afmaken.'

'Nina wil terugkomen,' zei Turner zacht, zonder inleiding. Hij nam een trekje van zijn sigaret en inhaleerde diep.

Donovan was stil, ze wist niet wat ze moest zeggen behalve dat het haar geen goed idee leek, wat vast niet was wat hij wilde horen.

Ze stonden samen bij de keukendeur, schuilden onder het afdak tegen de regen. Claire was binnen druk bezig met het opwarmen van het toetje in de magnetron, en ze zong ondertussen mee met Snow Patrol.

'Ze belt me al een paar dagen. Laat me niet met rust. Ze wil het goedmaken en opnieuw beginnen.'

Donovan had haar wijn mee naar buiten genomen en nam een slokje. Ze vroeg zich af of ze moest vertellen wat Nina tegen Karen Feeney had gezegd, dat ze hem er de schuld van gaf dat ze uit elkaar waren. Ze hielp zichzelf herinneren dat ze maar beter haar mond kon houden. Het ging haar per slot van rekening niets aan en ze kende Turner nauwelijks. Uiteindelijk won haar nieuwsgierigheid het toch. 'En hoe zit het dan met die andere man? Wat is er daarmee gebeurd?'

'Volgens mij is er nooit een andere man geweest,' zei hij terwijl hij afwezig zijn whiskyglas leegdronk. 'In ieder geval niet iemand die belangrijk was. Volgens mij heeft ze dat verzonnen om me jaloers te maken. Misschien dacht ze dat het me wakker zou schudden of zoiets, alsof ik een knop heb om mijn gevoelens mee aan- of uit te zetten.'

'Maar zíj was toch bij jou weggegaan?'

'Ja, en ik dacht vanwege die andere man, maar nu weet ik het ook niet meer. Ik weet niet wat ze wil.'

Hij keek zo gekweld dat ze bijna een arm om hem heensloeg, maar ze was bang dat hij dat verkeerd zou opvatten. 'Wat wil jij?' vroeg ze, en ze keek naar hem op. 'Weet je dat?'

Hij draaide zich naar haar om en keek haar met een verdrietige glimlach aan. 'Wat ik wil? Dat heeft nog nooit iemand me gevraagd.' Hij nam nog een trekje van zijn sigaret en zuchtte. 'We hadden hoe dan ook nooit moeten trouwen. Het ging allemaal veel te snel. Ze raakte zwanger... en ik heb haar ten huwelijk gevraagd. Wat een stomme beslissing was.'

'Nee,' zei ze zacht. 'Dat moet je niet zeggen. Je bent te streng voor jezelf.'

Hij schudde zijn hoofd en sloot zijn ogen. 'Vanaf dat moment is alles bergafwaarts gegaan. Ze heeft de baby verloren en werd steeds gedeprimeerder. Ze had het niet meer in de hand. Ik herkende haar niet meer. Ze zei dat ik niet begreep hoe ze zich voelde. Ze zei dat het niet werkte en dat ze mij de schuld gaf van wat er was gebeurd. Niets wat ik deed maakte het beter. Ze was zo verbitterd en boos; ik wist niet hoe ik met haar moest leven en dacht af en toe dat ze gek was geworden. Ik weet nu dat ik er niets aan kan doen. Daar is het te laat voor, en het zou het beste zijn als we allebei ons eigen leven zouden leiden.'

Ze keek hem vragend aan. 'Weet je dat zeker?'

'Ja.'

'En weet Nina dat je dat vindt?'

Hij knikte. 'Ze luistert niet. Zegt dat zij weet wat het beste voor ons is. Ze zegt dat ze terugkomt.'

Ze staarde hem geschokt aan. 'Dat laat je toch niet toe? ...Niet als je dat niet wilt, tenminste.'

'Wat moet ik dan? Mijn eigen vrouw de toegang weigeren? Dat kan niet. Ik geef nog steeds om haar. Zelfs na alles...' Hij sloot zijn ogen weer, alsof de gedachten te pijnlijk waren.

Donovan nam aan dat hij naar de verloren baby verwees. Het leek haar dat zo'n gebeurtenis mensen juist dichter bij elkaar zou brengen, maar in plaats daarvan leek het een wig tussen hen te hebben gedreven.

'Maar als ze terugkomt? Wat doe jij dan?'

'Als zij terugkomt, zal ik moeten vertrekken. Al heb ik geen idee waar naartoe.'

Hij staarde zwaarmoedig de duisternis in en het enige wat ze even hoorde was het getik van de regen op het afdak.

'Nou ja, als je echt omhoog zit, tijdelijk, hebben wij een kamer over. Of in ieder geval een extra bed in de studeerkamer.'

Hij keek haar aan en fronste zijn wenkbrauwen. 'O, dat vroeg ik helemaal niet... ik zou niet durven...'

'Ik meen het, Simon. Het kan echt. Daar is die kamer voor. Er strijken hier regelmatig zwervers en daklozen neer. De laatste paar waren vrienden van Claire, dus ik ben wel weer eens aan de beurt. Het is een eenpersoonsbed, en het zal wel een beetje te kort voor je zijn, maar het is een prima kamer. Zie het anders als een noodoplossing voor als je niets anders kunt vinden.'

Hij glimlachte. 'Dank je. Dat is goed om te weten, hoewel ik hoop dat het niet nodig zal zijn.' Hij reikte voorover en maakte zijn sigaret uit op de rand van een bloempot, draaide zich toen weer naar haar om. 'Je bent een fijn mens, Sam, en ik ben erg op je gesteld. Dat ben ik altijd al geweest, als je het wilt weten. Als het anders was gelopen... Maar goed, alles hangt af van het goede moment, hè? Ik zou waarschijnlijk niet zo moeten praten, niet zoals ik er nu aan toe ben. Misschien als ik alles weer een beetje op een rijtje heb...' Hij trok een gezicht. 'Jezus, ik maak het wel zwaar. Wat ik probeer te vragen is of je zin hebt om een keer met me uit te gaan. Uit eten?' Hij fronste zijn wenkbrauwen en zocht in haar gezicht naar een reactie.

Ze wist niet wat ze moest zeggen. Dit had ze absoluut niet verwacht. Natuurlijk voelde ze zich gevleid. En ze vond Turner een aantrekkelijke man, als ze die gedachte toestond. Maar hij had te veel gedronken en het schoot door haar heen dat je mannen die net bij hun vrouw weg waren en nog geen andere relatie hadden gehad moest mijden als de pest. En daar kwam nog bij dat ze sinds de Bruidegomzaak het gevoel had dat ze geen enkele kijk had op wat voor man goed voor haar was.

Hij keek naar het glas in zijn hand en leek verrast dat het leeg was. 'Het spijt me. Ik heb te veel gezopen. Ik ben over een grens gegaan. Zullen we maar doen alsof ik het nooit heb gevraagd?'

Ze glimlachte, geamuseerd om zijn onhandigheid en geraakt door het feit dat hij het niet als vanzelfsprekend aannam dat ze ja zou zeggen. Het was een van de vele leuke eigenschappen die ze van hem leerde kennen.

'Nee, Simon. Je hebt geen grens overschreden. Ik was er alleen niet op voorbereid, dat is alles.'

Hij staarde haar verdrietig aan. 'Die lompe Simon zegt altijd precies het verkeerde. Laten we het maar op de whisky schuiven, en op het feit dat ik een klotedag achter de rug heb.'

'Nee, ik ben blij dat je het hebt gezegd. Echt.' Ze onderdrukte de neiging naar boven te reiken en door zijn korte, dikke haar te woelen en keek hem in plaats daarvan aan. Ze vond het een fijne aanblik: zijn aardige, vriendelijke gezichtsuitdrukking en zijn uitzonderlijk bleke ogen, die dof stonden van vermoeidheid. Ze was blij dat ze niet zo heel veel had gedronken en nuchter genoeg was om verstandig voor hen allebei te zijn.

'Als dit allemaal achter de rug is en jij je leven weer een beetje op orde hebt, ja, dan ga ik graag een keer met je uit eten.'

Hij begon breed te grijnzen. Het was voor het eerst in dagen dat ze hem echt zag lachen. Hij zette zorgvuldig zijn glas op de grond en pakte haar handen in de zijne, gaf op allebei een kus. 'Mooi. Dan heb ik iets om naar uit te kijken.'

'Maar pas als je je leven weer op orde hebt, hoor,' zei ze, en ze trok zacht haar handen los.

'Natuurlijk,' zei hij met een glimlach. 'Je doet alleen maar aardig, maar ik hou je er toch aan, hoor. Je kunt er niet onderuit.'

Claire tikte voordat Donovan een kans had te antwoorden op het raam achter hen en duwde de keukendeur open. 'Sorry dat ik stoor, Sam. Maar je telefoon ging, dus ik heb voor je opgenomen. Het is Mark. Hij zegt dat het dringend is.'

25

'Ik ben een domme jongen geweest, hè, rechercheur?' zei Patrick Tenison met de gelaten gezichtsuitdrukking van een leerling die op roken wordt betrapt door een leerkracht.

'Dit is een zeer ernstige zaak, meneer Tenison,' antwoordde Tartaglia nadrukkelijk, en hij bleef hem aankijken.

Tenison slaakte een zucht. 'Dat begrijp ik, en ik heb dan ook mijn excuses aangeboden.' Alsof de kous daarmee af was.

Tartaglia en Donovan zaten tegenover Tenison in verhoorkamer acht in politiebureau Belgravia, en de opname liep. Viktor Denisenko had hen een paar uur daarvoor naar Tenisons flat geleid en ze hadden Tenison uiteindelijk gevonden bij een liefdadigheidsfeest in een hotel, waar hij een van de sprekers was. Hij had zijn colbert met vlinderdas nog aan en zag er vermoeid en een beetje verfomfaaid uit. Ze konden hem nog niet arresteren, maar hij werd nu als verdachte behandeld en had erop gestaan dat zijn advocaat, Geoffrey Mallinson, ook aanwezig zou zijn. Mallinson zat naast hem, met een rood gezicht en opgeblazen als een brulkikker, gedesoriënteerd en met rode ogen van de onderbroken slaap.

Misschien dat Tenison dacht dat hij als politicus boven de wet stond, maar dan vergiste hij zich toch. Het was waar dat mensen aan de lopende band logen als ze werden ondervraagd, vaak om de stomste en onnozelste redenen. Voor sommige mensen was liegen een automatische reactie, niet omdat ze iets specifieks te verbergen hadden, maar omdat een leugen soms gemakkelijker en sneller was dan de waarheid: ik was er niet bij; ik heb niets gezien; ik wil er niets mee te maken hebben. En mensen logen ook in moordzaken omdat je er meer risico liep. Maar als iemand als Tenison loog om iets eenvoudigs als een etentje met zijn zus, betekende het dat hij iets anders verborg; dat was tenminste wat Tartaglia's gevoel erover zei.

'Ik kan u op zijn minst aanklagen voor obstructie,' zei hij, en hij keek nog steeds naar Tenisons, brede, uitdrukkingsloze gezicht, alsof dat op de een of andere manier een glimp van de waarheid zou onthullen.

Tenison spreidde zijn handen. 'Wat kan ik er verder nog over zeggen?'

'Wat ik niet begrijp is waarom u tegen ons heeft gelogen, meneer Tenison. Waarom heeft u niet meteen gezegd dat u die donderdag met uw zus uit eten bent geweest?'

Tenison fronste zijn wenkbrauwen alsof dat voor de hand lag. 'Omdat het u niets aangaat, daarom niet.'

'Dat heeft u mis. Dit is een moordonderzoek, meneer Tenison. Alles gaat ons aan.'

Tenison leunde achterover in zijn stoel, haalde diep adem en zei op een toon alsof hij iets aan een heel jong kind uitlegde: 'Wat ik bedoelde is dat Rachel de volgende ochtend is vermoord. Daar heb ik niets mee te maken.'

'We hebben alleen uw woord over waar u was. U heeft geen alibi en dit is niet de eerste keer dat u tegen ons liegt. Dat trekt alles wat u heeft gezegd in twijfel.' Tartaglia sprak langzaam en nadrukkelijk, legde gewicht op elke zin.

Tenison zag er geschokt uit onder het harde tl-licht, alsof hij niet had bedacht hoe zijn gedrag zou kunnen worden opgevat. Hij had donkere schaduwen onder zijn ogen en de paar rimpels in zijn gezicht leken dieper. Misschien begonnen de gebeurtenissen hun tol te eisen, of misschien kwam het door zijn formele kleding, maar hij zag er ouder en vermoeider uit dan toen Tartaglia in zijn flat bij hem op bezoek was geweest.

‘Oké. Dan nemen we nog eens door wat er die avond is gebeurd.’

Tenison streelde berustend met een handpalm over zijn steile, donkere haar en keek Tartaglia vermoeid aan. ‘Ik heb snel een borrel gedronken bij Rachel thuis en toen zijn we uit eten gegaan.’

‘Even voor de duidelijkheid,’ vroeg Donovan, ‘wat heeft u bij haar thuis gedronken?’

Tenison keek haar aan alsof het hem ineens opviel dat zij ook in de ruimte was. ‘Ik zou het niet weten, hoofdagent. Hoezo, is dat belangrijk?’

‘Er zijn meerdere gebruikte glazen in haar flat aangetroffen,’ antwoordde ze. ‘Het zou ons enorm helpen als u zou zeggen welk glas van u was.’

‘Volgens mij was het wijn. Witte, als ik het me goed herinner. Ik probeer echt wel behulpzaam te zijn, hoor.’

Tartaglia knikte. ‘Ga door, meneer Tenison.’

‘We hebben wat gedronken en toen hebben we een taxi naar het restaurant genomen, want we waren aan de late kant. We hebben er ongeveer en uur gezeten. Toen kregen we ruzie, wat u vast al weet, en is Rachel vertrokken.’

‘Waar ging die ruzie over?’ vroeg Donovan.

Tenison haalde zijn schouders op. ‘Persoonlijke dingen.’

‘Ik wil de details weten, meneer Tenison,’ zei Tartaglia.

‘Is dit echt nodig?’

‘Ja. Ik moet precies weten wat mevrouw Tenison bezighield voordat ze werd vermoord.’

Tenison keek weg naar het kleine getraliede raam in de hoek van de ruimte en tikte licht met zijn vingers op tafel. ‘Als u het per se wilt weten: ik had problemen met mijn huwelijk.’ Hij zei het zo zacht dat Tartaglia hem nauwelijks verstond.

‘Kunt u iets harder praten, meneer Tenison? Voor de opname?’

Tenison keek hem razend aan. ‘Ik zei dat ik huwelijksproblemen had, is dat hard genoeg?’

'Ja hoor. Dank u.'

Tenison keek weer weg, ontweek oogcontact. 'Rachel dacht dat ik mijn vrouw wilde verlaten en probeerde me tegen te houden.'

'Hoe reageerde u daarop?' vroeg Donovan.

Er trok een scheut van gêne of pijn over zijn gezicht. 'Ik heb tegen haar gezegd dat het haar zaken niet waren. Maar Rachel zou Rachel niet zijn als ze daar genoegen mee had genomen. Het was niet de eerste keer dat we het erover hadden, maar ze liet het er niet bij zitten. Als ze iets in haar hoofd had, beet ze zich er echt in vast, ze weigerde gewoon op te geven. De meeste mensen, ik ook, gaven uiteindelijk aan haar toe.'

'Had uw zus een hechte band met uw vrouw?' vroeg Tartaglia, die zich afvroeg wat voor soort volwassen man zijn stiefzus toestond zijn leven te dicteren. Hij bedacht, niet voor het eerst, dat Tenison een zwak karakter had, in ieder geval waar het zijn zusje aanging.

'Niet bijzonder. Hoewel Rachel blij was met Emma waren ze, hoe zal ik het zeggen, een heel ander soort vrouw.'

Het was Tartaglia niet duidelijk of Tenison dat als kritiek op zijn zus of zijn vrouw bedoelde, maar hij kreeg de indruk dat het het laatste was. 'Dus als mevrouw Tenison niet apert achter uw vrouw stond, waarom maakte ze zich dan zo druk om wat u deed?' Tartaglia raadde de reden al voordat Tenison kon antwoorden. 'Er was een andere vrouw, hè?'

Tenison huiverde alsof hij iets heel bitters proefde. 'Rachel wilde niet dat ik mijn leven vergooide om wat zij als een uitspatting zag.'

'Was het dat?' vroeg Donovan.

'Het gaat u geen moer aan wat het was.'

'Wel als het mevrouw Tenison betreft,' zei Tartaglia. 'U zei dat ze uw affaire als triviaal bestempelde?'

Tenison aarzelde. 'Dat zal wel. Ze vond in ieder geval dat het stom was.'

'Stom?'

Hij spreidde zijn handen. 'Kom, rechercheur. We hebben allemaal weleens iets impulsiefs gedaan, iets waarvan we later spijt hebben.'

Tenison kwam helemaal niet op Tartaglia over als een impulsief type en hij vroeg zich af wat ertoe had geleid dat hij een dergelijk risico nam, zowel persoonlijk als professioneel, en of hij probeerde te bagatelliseren wat er was gebeurd. Hoe dan ook, ze dwaalden af.

'Even terug naar het restaurant. Wat is er gebeurd nadat mevrouw Tenison vertrok?'

'Ik heb geld op tafel achtergelaten en een taxi naar haar appartement genomen. Maar ze liet me niet binnen, dus ben ik vertrokken.'

'Heeft u niet aangedrongen?' vroeg Donovan.

'Dat had geen zin gehad. Het was al laat en ik was moe. We hadden veel vaker ruzie en ik kende dit wel van haar.'

'Hoe laat was het toen u het opgaf en bent vertrokken?'

'Geen idee. Iets van halfelf. Ik heb niet op mijn horloge gekeken.'

'Waar bent u naartoe gegaan?' vroeg Tartaglia.

'Terug naar mijn flat natuurlijk.'

Tenisons toon was laconiek afwijzend en klonk niet oprecht.

'Dat kan niemand bevestigen.'

Tenison haalde heel licht zijn schouders op, alsof dat niets uitmaakte.

'Ik denk dat u liegt.'

Tenison klemde zijn kaken opeen. Hij sloeg zijn armen over elkaar en leunde zwaar achterover op zijn stoel. 'Het kan me geen moer schelen wat u denkt. Zo is het gegaan. Bewijs maar dat het niet zo is.'

Tartaglia schudde langzaam zijn hoofd. 'Wat veel logischer klinkt, is dit: u bent haar zoals u zegt naar huis gevolgd. U was kwaad op haar. Misschien dat uw relatie intiemer was dan u zegt...'

Tenison liep rood aan van woede. 'Wat zegt u nu? Ik was dol op mijn zus, maar niet op díe manier, dat kan ik u verzekeren.'

'Nou, er heeft anders wel iemand in Rachels bed geslapen die nacht,' zei Donovan. 'Weet u zeker dat u het niet was?'

'Mijn god, jullie zijn ziek. In tegenstelling tot de verhalen in de roddelpers pleegt niet iedereen incest, hoor.'

'U bent naar haar flat gegaan en ze liet u niet binnen,' ging Tartaglia verder. 'Toen kwam u erachter dat ze een andere man op bezoek had, dus heeft u gewacht tot ze de volgende ochtend ging joggen en heeft u haar in een aanval van jaloerse woede omgebracht. U zou niet de eerste zijn.'

'Wacht even,' zei Mallinson, die ineens tot leven kwam. 'Dit slaat nergens op. U heeft geen enkel bewijs, en mag ik u eraan helpen herinneren dat mijn cliënt hier uit vrije wil is? Als u zo doorgaat, stapt hij op.'

'U heeft haar vermoord, hè?' drong Tartaglia aan, die Mallinson negeerde.

Mallinson legde een hand op Tenisons mouw. 'Ze hebben niets, Patrick. Ze vissen maar wat.'

Tenison schudde zijn hoofd. 'Dank je, Geoffrey. Uw fantasie neemt een loopje met u, rechercheur.'

'Echt? Ik vraag me af wat de pers ervan vindt. De roddelpers, zoals u het noemt. Zoals u al zei zijn ze daar gewend aan kwesties die lekker duidelijk en sensationeel zijn, vooral als er politici bij betrokken zijn.'

'O, dus nu moet ik terechtstaan voor de pers?'

Hoewel Tenison zijn best deed kalm over te komen, had Tartaglia, toen de pers was genoemd, een fractie van een seconde een flikkering van angst op Tenisons gezicht gezien. Het bevestigde nogmaals wat hij al vermoedde: Tenison had iets te verbergen. Hij moest erop door blijven gaan. Het was zijn enige pressiemiddel.

'Als u ons niet wilt helpen, meneer Tenison. Nou...' Hij opende zijn handen.

'Dat is chantage.'

'Helemaal niet. U liegt tegen ons over een eenvoudig dinertje. We komen erachter dat u de laatste bent die mevrouw Tenison in leven heeft gezien, op degene met wie ze naar bed is geweest en die haar heeft vermoord na. De eenvoudigste verklaring is dat u alle drie bent.'

'Zo is het genoeg, rechercheur,' wierp Mallinson tegen. 'Mijn cliënt heeft u verteld waarom hij het niet eerder heeft gezegd. Dat maakt hem niet schuldig.'

Tartaglia bleef Tenison aankijken. 'Wie weet wat er tussen twee mensen gebeurt die intiem lijken, wat de echte dynamiek is? In tegenstelling tot wat u zegt heb ik helemaal niet zo veel verbeeldingskracht nodig om u als haar minnaar of moordenaar te zien.'

Tenison keek weg en schudde zijn hoofd alsof het allemaal te belachelijk voor woorden was.

Tartaglia wist eigenlijk niet wat hij dacht, maar als Tenison zijn zus had vermoord, verklaarde dat het gedicht niet, laat staan het verband met de zaak-Watson.

Mallinson schraapte zijn keel. 'Dit gaat elke verbeeldingskracht te boven, rechercheur, en dat weet u ook. Als u verder niets constructiefs heeft te zeggen, raad ik mijn cliënt aan te vertrekken.'

'Uw cliënt heeft tegen ons gelogen, meneer Mallinson. Daarom trekken we alles wat hij tegen ons heeft gezegd in twijfel. We weten dat ze ruzie hebben gehad. Misschien ging die wel over meer dan de affaire van meneer Tenison. Misschien was hij de volgende dag nog wel kwaad op haar. Is hij haar naar het park gevolgd en wilde ze nog steeds niet praten. Was hij ondertussen enorm gefrustreerd geraakt. Kregen ze nog een keer ruzie en heeft hij haar gewurgd. Dan is er minstens sprake van doodslag.'

Tenison duwde zijn stoel piepend naar achteren en stond op. Zijn gezicht was verwrongen van woede. 'U verdoet mijn tijd. U heeft geen enkele bewijslast en ik ga naar huis. Het enige wat ik kan zeggen is dat ik van mijn zus hield en dat ik haar niet heb omgebracht.' Hij draaide zich om en wilde de kamer uit lopen.

'Wat probeert u dan te verbergen?' riep Tartaglia achter hem aan. 'We komen er vroeg of laat toch wel achter, hoor, en de pers ook. Het is verbijsterend te zien hoe dergelijke kwesties uitlekken. Is dat echt wat u wilt?'

Tenison bleef bij de deur plotseling staan en keek over zijn schouder.

'Mijn cliënt heeft niets misdaan,' herhaalde Mallinson.

'Waarom liegt hij dan?'

'Kom alsjeblieft even terug, Patrick.' Mallinson klopte op de stoel naast zich. 'Ik weet zeker dat we dit goedschiks kunnen oplossen.'

'Het enige wat ik wil is de waarheid,' zei Tartaglia zacht.

'Ik vertel verdomme de waarheid,' schreeuwde Tenison met een rood gezicht. 'Ik heb haar niet vermoord.'

'Goed, meneer Tenison. Maar ga dan alstublieft nog even zitten, dan kunnen we dit oplossen.'

Tenison staarde hem even aan en haalde zijn schouders op. Hij kwam terug naar de tafel en ging onwillig zitten, met zijn armen strak over elkaar.

'Oké. Dan gaan we even terug naar uw alibi. Nogmaals: waar was u tussen zeven en acht de volgende ochtend?'

'Voor de zoveelste keer: in mijn flat.'

'Hoe laat bent u de volgende ochtend de deur uitgegaan?'

'Om een uur of acht. Ik ben op station Waterloo op de trein naar mijn kiesdistrict gestapt.'

'Hoe lang is dat rijden, drie kwartier?'

Tenison knikte.

'Maar uw assistente zegt dat u er om een uur of elf was en dat u van tevoren had gebeld om uw eerste afspraken af te zeggen. Waarom was u te laat?'

Tenison tandenknarste. 'Is dat zo? Daar kan ik me niets van herinneren.'

'Luister, we kunnen zo op de beveiligingscamera's nakijken hoe laat u op Waterloo was. Als ik het zo hoor, had u meer dan genoeg tijd om mevrouw Tenison om te brengen. En als u het niet heeft gedaan, raad ik u aan met een overtuigende reden te komen die verklaart waarom u te laat was.'

'Ik heb me verslapen en er waren geen taxi's, nou goed?'

'Niet goed genoeg.'

Mallinson hamerde met zijn knokkels op tafel. 'Kom, kom, rechercheur. Heeft u enig bewijs dat mijn cliënt met de plaats delict verbindt?'

Tartaglia wendde zich tot Mallinson. 'Ik wil weten waar hij was, en dat vertelt hij me nu, tussen deze vier muren, of ik laat de pers het verder regelen. De keus is aan hem.'

Mallinson begon iets te zeggen, maar Tenison wuifde hem vermoeid weg. 'Oké, oké. Ik zal zeggen waar ik was, ook al gaat het u niets aan. Ik heb een alibi voor die nacht en de volgende ochtend. Maar voordat ik verder ga wil ik uw woord dat het niet in de krant komt.'

'Zeg nou maar gewoon waar u was,' zei Tartaglia vasthoudend. Hij was na zijn leugens helemaal niet van plan Tenison tegemoet te komen.

Tenison was even stil en Tartaglia wachtte terwijl de man zijn innerlijke conflict uitvocht. Toen schraapte Tenison zijn keel. 'Ik heb de nacht bij een vriendin doorgebracht.'

'We hebben haar naam nodig.'

Hij legde zijn handen plat op tafel voor zich en leunde naar Tartaglia toe. 'Luister, rechercheur,' zei hij met een hese fluisterstem. 'U moet begrijpen dat ik in een hachelijke situatie zit, wat mijn carrière betreft. En mijn vrouw weet van niets. Ik kan me niet veroorloven dat het bekend wordt. Kunt u me beloven dat onze namen niet in de krant komen?'

'Dat had u van tevoren moeten bedenken. Haar naam, meneer Tenison.'

Tenison aarzelde nogmaals, alsof hij nog moest beslissen of hij wel of niet zou meewerken.

'Haar naam.'

Tenison zuchtte. 'Ik hoop in vredesnaam maar niet dat dit bekend wordt. Ik was bij Liz Volpe. Rachels vriendin. Die ruzie tussen Rachel en mij ging over haar.'

26

'Het is waar,' zei Liz. 'Patrick heeft bij mij in de flat van mijn broer geslapen die nacht.'

'Waarom heb je dat niet eerder verteld?' vroeg Tartaglia.

'Omdat Patrick zei dat ik mijn mond moest houden.' Liz keek hem kinderlijk onschuldig aan, alsof het zo eenvoudig kon zijn.

Ze zaten in een andere ruimte in de gang waar Patrick Tenison was ondervraagd. Liz was uit bed gehaald en met een wit gezicht en dikke ogen van de slaap meegenomen naar bureau Belgravia. Ze droeg een spijkerbroek, een oud T-shirt en een veel te ruime zwarte trui, die ze als een sjaal om zichzelf heen had geslagen. Ze had zich duidelijk gehaast aangekleed en lukraak iets gepakt om aan te trekken.

'Doe je altijd wat een ander tegen je zegt?'

Liz keek weg en haalde haar schouders op. 'Natuurlijk niet. Maar het leek me eerlijk gezegd de weg van de minste weerstand.'

'Dus heb je voor hem gelogen.' Hij deed zijn best te begrijpen wat ze in Patrick Tenison zag en waarom ze zou toestaan dat hij die macht over haar had. Ze kwam zo onafhankelijk over, met haar hoofd stevig op haar schouders, en ze leek al helemaal niet het soort vrouw dat onder de indruk is van status of macht.

Ze fronste haar wenkbrauwen. 'En voor mezelf. Je moet Patrick niet overal de schuld van geven. Ik was gewoon praktisch. Ik zoek werk en het laatste wat ik kan gebruiken is mijn naam overal in de krant.' Ze aarzelde en staarde naar haar handen, die losjes in elkaar op tafel voor haar lagen. 'Ik probeer het niet te bagatelliseren, echt niet. Ik hou niet van liegen en vond het nog onaangenamer om het te doen omdat Patrick het vroeg. Maar hij heeft gelijk. De kranten zijn dol op een lekkere sappige roddel, vooral als er iemand dood is. En ik heb niets verkeerd gedaan. We hebben allebei niets met de moord op Rachel te maken.'

Ze keek naar hem op en staarde hem zo direct aan dat hij haar geloofde. Hij begreep ook wel dat ze bang was voor de reactie van de pers, hoewel hij zich erop betrapte dat hij veel minder begrip had voor Tenison.

'Je had het eerder moeten zeggen.'

'En het risico lopen dat het bekend wordt?' Ze schudde haar hoofd. 'Voor je onderzoek maakt het niets uit, toch? Je weet nog steeds niet met wie Rachel die nacht naar bed is geweest. Je weet nog steeds niet wie haar heeft vermoord.' Haar toon was bijna verwijtend, alsof ze probeerde de schuld af te schuiven.

'Daar gaat het niet om,' zei Tartaglia scherp. 'Ik neem aan dat je weet dat Rachel en haar broer ruzie hebben gehad in dat restaurant?'

'Ja. Over mij. Niemand heeft het me in die woorden verteld, maar volgens mij heeft Rachel tegen hem gezegd dat hij er een eind aan moest maken met mij. Ze was bang dat hij op het punt stond bij Emma weg te gaan.'

'Is dat zo?'

Liz trok de trui nog strakker om zich heen, alsof die haar troost gaf. 'In het begin had hij het er wel over. Je weet wel, zoals je het hebt over een leuk, vaag plan voor de toekomst. Ik geloofde hem niet echt, hoewel het wel een tijdje fijn was om erin mee te gaan. Ik heb altijd gedacht dat hij, als hij voor de keuze zou worden gesteld, bij Emma zou blijven. Hij is niet echt dapper.'

'Maar Rachel dacht dat hij er met jou vandoor zou gaan?'

'Ja. Het liep uit op een confrontatie en ik neem aan dat ze dacht dat hij een ondoordachte beslissing zou nemen. Ze had een beetje een blinde vlek waar het Patrick betrof en was ervan overtuigd dat ik hem aan het lijntje hield.'

'En dat is niet zo?'

Liz schudde haar hoofd. 'Ik zou nooit met Patrick willen trouwen, ook niet als hij vrij zou zijn. Hij zou een gruwelijke echtgenoot zijn, en je moet flink kunnen incasseren als je met een politicus bent getrouwd, of in ieder geval in staat zijn hen en hun behoeften altijd op de eerste plaats te stellen. Dat is niets voor mij, tenminste niet waar het mannen betreft.'

Hij knikte langzaam en vroeg zich af met wat voor man ze zichzelf wél zag, of dat ze zo iemand was die heel tevreden vrijgezel bleef. 'Waarom was mevrouw Tenison er zo op tegen dat jullie een relatie hadden?'

'Ze zag me als bedreiging.'

'Als bedreiging?'

'Je hebt ondertussen toch wel begrepen hoe ze echt was?' Ze keek hem bijna plagerig aan, halflachend. 'Zoals Shakespeare al zei: "Schoonheid is een heks". En er waren heel wat mensen die verstrikt waren in haar betovering, hoewel ze geen idee hadden hoe ze echt was. Zelfs jij was best gefascineerd, toch?'

Ze glimlachte nog steeds en hij voelde zich ineens een enorme sukkel. 'Misschien wel geïntrigeerd, maar ik heb haar nooit gekend,' zei hij in een poging er luchtig over te doen, hoewel hij zich ondertussen afvroeg hoeveel ze had geraden. Wat was hij toch een eikel.

'Nee, jij hebt haar nooit gekend. Hoe dan ook, Rachel vond dat Patrick helemaal van haar was en van niemand anders. Ik ben de enige die haar alleenrecht ooit heeft bedreigd.'

'Maar hij is getrouwd.'

'Dat maakte niet uit. Rachel wist dat ze wat Patrick betreft altijd op de eerste plaats zou komen. Hij verafgoodde haar.

Hij zou alles voor haar doen. De aardige, verstandige, nuchtere, rustige Emma heeft nooit naar binnen mogen kijken, hoewel ze de perfecte echtgenote voor hem is, als die sufferd dat tenminste ook zou inzien. Toen Rachel erachter kwam dat we wat hadden... Ik kan me wel voorstellen hoe ze zich moet hebben gevoeld.'

'Je zei dat ze iemand had afgepakt van wie je hield,' zei hij, en hij dacht terug aan hun gesprek van eerder die avond. 'Bedoelde je Patrick Tenison?'

Ze knikte. 'Ze heeft ervoor gezorgd dat alles wat we samen hadden werd vergiftigd.' Er ging een flits van pijn over haar gezicht. Ze sloeg haar armen over elkaar en wendde zich af, concentreerde haar blik op een hoek van de ruimte.

'Wat is er gebeurd?'

'Ik heb je toch verteld over die keer dat we een paar maanden geleden uit eten zijn geweest?'

'Ja, dat weet ik nog.'

'Nou, dat is allemaal waar,' zei ze emotieloos. 'We zijn na het eten nog teruggegaan naar haar flat voor een borrel. Ze wilde per se dat ik meeging. Het lukte haar het gesprek zo te manipuleren dat ze kon zeggen dat ze iets heel stoms had gedaan. Iets waar ze vreselijk spijt van had en waar ze zich heel schuldig om voelde. Ze wilde niet zeggen wat, maar ik werd natuurlijk nieuwsgierig. Toen ging de telefoon. Nu ik erop terugkijk, denk ik dat ze het zo had geregeld dat hij zou bellen. Ze nam op en liep met de telefoon naar de gang, alsof het een privégesprek was. Toen ze terugkwam, glinsterden haar ogen, en ze glimlachte. Ze vertelde dat het Patrick was. Ze zei dat ze de avond ervoor met elkaar naar bed waren geweest en dat hij eraankwam. Ze zei dat ze dacht dat ze verliefd op hem was.'

Tartaglia staarde haar verbijsterd aan. 'Wist ze...'

Ze keek hem recht aan. 'Van mij en Patrick, bedoel je? Natuurlijk, hoewel ik daar toen niet van op de hoogte was. Patrick had zich versproken, de sufneus.'

'En je geloofde haar?' vroeg hij, en hij dacht aan de zwart-witfoto van Rachel Tenison, die nu boven zijn bureau op Barnes hing. *Haar ogen, zo koud als juwelen / verzachten heel even; een kreet / De armen zo zwaar, ze bevelen / haar lippen, zo rood en zo wreed...* Onder alle oppervlakkige lieftalligheid was ze rot tot in de kern. Hij voelde zich gek genoeg enorm gedesillusioneerd, zelfs een beetje verraden, hoewel hij haar nooit had gekend. Hij dacht terug aan hoe hij haar voor het eerst had gezien, knielend in de sneeuw, met gebogen hoofd en ineengestrengelde handen, en hij zag haar nu voor zich als iemand die werd gestraft. Straf. Misschien was dat waar het allemaal om draaide. Maar als Liz de waarheid sprak hadden zij en Patrick Tenison allebei een alibi.

Liz staarde hem met grote, waterige blauwe ogen aan. 'Ja. Ik hoefde er niet met Patrick over te praten. Ik wist dat ze zoiets nooit zou verzinnen.'

'Waarom ben je in godsnaam bevriend met haar gebleven? Nu je wist hoe ze echt was.'

Ze haalde haar schouders op. 'We zijn min of meer samen opgegroeid en hebben heel veel gezamenlijke goede herinneringen. De spanningen en verschillen tussen ons begonnen op te vallen naarmate we ouder werden, maar die heb ik losgelaten. Ik heb geprobeerd er niet moeilijk over te doen. Ze heeft toen we samen studeerden een keer net zoiets gedaan, mijn toenmalige vriendje verleid. Ik had toen een einde aan onze vriendschap moeten maken. Maar misschien ben ik zwak, zoals iedereen om haar heen, of gewoon zo stom en sentimenteel over het verleden dat ik haar duistere kant niet wilde zien. Slaat dat ergens op?'

Hij knikte. Sommige dingen waren onmogelijk onder woorden te brengen, en vriendschap, vooral als die al heel lang bestond, ging vaak tegen alle logica in.

'Ik denk dat iedereen toegeeflijk naar haar was,' ging Liz verder, 'vanwege haar verleden. Ze was beschadigd.'

'Beschadigd, ja. Dat begin ik nu ook in te zien.' Hij dacht even aan Viktor Denisenko, en aan de man die rozen had achtergelaten in het park. Rachel: lieftallig en beschadigd. Dat was een sterke cocktail, en hij was ineens blij dat hij haar nooit had gekend. Wie weet wat er zou zijn gebeurd, en of hij er geestelijk gezond uit zou zijn gekomen.

'Wat heb je daarna gedaan?' vroeg hij na een korte stilte.

'Ik had zin om haar te slaan, haar in elkaar te rossen, dat om te beginnen. Maar het is me gelukt mezelf in bedwang te houden. Ik gunde haar de bevrediging niet te zien hoeveel pijn ze me had gedaan. Dus ben ik weggegaan. Dat was het enige wat ik kon, tot ik op straat stond en moest overgeven. Ik zal wel in shock zijn geweest. Mijn armen en benen voelden als elastiek. Ik heb een tijdje in mijn auto zitten huilen, erover nagedacht. Ik was verbijsterd hoe diep mijn haat voor haar ging. Ik was niet in staat om naar huis te rijden. Ik weet nog dat ik me op een gegeven moment afvroeg of ze had gelogen, om een reactie bij me te ontlokken. Toen zag ik hem...' Haar stem ebde weg.

'Heb je met hem gepraat?'

Liz knikte. 'Ik heb naar hem getoeterd. Hij leek geschokt me daar te zien. Patrick wist meteen dat Rachel het had verteld. Hij kwam naar me toe. Ik heb het raampje opengedaan en ben tegen hem tekeergegaan, heb hem verteld wat ik van hem dacht en toen ben ik weggereden voor hij iets kon terugzeggen. Ik wilde zijn excuses niet horen. Er was niets wat het beter zou kunnen maken. Hij is me naar de flat van mijn broer gevolgd, maar ik heb hem niet binnengelaten. De volgende dag lag er een briefje. Hij probeerde het uit te leggen, zei dat het niets had betekend en dat hij van mij hield. Maar daar was het veel te laat voor. Ik wist dat Rachel altijd in staat zou zijn onder zijn huid te kruipen, vanwege wat hij met haar had gedaan, en dat ze hem ervoor zou laten boeten. En dat ze míj via hem zou laten boeten. Het zou nooit ophouden. En ik denk dat het uiteindelijk tot me doordrong dat die man geen ruggengraat heeft.'

'Komt het wel goed met je?' vroeg Tartaglia. Hij wilde een gebaar maken, maar wist niet wat hij moest zeggen of doen.

Liz zuchtte en wreef met haar handen over haar gezicht. 'Ja.

Ik heb genoeg tijd gehad om erover na te denken. Het doet nog steeds pijn als ik hen samen voor me zie, maar ik kom er heus wel overheen. Op dit moment heeft mijn emotionele reserve het nulpunt bereikt, en ik voel me als verdoofd. Als je zou zeggen dat ik morgen doodga, zou het me waarschijnlijk niets kunnen schelen.'

'Maar je was wel verliefd op hem?' vroeg Tartaglia aarzelend; hij begreep nog steeds niet wat Liz zo aantrekkelijk had gevonden aan Tenison. Toen begon het ineens te dagen. Ze had hem eerder verteld dat Rachel haar iets kostbaars had afgenomen, maar het was andersom. Liz had iets gepakt wat belangrijk was voor Rachel, waarschijnlijk het belangrijkste wat ze in haar leven had. Het was, bewust of onbewust, een manier om wraak te nemen op Rachel, en als ze daarvan had genoten was het niet aan hem om haar dat te verwijten.

Liz fronste haar wenkbrauwen. 'Zit me niet zo te veroordelen.'

'Dat deed ik niet.'

'Hoe gek dat nu ook klinkt, er is absoluut een tijd geweest dat ik dacht dat ik verliefd op Patrick was. Misschien dat we er eerder mee hadden moeten stoppen, maar zoiets kun je niet plannen, toch?'

'Maar waarom is hij die avond naar je toe gekomen?'

Ze glimlachte zwakjes naar hem. 'Zoals zo veel mannen nam hij geen genoegen met afwijzing. Hij voelde zich natuurlijk vreselijk schuldig om wat hij had gedaan, maar ik was ineens een uitdaging, iets wat hij moest terugwinnen. Hij had flink gedronken die avond. Rachel had vreselijke, gruwelijke dingen tegen hem gezegd. Ik denk dat hij gewoon steun zocht, en dat hij hoopte dat ik hem weer in mijn bed zou laten.'

Hij keek haar vragend aan.

'Geen haar op mijn hoofd,' zei ze nadrukkelijk. 'Ik heb hem naar de kamer van mijn broer gestuurd.'

'Dus hij heeft niet bij jou geslapen?'

'Niet bij mij in bed, nee.'
'Weet je heel zeker dat hij niet weg is geweest?'
'Ja. Zoals je je wel kunt voorstellen heb ik momenteel nogal veel aan mijn hoofd en ik slaap vreselijk slecht. Die nacht ook. Ik ben twee keer opgestaan, om een uur of vier en een uur of zes. Ik heb beide keren theegezet in de keuken en even in zijn kamer gekeken. Hij lag diep te slapen.'
'Wanneer heb je hem wakker gezien?'
'Hij is de volgende ochtend naar mijn kamer gekomen. Mijn wekker was net gegaan, dus het moet iets voor achten zijn geweest. Hij was nog niet aangekleed.'
'Hij kan naar het park zijn geweest zonder dat jij het wist.'
Ze keek hem verbijsterd aan. 'Wat, dat hij Rachel heeft omgebracht en koel als een kikker is teruggekomen naar de flat? Dat lijkt me niet. Zo onverschrokken is hij niet. Hij hield echt van Rachel.'
'Sommige mensen vermoorden degene van wie ze het meest houden.'
'Waarom? Wat heeft hij dan voor motief? Ik heb echt nog nooit ook maar een moment gedacht dat hij in staat zou zijn haar te vermoorden. Als ik dat idee had gehad, had ik het je meteen verteld.'
'Misschien vergis je je in hem.'
Ze schudde gedecideerd haar hoofd en sloeg haar armen over elkaar. 'Nee. Als hij haar had vermoord en was teruggekomen naar de flat om te veinzen dat hij er de hele nacht was gebleven, zou het hem niet zijn gelukt dat te verbergen. Ik zou het hebben geweten als er echt iets mis was geweest.'
'Is je helemaal niets vreemds opgevallen aan zijn gedrag?'
'Echt niet. Hij was volkomen gezond en normaal, ook al had hij een flinke kater. Hij heeft zelfs geprobeerd me over te halen tot seks. Ik kan me echt niet voorstellen dat hij eerst Rachel zou vermoorden en dan lekker een potje zou willen neuken, jij wel? Wat je ook van hem denkt, zo koelbloedig is hij niet.'
Tartaglia glimlachte. Libido was een grappig, eigenzinnig ding

met een heel eigen wil, maar je zou wel een heel harde psychopaat moeten zijn om een moord te plegen en geen enkele emotionele reactie te tonen, vooral bij iemand die je goed kent.

'Wat ga je nu doen?' vroeg hij.

'Ik ga niet naar hem terug, als je dat bedoelt. Ik denk dat ik nog een tijdje naar de VS ga. Ik moet wat afstand nemen van wat er hier allemaal is gebeurd.'

Hij knikte, begreep wel hoe ze zich moest voelen. 'Nou, bedankt voor je eerlijkheid.' Hij voelde de neiging er 'eindelijk' aan toe te voegen, maar dat voelde als een stoot onder de gordel. 'Misschien kunnen we die borrel nog een keer goed afsluiten, voordat je vertrekt. Ik vond het echt jammer dat we werden onderbroken.'

Ze liet haar hoofd een kant op zakken, alsof ze niet had verwacht dat hij dat zou zeggen, en glimlachte. 'Dat lijkt me ontzettend leuk.'

'Mooi. Ik bel je wel. Dan denk ik dat we voor nu klaar zijn.' Hij maakte net aanstalten op te staan toen hij Liz zag aarzelen. 'Wilde je nog iets zeggen?'

Liz knikte langzaam. 'Ja, eigenlijk wel. Misschien ben ik gewoon wantrouwig... En ik denk niet dat hij Rachel heeft vermoord...'

'Bedoel je Patrick Tenison?'

'Nee.' Liz beet op haar onderlip, alsof ze voor haar beurt had gesproken.

'Zeg het maar. Ik moet echt alles weten, al is het maar een gevoel.'

Liz zuchtte diep. 'Ik denk niet dat hij iets met haar moord heeft te maken. Dat weet ik zeker. Maar ik denk dat Jonathan...'

'Jonathan Bourne?'

Ze liet haar hoofd zakken.

'Ga verder.'

'Ik kan het niet bewijzen, maar ik weet vrij zeker dat hij die avond met haar naar bed is geweest.'

27

Tartaglia zat maandagochtend laat aan zijn bureau wat papierwerk in te halen. Gary Jones was nog op vakantie en Turner was op pad, dus hij had het kamertje met het lage plafond voor zichzelf en genoot van de relatieve rust. Maar hoe hij ook zijn best deed door de papierwinkel heen te ploegen, zijn geest bleef maar naar de zaak-Holland Park gaan, in de hoop dat er ergens een straaltje licht doorheen zou breken.

Ze hadden Jonathan Bourne naar aanleiding van het vermoeden van Liz Volpe en de twee glazen in de flat van Rachel Tenison met dezelfde vingerafdruk erop zondagochtend vroeg uit zijn bed gebeld en hem hard ondervraagd. Hij had uiteindelijk toegegeven dat hij de avond voordat Rachel Tenison was vermoord was teruggegaan naar haar flat en met haar naar bed was geweest. Het verklaarde waarom ze hem om een uur of elf die avond had gebeld, toen ze hem, volgens Bourne, had gevraagd te komen. Het verklaarde ook waarom er twee glazen met dezelfde afdrukken waren. Maar hoeveel druk ze ook uitoefenden, hij hield voet bij stuk: hij had de volgende ochtend om een uur of vijf haar flat verlaten en was naar huis gegaan. Hij ontkende bij hoog en bij laag dat hij haar had vermoord. Hij had geen alibi, maar net als Patrick Tenison was er geen verklaring voor het verband met de zaak-Catherine Watson, áls hij haar had omgebracht.

Er was ondertussen opnieuw met Broadbent gepraat, maar dat had niets nieuws of interessants opgeleverd. Hoewel op alle mogelijke manieren was geprobeerd hem vriendelijk te bejegenen en hem was duidelijk gemaakt dat hij echt geen verdachte was, kon hij zich, een jaar na dato, niet herinneren dat hij Catherine Watson weleens met een andere man had gezien. Wat ze ook probeerden, elke aanwijzing leek dood te lopen; niets werkte mee.

Tartaglia keek naar de foto van Rachel die boven zijn bureau hing, en toen naar de foto die ernaast hing, van Catherine Watson. Ze leken in alles zo verschillend, de een tot het einde toe uitgebuit door mannen, de ander degene die hen uitbuitte. Wat konden ze in vredesnaam gemeen hebben?

Hij voelde zich suf doordat hij de hele ochtend binnen had gezeten, stond op en strekte zich uit, rekte zijn schouders en nek om de stijfheid te verdrijven. Zijn oog viel op de drie bekers half leeggedronken koffie, die in een kluitje op zijn bureau stonden, een voor elk uur dat hij er had gezeten. Hij besloot dan maar even de benen te strekken en liep met de mokken de gang door naar het keukentje. Het was een kleine, raamloze ruimte, ooit als opslag gebruikt, en hoewel hij over het algemeen schoon en netjes werd gehouden rook het er altijd bedompt. Hij kwam er zo min mogelijk, maar behalve naar een koffiebar in de buurt lopen was er geen alternatief.

Hij zette de mokken in de vaatwasser, klikte bijna zonder nadenken de waterkoker aan en schepte een lepel oploskoffie in een schone mok uit de kast. Terwijl hij stond te wachten tot het water ging koken vroeg hij zich af of hij niet toch even ergens een verse cappuccino zou gaan halen. Hij was opgegroeid met goede Italiaanse koffie en zijn smaakpapillen hadden nooit kunnen wennen aan oploskoffie, maar er lag nog heel veel werk op hem te wachten, dus hij moest het er maar even mee doen.

Toen de waterkoker uitklikte stak Dave Wightman zijn hoofd om de deur.

'Ik ben er klaar voor, meneer,' zei hij opgewekt. 'Zal ik hem in uw kamer zetten?'

Wightman zag er buitengewoon fris uit voor iemand die nauwelijks had geslapen. Het was hem gelukt om de oorspronkelijke kopieën van de harde schijf van Broadbents volledige fotoverzameling uit de tijd van Giffords onderzoek in de opslag terug te vinden. Het waren duizenden JPEG-bestanden, tot meer dan een jaar terug, toen Watson was vermoord. Wightman had alles op een laptop gezet en was een groot deel van de afgelopen vierentwintig uur bezig geweest de foto's op chronologische volgorde te zetten.

'Zet maar op Gary's bureau,' zei Tartaglia terwijl hij zijn mok met heet water vulde. 'Ik kom eraan.'

Wightman verdween en Tartaglia gooide nog een schep koffie in de mok, gevolgd door een paar druppels melk. Hij liep tevreden over de kleur terug de gang door naar zijn kantoor, waar Wightman ondertussen aan Jones' lege bureau naast het raam zat, met de laptop opengeklapt voor zich.

'Zijn ze allemaal door Broadbent genomen?' voeg Tartaglia.

'Ja. Er zitten een paar slechte tussen die met een mobieltje zijn gemaakt, maar hij heeft de meeste met twee verschillende camera's geschoten, een professionele Nikon met een telelens, en een Canon Ixus 55.'

'Wat is dat?'

'Een kleine zakcamera. Je kunt er veel minder mee inzoomen dan met de Nikon, maar hij is een stuk discreter en lichter. Ik heb alles van na de moord op Watson erafgehaald en verder staat alles in mappen op datum.'

'Waar zit ik naar te kijken?' vroeg Tartaglia, die niets herkenbaars kon identificeren.

'Ik blaas het beeld zo nog voor u op. Naar welke datum wilt u kijken?'

'Begin maar met zo dicht mogelijk op de moord op Catherine Watson en van daar terug in de tijd.'

'Prima.' Wightman scrolde naar de bovenkant van het scherm. De mappen stonden aan de linkerkant en toen hij er een opende, verscheen er een serie foto's in beeld. 'Deze zijn van de dag dat Watson is gestorven,' zei hij. 'De eerste zijn in Oxford Street geschoten. Aan de tijden op de afbeeldingen te zien heeft hij er een paar uur gestaan. Daarna heeft hij een serie in een bus gemaakt, dan een in een andere straat, ergens in een buitenwijk, hoewel ik nergens een postcode of straatnaam heb gezien.'

Hij klikte op de foto linksboven en vergrootte die, waarop een drukke stoep was te zien, met in jassen en sjaals ingepakte mensen met boodschappentassen. Sommigen liepen, anderen stonden in een grote, duur uitziende etalage te staren. Het was een heldere, zonnige winterdag en de beeldkwaliteit was goed. Tartaglia bekeek snel alle mensen, maar herkende niemand.

'Dit is bij Selfridge's,' zei Wightman, die een schijnbaar eindeloze serie gelijksoortige foto's doorklikte. 'Hierna komen John Lewis en Top Shop.'

Toen Tartaglia beter keek, zag hij dat de camera de voortgang van een leuk uitziende vrouw met schouderlang krullend haar volgde. Ze was in gezelschap van een andere vrouw, die kleiner en dikker was, met in laagjes geknipt gehighlight blond haar. Ze liepen samen over straat, kletsten en keken in de etalages. Een heel gewone zaterdag, ware het niet dat ze werden gevolgd en gefotografeerd.

'Zijn er veel van dit soort series?' vroeg Tartaglia, en hij wees naar de laptop.

'Ja. Voor zover ik het kan inschatten is deze vrij representatief. Hij gaat over het algemeen op zaterdag met de camera op stap. Dat lijkt de dag dat hij uitgaat. Hij heeft alleen al die dag meer dan driehonderd foto's gemaakt.'

'En hoeveel zijn er van die bepaalde vrouw?'

'Minstens vijftig. Het houdt pas op als zij en haar vriendin op Bond Street het metrostation in lopen. Daarna volgt hij een andere vrouw, en daarna nog een. Het lijkt allemaal heel lukraak, hoewel ze wel iets van elkaar weg hebben.'

'Ze lijken allemaal op Catherine Watson, bedoel je. Hij valt duidelijk voor een bepaald type. Zijn de andere foto's ook zo?' vroeg hij, en hij dacht terug aan wat Turner had gezegd: dat het bijna allemaal kiekjes waren van onbekende vrouwen die over straat lopen, en hij vroeg zich af of het weggegooide tijd was ernaar te kijken.

'Min of meer, hoewel hij ook wat met architectuur heeft, voornamelijk kerken. Sommige foto's zijn heel artistiek. En hij houdt van scholen.'

'Van scholen?'

'Nooit met kinderen. Alleen de panden. En de vrouwen.'

'Wat raar.'

'Ze komen in alle soorten en maten, meneer,' zei Wightman op een toon alsof hij alles al had meegemaakt in zijn korte leven. Hij klikte een map open van een eerdere datum.

'Zit er een patroon in? Ik meen me te herinneren dat hij een parttimebaantje had?'

'Ja. Op zaterdag en zondag maakt hij de meeste foto's, gevolgd door maandag en donderdag. Ik neem aan dat hij de andere drie dagen werkt. Ik vermoed dat hij die kleine Canon altijd bij zich heeft.'

Wightman klikte langzaam door het bestand, beeld voor beeld. Vrijwel alle foto's van die zaterdag waren van vrouwen, van wie zich er niet één bewust was dat ze werd gefotografeerd. Zoals Turner al had gezegd, zat er geen illegale opname tussen en hintte niets naar een meer duistere, gewelddadige inborst, maar al met al was het toch wel redelijk bizar. Tartaglia vroeg zich af wat voor excentrieke geest bevrediging vond in een dergelijke hobby.

'Oké. Dat was de hele zaterdag,' zei Wightman nadat ze alle foto's hadden gezien. 'De rest is van de donderdag voordat Catherine Watson is gestorven.' Hij keek in zijn aantekeningen. 'Ja. Ergens bij Finchley Road, aan de postcode te zien in de buurt vanwaar Broadbent woonde.'

Er volgde een serie foto's van een drukke weg met aan één kant ervan groente- en fruitkraampjes. Er passeerden auto's en bussen, er liepen heel veel mensen over de stoep, en het was er zoals zo veel doorgaande wegen buiten het centrum met de halalslagers, fastfoodketens en eindeloos veel goedkope kledingwinkels. Behalve de achterkant van een heleboel mensenhoofden was het niet duidelijk wat Broadbent fotografeerde. Het begon Tartaglia al te duizelen en hij vroeg zich af hoeveel hij nog zou aankunnen toen hij een bekend gezicht zag.

'Dat is haar, dat is Catherine Watson,' zei hij, en hij stond bijna op uit zijn stoel. De foto was van het raam van een café, met een vrouw erachter. Hij herkende haar ondanks het feit dat ze half werd afgeschermd door mensen die voor de camera langsliepen. Zo te zien had Broadbent hem met zijn telelens van de andere kant van de straat genomen. Er stond een kopje op tafel voor haar en ze had haar hoofd gedraaid om door het raam op straat te kijken. 'Zitten er nog meer van haar in deze serie?' vroeg hij ongeduldig.

Wightman klikte vooruit en ze zagen haar nu en profil, met haar kin op haar hand terwijl ze voor zich uit keek. Hij zag meteen aan haar lichaamstaal dat ze tegenover iemand zat.

'Kun je die uitvergroten? Ze is niet alleen.'

'Ja hoor. Ogenblikje.'

Wightman klikte op een paar knoppen en zoomde in op de tafel. Tartaglia zag met moeite het profiel van een gezicht met schaduw.

'Het licht reflecteert tegen het raam en ik kan hier goed naar binnen kijken. Ga eens verder, misschien is het op een andere beter te zien.'

Wightman klikte verder tot hij er uiteindelijk een paar tegenkwam die uit een andere hoek waren genomen. Misschien had iemand Broadbent weggestuurd, of had hij geen uitzicht meer gehad.

'Kijk, daar.' Tartaglia wees naar het scherm. Watson was weg, maar er zat wel iemand aan de andere kant van het tafeltje. 'Kun je dat vergroten?'

Hij keek toe hoe Wightman het beeld uitvergrootte en inzoomde op een kakikleurige mouw en een paar mannenhanden om een mok. Wightman probeerde de volgende foto, en de volgende, tot een driehoek van een gezicht en blond haar zichtbaar waren van degene die naar voren geleund uit zijn mok zat te nippen.

'Zou dat Michael Jennings zijn?' vroeg Tartaglia zich hardop af. Hij dacht terug aan de foto van het hoofd en de schouders die hij van Jennings in het dossier had gezien en probeerde zijn opwinding in te tomen. 'Kun je die nog verder uitvergroten om een beter beeld te krijgen?'

Wightman deed wat met zijn toetsenbord en muis tot het beeld langzaamaan duidelijker werd.

'Ik weet zeker dat het Jennings is,' zei Tartaglia. 'Ga eens terug naar het begin van de serie. Ik wil hem helemaal zien.'

De eerste twintig foto's waren van Catherine Watson die over straat liep. Nu ze wisten waarnaar ze zochten, herkenden ze haar in de menigte. Ze had een lange beige regenjas aan en droeg een grote leren tas en een paraplu. De camera volgde haar over straat, legde haar vast terwijl ze het café binnen liep en ging zitten.

'Is Jennings er al?'

'Dat kan ik niet zien,' zei Wightman terwijl hij verder klikte.

'Hij moet zijn binnengekomen voordat zij er was,' zei Tartaglia nadrukkelijk. 'Kijk die eens. Hoewel hij niet in beeld is zie je aan de hoek van haar gezicht dat ze terwijl ze gaat zitten naar iemand tegenover zich kijkt. En ze glimlacht.'

'Zo te zien zat hij op haar te wachten. Dus dan was het geen toevallige ontmoeting.'

'Inderdaad. Wat betekent dat Jennings heeft gelogen. Hij zei dat hij haar een week voordat ze is vermoord voor het laatst heeft gezien, op de universiteit. En hij heeft ook ontkend ooit ergens anders met haar te hebben afgesproken. Weet je zeker dat dit de datum is waarop ze zijn genomen?'

'De donderdag voor de moord.'

'Kun je dat nog een keer controleren?'

Wightman klikte op het beeld, trok een menu open en klikte nog eens. Er verscheen een pop-up. 'Daar staat het. Alles wat we willen weten. Aantal pixels, datum en tijd waarop de foto is gemaakt, op de computer is gezet en is bewerkt, naam van de JPEG, formaat en zelfs het merk van de camera. Leuk, hè?'

Tartaglia wenste dat hij zo goed was met computers en keek naar datum en tijd. De foto was gemaakt om zeven over halfvier op de donderdag voor de moord op Watson. 'Godzijdank doet iedereen tegenwoordig alles digitaal. En hierna? Watson komt in haar eentje naar buiten, toch?'

'Ja.'

'Dan wil ik zien waar ze naartoe gaat.'

De foto's toonden dat Watson uit het café kwam en over straat liep. De hoek wijzigde toen Broadbent overstak en achter haar aan ging lopen. Het was druk op de stoep, maar ze zagen haar achterhoofd en schouders op de meeste foto's terwijl ze verder liep.

'Daar heb je Jennings,' zei Tartaglia, die zacht aan Wightmans mouw trok. Hij wees naar het scherm. 'Kijk daar, die kerel in die groene parka.'

Wightman fronste zijn wenkbrauwen. 'Dat is hem toch? Met dat blonde haar?'

'Ja. Recht achter haar.'

'Hij loopt absoluut achter haar aan. Waarom heeft Broadbent dat toentertijd niet gezegd?'

Tartaglia haalde zijn schouders op en dacht terug aan wat Angela Harper had gezegd. 'Om een heleboel redenen. Iedereen vond hem behoorlijk overstuur en in de war toen hij voor het eerst werd ondervraagd. Misschien dat hij niet eens wist wat hij heeft vastgelegd. Hij concentreert zich op Watson. Misschien dat hij Jennings niet eens heeft opgemerkt.'

Jennings' hoofd was net zichtbaar terwijl de camera Watson over de drukke weg volgde. Tartaglia zag dat Watson haar eigen straat in liep en in de drukte overstak met een boodschappentas en een plastic zak in haar hand. Op de laatste paar close-ups liep ze de trap naar de voordeur op en zocht in haar zak naar haar sleutels. Toen ze naar binnen liep, zoomde Broadbent uit naar een panoramisch beeld van de straat.

'Zie jij Jennings ergens?'

'Nee, volgens mij niet.'

'Is dat hem niet? Bij de bushalte?'

Wightman selecteerde een deelopname en vergrootte hem uit.

'Zo te zien wel. Hij staat met zijn rug naar de camera en kijkt naar het huis van Watson.'

Tartaglia duwde zijn stoel naar achteren en stond op. 'Ik wil dat jij met een vlooienkam door de rest van de foto's gaat. Maak maar een uitdraai van alles wat er ook maar enigszins interessant uitziet, en een lijst met data en tijden van de foto's.'

'Dat zal wel even gaan duren, meneer.'

'Zolang als je nodig hebt,' zei Tartaglia. Steele moest de uren maar ergens vandaan halen. 'Als je wilt, kan ik vragen of Nick je wil helpen...'

Wightmans jongensachtige gezicht brak open in een brede grijns. 'In mijn eentje gaat het sneller, meneer. Nick heeft geen idee wat hij doet als hij bij een computer in de buurt komt.'

'Ik snap het. En stuur als je klaar bent de bestanden en een lijst van de interessante opnames naar de jongens op Newlands Park. Dan kunnen we kijken wat zij ervan kunnen maken.' Iemand die verstand had van computers kon toveren met JPEG's.

Tartaglia was een beetje duizelig van de spanning, en hij liep naar zijn eigen bureau om Turner te bellen. De voicemail nam op. Hij knalde de telefoon in de lader, waarop Wightman vragend opkeek. Ze moesten Jennings vinden, maar konden niets doen zolang hij Turner niet had gesproken.

Omdat hij behoefte had aan wat afleiding tot hij iets van Turner hoorde, zei Tartaglia: 'Ik ga een kop echte koffie halen en mijn benen strekken. Kan ik voor jou ook iets meenemen?'

'Een grote latte, graag.'

Tartaglia trok zijn leren jack aan en liep de gang door naar Turners oude kantoortje aan de andere kant van het pand; misschien dat hij daarnaartoe was gevlucht. Maar het was leeg, evenals het grote, open kantoor ernaast; de meeste rechercheurs waren lunchen of op pad. Hij vond uiteindelijk in het keukentje een jonge agente uit Turners team, die soep stond op te warmen in de magnetron, en vroeg haar Turner zo snel mogelijk op te piepen en hem Tartaglia op zijn mobiele nummer te laten bellen.

Het was buiten koud en vochtig, de hemel was zwaar bewolkt. Hij liep de kleine, volle parkeerplaats aan de achterkant van het gebouw over en het hek aan de voorkant door, ritste zijn jack dicht en duwde zijn handen in zijn zakken. De opwinding gierde nog steeds door zijn lichaam, gecombineerd met frustratie en irritatie dat hij Turner niet kon bereiken. Hij beende over Station Road en vroeg zich af wanneer Turner zou terugbellen.

Hoewel de foto's een tot dan toe onbekende afspraak tussen Watson en Jennings aantoonden, ergens in de buurt vanwaar ze woonde en ver van de universiteit waar ze doceerde, betekenden ze niet meer dan dat. Hij vond het er niet uitzien als een toevallige ontmoeting, maar dergelijke zaken waren open voor interpretatie. Voor zover ze wisten had Jennings Watson nooit gebeld, hoewel het mogelijk was dat hij een telefooncel had gebruikt. Misschien was die ontmoeting in dat café wel niet de eerste; misschien had ze hem zaterdag te eten uitgenodigd en had hij haar vermoord. Maar het had geen enkele zin erover te gaan speculeren. Ze hadden amper genoeg voor een arrestatie, laat staan om mee naar de openbaar aanklager te gaan. Dat je koffie met een vrouw dronk en haar naar huis volgde was nou niet bepaald genoeg voor een waterdichte moordaanklacht. Hij had het gevoel dat ze zich aan een strohalm vastklampten, maar meer hadden ze niet. Ze moesten op de een of andere manier aan bewijs zien te komen.

Hij rook brandend hout; iemand in de buurt genoot van een haardvuur, tegen de richtlijnen van de gemeente in. Haardvuur was een van de dingen waarvan hij het meest genoot in de winter; het herinnerde hem aan zijn jeugd in Edinburgh, waar zijn vader elke zondag de haard opstookte, ondanks het feit dat ze er centrale verwarming hadden. Toen Tartaglia de Green naderde hoorde hij een hoge gil van lachen en plotseling gekwaak, en hij keek de straat over. Het gras onder de bomen was bijna geheel bedekt met een doorweekt tapijt van bruine bladeren, die de recente wind en regen er hadden achtergelaten. Een vrouw met een wandelwagen en een stel kleine kinderen van ongeveer de leeftijd van zijn neefje en nichtje stonden op het pad bij de vijver. De kinderen voerden, ingepakt in felgele regenjassen en laarzen, brood aan de eenden, ganzen en duiven. Om elk stukje werd luidruchtig gevochten en een stel ganzen probeerde de andere voor te zijn door het brood uit de handjes van de kinderen te pikken. Te horen aan hoe hard ze lachten, maakte hen dat niet uit. Hij keek naar hen en ze zagen er zo zorgeloos uit, met alle tijd op de wereld, dat Tartaglia een steek van jaloezie voelde.

Hij sloeg links af High Street in en liep de laatste paar meter naar de Food Gallery, een pas geopende delicatessenwinkel annex eetcafé waar de beste sandwiches en koffie uit de omgeving werden geserveerd. Het was er 's ochtends altijd druk en de krukken aan de bar voor het raam waren allemaal bezet. De klanten zaten een tijdschrift of krant te lezen terwijl ze hun thee of koffie dronken. Tartaglia sloot in de kleine rij aan, achter een breedgeschouderde vrouw van middelbare leeftijd met een groene tweedjas aan. Haar mandje zat vol potten jam, chutney en mosterd uit het schap achter in het pand, samen met een paar pakjes Thaise viskoekjes uit de vriezer. Het drong ineens tot hem door dat hij honger had. Hij keek op het schoolbord wat er vandaag in de aanbieding was en probeerde te bedenken wat hij zou nemen toen hij een andere vrouw luidruchtig tegen de eigenaresse, Nikki, hoorde zeggen dat de zelfgemaakte brownies hier de lekkerste waren die ze ooit had geproefd. Hij had net besloten dat hij een volkoren sandwich met bacon, avocado, waterkers en mayonaise zou nemen bij de espresso voor zichzelf en de koffie verkeerd voor Wightman toen zijn telefoon ging. Eindelijk, Turner.

'Ik heb je bericht net afgeluisterd. Je bent vast blij te horen dat ik Jennings heb gevonden.'

'Mooi. Ben je bij hem?'

'Nee. Hij hokt in een flat aan Camberwell New Road. Hij zou over een paar uur thuis moeten zijn. Je zei dat het dringend was. Wat is er?'

'We kunnen hem arresteren.' Tartaglia vertelde Turner kort wat ze op Broadbents foto's hadden aangetroffen. 'Waar ben je?'

'Nog bij die flat. Het meisje bij wie hij woont zei dat ik mocht wachten. Maar als ik hem ga arresteren, kan ik wel wat assistentie gebruiken.'

'Ik kom zo snel ik kan, en ik neem Nick wel mee.' Hoewel Turner eindelijk een goede beurt maakte doordat hij Jennings had gevonden, besloot Tartaglia dat het toch maar beter was om niets aan het toeval over te laten, of aan Turner.

'Zorg wel dat hij je niet ziet,' zei Turner nadat hij hem het adres had gegeven. 'Jennings weet dat we hem zoeken en ik wil niet dat hij ertussenuit knijpt als hij ons ruikt.'

28

Jennings woonde midden in een verwaarloosde rij achttiende-eeuwse huizen aan Camberwell New Road, ten zuiden van de Theems. Het hoge pand van vijf verdiepingen stond een stukje van het drukke verkeer vandaan achter een roestig ijzeren hek en een rijtje verwaarloosde voortuintjes die waren volgestort met beton. De bakstenen waren bijna zwart en voor de meeste ramen hing smerige vitrage; satellietschotels waren op elke verdieping geïnstalleerd.

Minderedes parkeerde om de hoek en Tartaglia en hij staken de weg over en liepen het gammele smeedijzeren hek door. Er klonk rapmuziek op een bovenverdieping, die het geluid van de schreeuwende kinderen op de begane grond bijna overstemde.

'Deze kant op,' zei Tartaglia, die een grote zwarte pijl naast nummer 34A naar het souterrain zag wijzen. Ze liepen langs een cluster overvolle vuilnisbakken en de steile, gladde bemoste trap af en naar de voordeur van het souterrain.

Minderedes haalde zijn neus op. 'Jezus, wat stinkt het hier.'

'Katten en afvoerpijpen,' antwoordde Tartaglia deskundig.

Hij klopte aan en Turner deed vrijwel meteen open.

'Kom binnen, jongens,' zei hij met een zwierig handgebaar. 'Doe of je thuis bent.' Het was er koud als in een kelder en het stonk er naar vocht en nog meer smerige afvoerpijpen.

'Hoe is de indeling?' vroeg Tartaglia, die probeerde zijn

adem in te houden terwijl hij om zich heen keek in het smalle mosterdkleurige halletje.

'Daar is de badkamer,' zei Turner, en hij wees naar een deur vrijwel direct achter hem. 'Er zitten tralies voor het raam.'

'Ogenblik, ik moet even piesen,' zei Minderedes. Hij deed de deur open en klikte het licht aan.

'En wat is dat?' vroeg Tartaglia aan Turner, en hij gebaarde naar een halfgesloten deur rechts van hen.

'Slaapkamer. Ook met tralies voor het raam. De zitkamer is daar.'

Tartaglia liep achter Turner aan de smalle gang naar de zitkamer door, achterin, waar de gordijnen dicht waren alsof het nacht was.

'Ik heb maar geen gordijnen of ramen opengedaan,' zei Turner. 'Jennings is een sluwe kerel; dan zou hij zien dat er iets is.'

De enige lichtbron was een naakt roze peertje aan het midden van het lage plafond, waar Turner met zijn hoofd tegenaan stootte, waardoor een poel van zacht licht over de gevlekte, grijsgroene muren draaide. De kamer lag vol lege bierblikjes en verpakkingen van afhaaleten, en er stonden meerdere overvolle asbakken. Midden op de vloer lag een tapijt in een onbestemde kleur bruin waarop je geen vlekken zag. De enige meubels waren een bank, een leunstoel, een oude televisie en een geïmproviseerde salontafel van stapels bakstenen met een oude deur erop. Het zag eruit of alles zo van de stort kwam.

'Wat een vuilnisbelt,' riep Minderedes toen hij de kamer binnen kwam lopen en om zich heen keek. 'Jezus, ik hoop maar dat ik niets oploop.' Hij pakte een paar nieuw uitziende zwartleren handschoenen uit zijn zakken en trok ze aan.

'Is dit van hem?' vroeg Tartaglia terwijl hij de afvalberg bekeek.

'Van zijn vriendin,' antwoordde Turner. 'Ze is aan de heroine en houdt zo te zien niet erg van stofzuigen.'

'Maar hij woont hier wel?'

'Volgens haar wel, sinds drie maanden. Je kunt een gegeven paard niet in de bek kijken, hè.'

'Waar is ze?'

'Ze rende zodra ik haar had betaald het huis uit om te scoren. Ze ligt nu te slapen.'

'Weet ze dat je er bent?'

'Ja. Ze zei dat ik mocht blijven.'

'Mooi. En Jennings?'

'Die werkt in een restaurant of kroeg. Ze wist het niet precies. Ze zei dat hij meestal rond een uur of drie thuis is.'

Tartaglia keek op zijn horloge. Dat was over ruim een uur. 'Is er een achterdeur?'

Turner wees. 'In de keuken, maar dat regel ik wel. Hij komt er niet langs, dat beloof ik.'

Minderedes liep ernaartoe om even te kijken. 'Jezus,' zei hij nogmaals, en hij kwam snel de woonkamer weer in. 'Het leeft hier. Er lopen overal kakkerlakken.'

'Alles voor het werk, Nick,' zei Tartaglia. 'We zijn hier voor Catherine Watson.'

'Maar die gaat de rekening voor de stomerij niet betalen, hè?' antwoordde Minderedes geïrriteerd terwijl hij iets onzichtbaars van zijn mouw veegde en met de achterkant van zijn hak over de rand van het kleed schraapte.

'Ga buiten maar op hem wachten, bij de bushalte. En stuur een sms als je hem ziet.'

'Wat ga jij doen?' vroeg Turner aan Tartaglia toen Minderedes de kamer uit liep.

'Ik hou van uit de slaapkamer de voorkant in de gaten. En dat meisje?'

'O, die is knock-out. Daar heb je geen last van.'

'Dan hoop ik maar dat we niet al te lang hoeven te wachten. Ik word een beetje nerveus hier.'

'Voor Michael Jennings heb ik alle tijd van de wereld,' zei Turner terwijl hij een lege pizzadoos van de leunstoel veegde en ging zitten. 'Deze is voor Alan Gifford, en ik ga van elke minuut genieten. Ik hoop maar dat het iets tastbaars oplevert. Als we hem nog een keer moeten laten gaan word ik gek.'

'Hoe heb je Jennings gevonden? Ben je getipt?'

Turner knikte. 'Zoals ik al zei heb ik het al zijn bekenden laten weten. Die vriendin – of wat ze ook is, ze heet Heather – hoorde dat we hem zochten. Ze belde me vanochtend meteen nadat hij de deur uit was. Ze heeft me wel een flinke duit gekost: tweehonderd pond. Ik heb haar honderd vooruit gegeven en heb beloofd dat ze de rest krijgt als we Jennings hebben opgepakt, plus vijftig voor goed gedrag als ze meewerkt.'

'Waar kent ze Jennings van?'

'Ze hebben samen aan de universiteit gezeten, hoewel je niet zou denken dat ze nog zo jong is, of in staat zou zijn iets te studeren; het arme wicht ziet er niet uit. Ze zal wel tippelen om haar verslaving te kunnen financieren.'

'Heeft ze nog wat nuttigs over Jennings verteld?'

Turner knikte. 'Dat hij vreemd is. Hij loopt graag rond in legerkleding, alsof hij een marinier is of zo. Toen ik naar zijn seksuele voorkeur vroeg, en of hij weleens gekke dingen met haar doet, sloeg ze dicht als de heilige maagd Maria.'

'Misschien schaamt ze zich.'

'Het is een hoer, kom op zeg. Die vindt heus niets gênant, hoor.'

Tartaglia wilde zeggen dat iemand die haar lichaam verkoopt ook waardigheidsgevoel heeft, maar Turner was niet in een subtiele bui. 'Verder nog iets?'

'Ja. Ze heeft interessante kneuzingen op haar polsen, alsof ze vastgebonden is geweest, en blauwe plekken op haar hals en armen, en niet alleen van een naald.'

'Is het heus?' vroeg Tartaglia, die geïntrigeerd begon te raken. 'En denk je dat ze die van Jennings heeft?'

'Dat moet wel. Ik heb gevraagd of hij haar pijn doet, maar toen wilde ze weer niets zeggen, hoewel ze het ook niet echt ontkende. Ze keek me met grote ogen aan en begon op haar vinger te sabbelen. Ik weet niet wat hij met haar doet of wat voor spelletje hij met haar speelt, maar ze is doodsbang.'

'Arm kind,' zei Tartaglia meelevend. Hij dacht terug aan wat Angela Harris over Michael Jennings had gezegd: dat hij in het profiel paste en dat de moordenaar zijn neigingen en fantasieën ergens zou botvieren. Harper had al die tijd gelijk gehad en hij keek er nu al naar uit haar dat te vertellen. 'Denk je dat Heather gaat praten?'

'Misschien. Als ze zich veilig voelt. Maar dan moeten we eerst Jennings opsluiten, zodat die niet in de weg gaat lopen.'

'Waarom heeft ze hem aangegeven?'

'Ze heeft ook bij Catherine Watson gestudeerd en weet wat er is gebeurd. Misschien dat wat Jennings haar aandoet ervoor heeft gezorgd dat ze de puntjes met elkaar heeft kunnen verbinden. Zoals ik al zei is ze doodsbang. Ze zei dat hij weet dat we hem zoeken en dat hij heeft gedreigd haar te vermoorden als ze iemand vertelt waar hij is.'

'Nou, dapper is ze in ieder geval wel. Godzijdank zijn we hier nu. Ik hoop maar dat we iets vinden waarvoor we hem kunnen opsluiten. Heb je al om je heen gekeken?'

Turner knikte. 'Ik heb mijn ogen goed de kost gegeven toen ze de deur uit was. Ik heb alles weer netjes teruggelegd, zodat Jennings niet weet dat we hebben rondgeneusd. Maar hij heeft het óf goed verstopt, dus we zullen alles overhoop moeten halen nadat hij is opgepakt, óf hij heeft het ergens anders verborgen.'

Tartaglia keek om zich heen en bedacht dat er niet veel verstopplekken waren. 'Weet je zeker dat hij hier woont?'

'Volgens Heather wel. Hij is uit zijn vorige woning getrapt en toen is hij bij haar ingetrokken. Ik heb wat kleding van hem gevonden in een ladekast in de slaapkamer, en er staan een rugzak en een tas met boeken in de kast. Verder niets interessants.'

Tartaglia dacht weer terug aan wat Harper had gezegd. 'Dan moet hij zijn verkrachtingsuitrusting ergens anders bewaren. Hij moet wel gemakkelijk toegankelijk zijn, ergens in de buurt.'

'Ze zei dat hij een grote sleutelbos heeft die hij nooit onbeheerd laat. Hij heeft haar bijna in elkaar geslagen toen ze hem een keer had meegenomen naar de winkel terwijl hij lag te slapen. Misschien heeft hij ergens een opslag.'

'Als dat zo is, moeten wij die vinden.'

Tartaglia liet Turner achter en liep door de gang naar de voorkamer. Toen hij de deur opende werd hij begroet door een wolk zoete, muskusachtige wierook, die zo sterk rook dat de algehele onaangename geur van het souterrain er even door werd gemaskeerd. Een paar smerige rode gordijnen met motief waren dichtgetrokken, maar er was genoeg licht om Heather te kunnen zien, die plat op haar rug op een matras midden in de kamer lag, met een laken half om haar middel gewikkeld. Toen hij nog wijkagent was had hij heel wat junks gezien, vaak nadat ze een overdosis hadden genomen, maar hij veroordeelde niet. Het was onmogelijk in te schatten door wat een hel iemand ging, en toen hij het meisje daar zo zag liggen, voelde hij zich intens verdrietig.

Hij liep de kamer in, en toen zijn ogen aan het licht waren gewend viel hem op hoe bleek ze was, haar huid bijna doorzichtig wit. Ze had een strakke spijkerbroek aan met een T-shirt tot boven haar navel en zag eruit als een pop, met een magere arm langs haar hoofd op het kussen, haar blote voeten over de rand van het matras heen, net niet op de vloer. Een injectienaald, lepel, aansteker en andere verslaafdenaccessoires lagen om haar heen, naast een versleten oude teddybeer, die met zijn glazen ogen naar het plafond staarde.

Hij boog zich voorover en bestudeerde Heather van dichterbij, nam het korte, slordige bruine haar en haar smalle gezicht in zich op, met het kleine wipneusje en een mooie kleine mond. Hij dacht dat hij de kneuzingen en schaafwonden die Turner had beschreven op haar polsen en enkels zag, en ook een schaduw in haar hals. Ze deden hem direct aan de vergelijkbare plekken op het lichaam van Rachel Tenison denken. Misschien had ze Jennings ergens in een bar opgepikt. Misschien was dat het verband. Catherine. Rachel. Heather. Heather leefde tenminste nog. Maar Turner had één ding niet goed gezien: ze zag er in haar zelfgekozen verdoving niet ouder uit dan een kind.

Het viel hem ineens op dat ze hem aan Sam Donovan deed denken, hoewel dat idee hem direct een akelig gevoel gaf. Misschien dat het door de lichtval kwam, of door het gebrek aan licht, maar als hij zo naar Heather keek, was het net of hij Donovan zag, in een ander leven, of in een nachtmerrie, en de gedachte stak hem, maakte dat hij haar direct wilde zien, warm, gezond en opgewekt, en zijn arm om haar heen wilde slaan. Misschien waren het gewoon echo's van de Bruidegomzaak die hem achtervolgden. Hij was benieuwd of Turner de overeenkomst ook had opgemerkt, en vroeg zich voor de zoveelste keer af wat hij de avond ervoor bij Donovan thuis had gedaan.

Heather lag bewegingloos en maakte geen geluid. Hij knielde bezorgd neer naast het matras en luisterde geconcentreerd tot hij uiteindelijk haar zwakke, oppervlakkige ademhaling hoorde. Hij ging gerustgesteld op een hoekje van het matras zitten, luisterde naar de gestage verkeersstroom buiten en het bonken van de muziek van boven, en stelde zich erop in dat het een lange zit zou worden.

Een paar minuten later voelde hij zijn telefoon in zijn zak trillen; een sms'je van Minderedes, zoals afgesproken, tegelijk aan hem en Turner verzonden:

DAAR IS JENNINGS. IK KOM ERACHTERAAN.

Hij keek op zijn horloge. Jennings was vroeg thuis. Tartaglia stond op en ging in de schaduw achter de slaapkamerdeur staan. Hij hoorde enkele seconden later het bonken van voeten op de buitentrap naar het souterrain, gevolgd door het geluid van een sleutel in het slot. De voordeur sloeg achter hem dicht en Jennings liep de slaapkamer langs, de gang door en de woonkamer in. Toen Tartaglia achter de deur vandaan kwam en achter hem aan de gang door liep hoorde hij geschreeuw, gevolgd door de stem van Turner, die Jennings intonatieloos zijn rechten opdreunde.

Jennings stond in de deuropening naar Turner te kijken, zijn armen gespannen langs zijn zij, alsof hij op het punt stond ervandoor te gaan, de spieren in zijn nek gespannen.

'Hou even je bek, wil je?' schreeuwde Jennings boven Turner uit. 'Je bent gek. Ik heb niets misdaan.' Hij leek zich er niet van bewust dat Tartaglia achter hem stond.

Hoewel Jennings niet langer was dan een meter vijfenzeventig of -tachtig, was hij gespierd en breedgebouwd, alsof hij regelmatig naar de sportschool ging. Hij had dik, in laagjes geknipt blond haar in verschillende tinten, droeg een spijkerbroek, gympen en een donkerblauw fleecevest met een capuchon. Tartaglia dacht meteen aan de beschrijving die Liz Volpe van de man in Holland Park had gegeven en vroeg zich af of ze zijn lengte verkeerd had ingeschat. Op een afstand van dertig meter en in slecht licht was zo'n vergissing snel gemaakt.

'Je hebt geen recht hier te zijn! Donder op!'

'We hebben elk recht,' zei Turner. 'Heb je me niet gehoord?'

'Je kunt me niet arresteren. Ik heb niets verkeerd gedaan en dat weet jij ook. Dit is treiteren.' Zijn stem klonk hoog en jammerend.

'Vertel jij het hem maar, Mark,' zei Turner intonatieloos, en hij keek terloops naar Tartaglia.

Jennings, zich er plotseling van bewust dat er nog iemand in huis was, draaide zich abrupt om, keek naar Tartaglia, draaide weer terug en staarde vervolgens naar Turner. 'Ik heb niets misdaan, horen jullie me? Jullie weten dat ik niets te maken heb met de moord op mevrouw Watson. Waarom blijven jullie me lastigvallen?'

Turner schudde zijn hoofd. 'Kom nou niet weer met die schijnheilige onzin aan, zeg.'

'Je probeert me erin te luizen, net als vorige keer.'

'Hou je bek, Michael. We hebben nieuw bewijs. Deze keer kom je er niet zo gemakkelijk vanaf.'

Turner bewoog richting Jennings en Tartaglia zag een flits staal. 'Wapen,' schreeuwde hij.

'Hé, rustig maar, Michael,' zei Turner terwijl hij naar achteren sprong en zijn enorme handen opstak. 'Doe dat mes maar weg. Je wilt geen domme dingen doen.'

Jennings' adem kwam in korte, oppervlakkige stoten en hij hopte van voet op voet, het lemmet van wat eruitzag als een mariniersmes glinsterend in het licht. Hij stak het zelfverzekerd naar voren, alsof hij wist hoe hij ermee moest omgaan; zijn blik schoot van Turner naar Tartaglia en weer terug.

Tartaglia vroeg zich af of Jennings ergens high van was, hoewel zijn spraak en coördinatie normaal leken. 'Leg dat mes even weg, dan kunnen we praten. Dat is het enige wat we willen. Gewoon praten.'

Jennings stak in de lucht met het mes. 'Nee. Ga weg. Jullie kunnen me niet arresteren.'

'Doe niet zo achterlijk, Michael,' zei Turner. 'Hier schiet je niets mee op. Je gaat met ons mee.'

'Helemaal niet. Ik ben onschuldig, dat zweer ik.'

'Leg dat mes dan even weg.'

'Nee. Laat me gaan.'

Zijn stem klonk schril en wanhopig. Het was een extreme reactie, gezien het feit dat hij dit al eerder had meegemaakt, en Tartaglia vroeg zich af of er meer speelde dan wat alcohol of drugs. Hij moest heel voorzichtig worden aangepakt en Turners lompe gedrag hielp niet echt.

'Luister, als je onschuldig bent, hoef je je nergens zorgen om te maken,' zei Tartaglia in een poging hem te kalmeren.

'Inderdaad, Michael. Geef het nou maar op.' Turner deed weer een stap naar voren.

'Nee,' schreeuwde Jennings, en hij draaide zich om naar Tartaglia alsof hij van plan was ervandoor te gaan.

Tartaglia stak in een geruststellend gebaar zijn beide handpalmen in de lucht. 'Wacht even, Michael. Leg dat mes eens neer.'

Jennings zweette, zijn gezicht was knalroze in het licht, en hij hijgde luidruchtig. Hij zag er alles behalve rationeel uit. Turner kwam van achteren langzaam op hem af lopen.

'Wegwezen, Simon,' schreeuwde Tartaglia, en hij wendde zijn blik niet van Jennings af. 'Laat mij maar.' Hij ging zachter praten. 'Ik vraag het nog één keer, Michael. Leg dat mes neer.'

Jennings hield voet bij stuk. 'Ga aan de kant of ik vermoord je.'

Tartaglia had zijn handen nog in de lucht. Hij balde zijn vuisten en ging klaarstaan. 'Dat kan ik niet doen, Michael. Leg het mes neer.'

Tartaglia zag van uit zijn ooghoek dat Turner weer zijn kant op kwam.

'Hou verdomme afstand, Simon,' schreeuwde Tartaglia.

Jennings sprong zonder waarschuwing op Tartaglia af en probeerde met het mes op diens borst in te hakken. Tartaglia reageerde vliegensvlug met een schaarbeweging, greep de meshand van Jennings en pakte met zijn andere hand diens elleboog. Hij hoorde bot knakken. Jennings gilde, het mes kletterde op de vloer en Tartaglia dwong hem met zijn gezicht naar beneden op de grond.

'Doe jij hem even de handboeien om, Simon?' vroeg Tartaglia, die Jennings nog steeds tegen de grond hield en ondertussen het mes de hoek van de kamer in schopte.

Voordat Turner kans had iets te doen verscheen Minderedes in de deuropening, met een paar handboeien in de aanslag, en hij boog zich over Jennings heen.

'Dit komt je duur te staan,' gilde Jennings tegen Tartaglia. 'Dit komt je godvergeten duur te staan.'

'Hou je bek, of ik doe je nog veel meer pijn,' gromde Minderedes. Nadat hij Jennings had geboeid, trok hij hem op zijn voeten, nog gillend van pijn, en wendde zich tot Tartaglia. 'Er staat buiten een stel agenten van de uniformdienst te wachten, meneer. We brengen hem naar het wijkbureau en regelen een dokter.'

'Zijn arm is gebroken. Ga maar direct met hem naar de Spoedeisende Hulp. Maar wat je ook doet, hij blijft in de boeien. Hij wil om de een of andere reden vreselijk graag weg.'

'Jezus, Mark, je bent levensgevaarlijk,' zei Turner, die met een hand het zweet van zijn voorhoofd veegde terwijl Minderedes Jennings de deur door duwde. 'Ik wist niet dat we Steven Seagal in ons team hadden.'

'Dit was jiujitsu, geen aikido,' antwoordde Tartaglia fel; hij wilde hem op zijn plaats zetten. Misschien dat Turner last had van de spanning en even moest ontladen, maar het irriteerde hem dat Turner er een grapje van maakte. Hij was niet trots op wat hij had gedaan, maar anders had hij een mes in zijn borst gekregen, en hij vond dat Turner de hele situatie onnodig had uitgelokt.

'Hartstikke handig, dat was het,' zei Turner, en hij knikte langzaam, alsof het iets voor hem betekende. 'Heb je de zwarte band of zo? Misschien dat je mij ook eens wat bewegingen kunt voordoen.'

Tartaglia zei niets.

'Waar heb je dat geleerd?' vroeg Turner, die achter hem aan de kamer uit liep.

'Op school. Ik hou het allang niet meer bij.' Hij had vijftien jaar geleden voor het laatst een voet in een dojo gezet, maar het was een van die dingen, net als fietsen, die je nooit verleerde, de instincten en reacties waren nog steeds even natuurlijk en automatisch als ademen. Hij hoefde het gelukkig bijna nooit in te zetten.

'Hou je zo van vechten?'

‘Helemaal niet. Ik werd gepest.’

‘Jij?’

‘Het kan iedereen overkomen. Mijn vader dacht dat ik zelfvertrouwen zou krijgen van een vechtsport.’

‘En heeft het gewerkt?’ vroeg Turner met een halve glimlach. ‘En ik maar denken dat het je Zuid-Europese bloed was.’

Tartaglia bevocht de drang Turner voor zijn bek te slaan en bleef staan bij de slaapkamerdeur. ‘Ik ga even bij Heather kijken.’

Hij duwde de deur open en liep naar binnen. Ze lag er nog precies hetzelfde bij. Hij knielde naast haar neer en luisterde weer naar haar ademhaling. Hij hoorde nauwelijks iets. Ze voelde koud aan en hij kon even geen polsslag vinden. Hij bracht zijn gezicht naar het hare. Hij rook geen alcohol, wat een goed teken was, hoewel ze een cocktail van iets bij de heroïne kon hebben genomen. Misschien kwam het wel goed; misschien zou ze zelf wakker worden. Maar zijn instinct zei hem dat ze wegglipte. Behalve dat ze een meisje was dat hij nog nooit had gesproken, met wie hij zich vreemd verbonden voelde vanwege de gelijkenis met Donovan, konden ze zich niet veroorloven haar te missen. Ze was het enige levende wezen dat ze kenden dat kon getuigen over het perverse karakter van Michael Jennings.

‘Turner!’ schreeuwde hij nadrukkelijk terwijl hij naar Heather bleef kijken.

Turner stak zijn hoofd om de deur. ‘Gaat het?’

‘Nee. Bel verdomme een ambulance.’

29

'Ik heb het niet gedaan. Ik heb niets te maken met de moord op mevrouw Watson. Hoe vaak moet ik het zeggen voordat jullie me geloven?' Michael Jennings zat met tranende ogen en zijn handen ineengestrengeld voor zich en keek smekend over de tafel heen, eerst naar Donovan en toen naar hoofdagent Jason Pindar, die naast haar zat.

Donovan schudde langzaam haar hoofd, alsof ze het allemaal al had gehoord en er geen woord van geloofde.

Ze zaten in een verhoorkamer op bureau Camberwell. Het was bijna acht uur 's avonds en de videoband en camera stonden al bijna twee uur aan. Tartaglia, Steele en Turner zaten in een kamer in de buurt en volgden de ondervraging via een televisieverbinding. Tartaglia bestudeerde Jennings' reactie op de vragen die hem werden gesteld, maar zijn jongensachtige gezicht bleef een toonbeeld van onwankelbare onschuld, terwijl het dikke gips en de mitella om zijn arm dat nog op theatrale manier benadrukten. Hij zag er met zijn bos blonde haar, stompe neus en blauwe ogen uit alsof hij absoluut niet in staat was iets gemeens te doen – meer als iemand die een kat uit een boom zou redden of oude dametjes zou helpen met oversteken dan als iemand die in staat is tot verkrachting, marteling en moord. Hij zat in elkaar gedoken op zijn stoel, met zijn gescheurde, met verfspetten bedekte spijkerbroek, fleecevest en vieze gympen, en hij had een nogal studentikoze uitdrukking. Het was bijna onvoorstelbaar dat deze man nog maar een paar uur daarvoor een mes had getrokken en hem en Turner ermee had bedreigd.

De advocaat van Jennings, Andrew Harrison, was een lange, hoekige man in een slecht passend pak, met een bos vettig zwart haar en een bril met zwaar montuur. Hij zat naast Jennings met zijn pen te spelen en liet hem grotendeels zonder hulp de vragen beantwoorden. Jennings deed het goed zonder hem, en het lukte Donovan en Pindar niet om ergens ook maar een speld tussen te krijgen. Wat ze ook naar hem toe gooiden, hij wierp het linea recta weer terug. Hij had Watson niet vermoord en niets deed hem iets anders zeggen.

Het zou wel een lange nacht gaan worden en Tartaglia vroeg zich af hoe hij erdoor moest komen. Het was snikheet en benauwd in het kamertje, de lucht zo droog dat hij er keelpijn van kreeg. Turner en hij hadden hun colbert uitgetrokken, hun stropdas afgedaan en hun overhemdsmouwen opgerold, maar het maakte geen verschil. Hij voelde het zweet in zijn nek druipen en zijn overhemd voelde strak om zijn borstkas en schouders, alsof het was gekrompen. Hij rook Steeles zwakke, citroenachtige parfum, hoewel het bijna teniet werd gedaan door de scherpe geur van sigarettenrook, die als een wolk om Turner hing. Turner had al een keer met een smoes de ruimte verlaten en stonk ernaar toen hij terugkwam. Tartaglia was verrast dat het Steele niet was opgevallen, maar te horen aan haar nasale stem had ze een verstopte neus. Ze zat naast hem, nog bleker dan gewoonlijk. Ze rilde, had haar jas als een deken om haar schouders getrokken, en haar ijsblauwe sjaal was meermalen om haar nek gewikkeld. Er stond een grote fles water naast haar, waar ze nu en dan een slokje uit nam, en ze had erop gestaan dat het raam dicht bleef.

'Jennings is wel goed, hè?' zei Turner, en hij keek Tartaglia en Steele aan. 'Dit is exact wat hij de vorige keer ook deed. Als boter die maar niet smelt. We hebben het keer op keer geprobeerd en hij bleef maar hetzelfde deuntje zingen.'

'Het is ook wel duidelijk dat het werkt, dus waarom zou hij

het anders doen?' zei Tartaglia, die terugdacht aan de zo andere Jennings van eerder die dag, de Jennings met de waanzinnige blik in zijn ogen. Hadden ze die maar op film vastgelegd, zodat ze die aan een jury konden laten zien, of aan wie dan ook die Jennings' klacht over onnodig politiegeweld zou gaan behandelen.

'Een heuse padvinder,' antwoordde Turner zuur. 'Als je hem een pak aantrekt en hem een beetje oplapt wil elke vrouw in een jury hem óf bemoederen, óf met hem neuken.'

'Zover zal het nooit komen, in dit tempo,' zei Steele geïrriteerd, en ze keek Turner en Tartaglia kort aan met haar vochtige, roodomrande ogen. Ze begon te kuchen, pakte een pakje tissues uit haar tas en snoot luidruchtig haar neus. 'Op deze manier gaat Jennings niets toegeven. We zullen iets anders moeten verzinnen.'

'Ik heb je ondertekende verklaring van de vorige keer hier,' ging Pindar verder met zijn lage, emotieloze toon. 'Je hebt gezegd dat je Catherine Watson nooit buiten de universiteit hebt ontmoet. En dat je nooit in de buurt van haar huis bent geweest. Maar nu hebben we al die foto's van jullie samen, van twee dagen voor haar dood. Daar zit jij, met Watson, in een café op nog geen vijf minuten lopen van haar huis. Samen met haar aan een tafeltje.'

'Ik wist niet dat ze daar vlakbij woonde,' zei Jennings, en zijn stem ging de hoogte in. 'Ik moet haar toevallig zijn tegengekomen. Dat is hoe het moet zijn gegaan.'

'Zo ziet het er anders niet uit. Je zit op haar te wachten als ze binnenkomt. Ze loopt recht op je af en gaat zitten, alsof ze je daar verwacht. Wat vind je daarvan?'

'Ik zat daar toevallig. Het was een toevallige ontmoeting.'

'Maar je woonde daar helemaal niet in de buurt,' zei Donovan nadrukkelijk. 'Waarom zat je daar dan?'

'Dat weet ik niet meer.'

'Je had daar met haar afgesproken, hè?'

'Nee.'

'Waarom zat je daar dan? Waarom heb je dat café uitgekozen?'

Jennings haalde zijn schouders op. 'Misschien had iemand me erover verteld. Misschien mevrouw Watson wel, maar dat weet ik niet meer. Sorry.'

'Dat is gelogen en dat weet jij ook.'

'Nee,' schreeuwde Jennings, die met zijn goede hand de rand van de tafel greep. 'Ik lieg niet. Dat zweer ik.'

'Je lult maar wat,' zei Donovan met een afwijzend hoofdgebaar.

'Waarom gelooft u me niet?'

'Luister, meneer Jennings,' ging Pindar op zachtere toon verder. 'Laten we even aannemen dat ik je verhaaltje geloof. Waarom heb je het dan niet veel eerder verteld?'

Tartaglia zag een flikkering van opluchting over Jennings' gezicht gaan, of mogelijk was het een flikkering van hoop, alsof Pindar hem een reddingsboei toewierp.

'Het spijt me dat ik er eerder niet aan heb gedacht,' zei Jennings. 'Echt. Het moet me zijn ontschoten.'

'Ontschoten?' Donovan klonk ongelovig. 'Dat meen je niet.'

'Luister. Ik was van streek toen ik hoorde wat er met mevrouw Watson was gebeurd. Heel erg van streek. Ik ben het gewoon vergeten.' Hij keek haar smekend aan, wilde vurig dat ze hem geloofde. 'Ik vertel u de waarheid. Luister dan.'

Donovan schudde haar hoofd. 'Dat geloof ik niet, Michael. Het was twee dagen voor haar dood. Hoe kun je zoiets vergeten?'

'Zoals ik al zei: doordat ik overstuur was. Maar goed, we hebben koffiegedronken, verder niets. Het stelde niets voor. Ik heb er gewoon niet meer aan gedacht.'

'Dus je kwam haar toevallig tegen? En je denkt echt dat we dat geloven?'

'Het is de waarheid. Wat kan ik verder nog zeggen?'

'Waarom ben je haar dan naar huis gevolgd?' Pindar duwde een stapeltje foto's over tafel. 'Voor de opname: ik laat meneer Jennings de foto's zien die door Malcolm Broadbent op Finchley Road en West End Lane zijn gemaakt op donderdag 9 februari 2006, tussen 15.24 en 16.37 uur.'

Pindar legde de foto's in chronologische volgorde op tafel en Donovan leunde voorover, over de tafel heen naar Jennings. 'Dat ben jíj, terwijl je Catherine Watson het café uit en over straat volgt.'

Andrew Harrison keek terloops naar de foto's en kuchte. 'Met alle respect: dat is niet wat ze aantonen.'

'En daarna volg je haar naar huis,' zei Donovan, die de advocaat negeerde.

Jennings keek met half samengeknepen oogleden naar de foto's en schudde zijn hoofd. 'Ben ik dat?'

'Het feit dat mijn cliënt en mevrouw Watson op dezelfde foto's staan bewijst helemaal niets,' zei Harrison, die zijn smalle schouders ophaalde.

'Weet u zeker dat ik dat ben?' Jennings bestudeerde nog steeds de foto's, met een zo verbijsterde blik in zijn ogen dat Tartaglia hem angstaanjagend overtuigend vond.

Jennings speelde zijn rol tot in perfectie, als een doorgewinterde acteur van de Royal Shakespeare Company. Hij dacht terug aan de Jennings die hij in de flat van Heather had gezien en aan de rauwe paniek en woede in zijn ogen. Dat was niet gespeeld. Dat was de echte Jennings.

'Zeg je van niet?' vroeg Donovan.

'Als ik het ben, is het puur toeval. Ik ben misschien dezelfde kant op gelopen, maar ik ben haar niet gevolgd.'

'Dat is onzin en dat weet jij ook.'

Harrison schudde zijn hoofd. 'Het is druk op straat, rechercheur. We hebben het niet over een uithoek. Het feit dat mijn cliënt dezelfde route lijkt te lopen als het slachtoffer kan op heel veel manieren worden geïnterpreteerd. Er staan ook nog een heleboel andere mensen op die foto's.'

'Maar die kenden Catherine Watson niet allemaal, hè?' antwoordde Donovan.

Pindar schraapte zijn keel. 'Op de laatste foto's staat meneer Jennings bij de bushalte bij het huis van Catherine Watson.'

'Je bent haar naar huis gevolgd omdat je door haar geobsedeerd was,' zei Donovan, die oogcontact maakte met Jennings. 'Toch?'

'Nee. Natuurlijk vond ik haar aardig. Ze was mijn studiebegeleidster en ze was een leuke vrouw. Maar meer speelde er niet. Ik was niet door haar geobsedeerd.'

'Wat doe je bij de bushalte voor haar huis?'

'Op de bus wachten, neem ik aan.'

'Waar ging je naartoe?'

'Geen idee. Naar huis, denk ik.'

'Waar woonde je toen?'

'Volgens mij in Kennington. Of Clapham. Dat weet ik niet meer.'

'Volgens je verklaring woonde je in Clapham.'

'Als u het zegt. Ik verhuisde veel in die tijd. Ik kon nergens iets betaalbaars vinden wat ook leuk was.'

'De bussen bij haar in de straat rijden niet naar Clapham.'

'Misschien dat ik dacht dat ik ergens kon overstappen, of een metro kon nemen. Ik weet het echt niet meer. Weet u nog wat u op een bepaalde dag een jaar geleden heeft gedaan? Nou?'

'Wij stellen hier de vragen, meneer Jennings.'

'Maar het is een goede vraag, toch?' Jennings wendde zich tot Harrison. 'Ik durf te wedden dat zij het ook niet meer weten.'

'Ja,' zei Harrison. 'Het is een goede vraag. Dat vinden heel veel andere mensen vast ook.'

'Maar nog even over die foto's...'

'Pardon, rechercheur. Maar het enige wat u tot nu toe heeft geproduceerd is een stel oude foto's die niets bewijzen. Als u niets anders heeft, neem ik aan dat we klaar zijn.'

'Indien nodig blijven we hier de hele nacht zitten.'

'Dat is pure tijdverspilling. Gebaseerd op waar u mee komt,' zei hij terwijl hij op de tafel tikte, 'heeft u geen enkel uitzicht op een moordaanklacht en dat weet u ook.'

'Uw cliënt gaat nergens naartoe, meneer Harrison. We weten dat hij Catherine Watson heeft vermoord.'

Jennings schraapte zijn keel. 'Als jullie me hier houden, kunnen we dan even pauzeren?' Hij zette zijn goede hand op de leuning van zijn stoel en stond op. 'Het spijt me verschrikkelijk, maar ik moet echt even naar de wc.'

Donovan keek terloops naar Pindar en knikte. 'Goed. We pauzeren tien minuten. Ondervraging geschorst tot 20.50 uur.'

'Dan ga ik ook maar even,' zei Turner, die opstond en zijn knokkels stuk voor stuk hard liet kraken. Hij had de nerveuze uitstraling van iemand die liever wil roken dan dat hij moet plassen, maar Tartaglia zei niets. Hij had nergens energie meer voor. Als Jennings dit volhield, en er was geen enkele reden te denken dat hij iets anders zou doen, hadden ze niets.

'Wacht even, Simon,' zei Steele, die met moeite haar stoel naar achteren schoof, zodat ze zowel hem als Tartaglia kon zien. 'Als Jennings Catherine Watson heeft vermoord, is hij de beste godvergeten acteur die ik in jaren heb gezien. Mis ik soms iets? Weten we zeker dat hij het is?'

'Hij is een sluwe klootzak,' zei Turner vermoeid terwijl hij met een hand het zweet van zijn voorhoofd veegde en boven hen uit torende. 'En bij gebrek aan een andere verdachte denk ik dat hij onze beste kans is.'

Tartaglia stond hoofdschuddend op. 'Hij is meer dan dat. Veel meer dan dat. Ik ben ervan overtuigd dat hij Catherine Watson heeft omgebracht. Toen ik zag wat hij Heather, zijn vriendin, heeft aangedaan, waren daarmee al mijn twijfels beantwoord. De verwondingen waren vrijwel identiek aan die op het lichaam van Catherine Watson. Hij heeft bovendien gedreigd Heather te vermoorden als ze zou praten en ik geloof dat hij het meende. Je zei dat ze doodsbang was.' Hij keek naar Turner. 'Simon?'

'Ja, voor zover ik het heb gezien leken de verwondingen op

elkaar,' zei Turner onwillig. 'Hoewel ik haar niet goed heb bekeken.'

'Ze heeft het duidelijk niet zichzelf aangedaan,' zei Tartaglia fel. 'En jij zei dat ze doodsbang was. Maar of Jennings iets te maken heeft met de moord in Holland Park is een andere kwestie. Hij ontkent dat hij Rachel Tenison kent en we kunnen niet bewijzen dat hij liegt.' Hij keek naar Turner, verwachtte half dat die zou gaan tegensputteren, maar diens gezicht stond uitdrukkingsloos, alsof hij ergens anders was met zijn gedachten.

'We laten Holland Park even terzijde,' zei Steele, die nogmaals luidruchtig haar neus snoot. 'Wat dat betreft hebben we helemaal niets om hem hier te houden.' Ze viste een verfomfaaid pakje aspirine uit haar zak, deed er een in haar mond en slikte hem door met wat water. 'Is er nog nieuws uit de flat van Jennings?'

'De huiszoeking wordt nu afgerond,' zei Tartaglia. 'Maar er is niets gevonden.'

'En de paperassen uit de flat van Catherine Watson?'

'We wachten op het lab. We krijgen op zijn vroegst morgen bericht.'

Steele rilde en trok haar jas nog strakker om haar schouders. 'Nou, als ik geen verlenging aanvraag, en ik weet niet of de baas die zou goedkeuren, hebben we vierentwintig uur vanaf het moment dat hij hier is binnengebracht. Dat is ongeveer tot zes uur morgenavond. Dan gaat Jennings naar huis. We zullen snel iets anders moeten vinden. Ideeën?'

Tartaglia knikte langzaam. 'Toen we net naar Jennings zaten te kijken bleef ik maar bedenken hoe vreemd hij zich gedroeg tijdens zijn arrestatie. Hij deed echt heel idioot.'

Turner trok zijn wenkbrauwen op. 'Gewelddadig, bedoel je. Omdat hij schuldig is.'

'Dat lijkt mij ook,' zei Steele. 'Een onschuldige man trekt over het algemeen geen mes, tenzij hij gek is.'

'Uiteraard, maar dat is niet wat ik bedoel,' zei Tartaglia. 'Zelfs als Jennings hartstikke schuldig is, is zijn reactie nog steeds niet logisch. Hij is al vaker gearresteerd en heeft nog nooit geweld gebruikt.'

'Dat is waar,' zei Turner, en hij knikte. 'Hij was zo mak als een lammetje.'

'Maar deze keer is het anders. Ik blijf me maar afvragen waarom. Hij is niet dom. Waarom is hij in paniek geraakt?'

Steele keek vragend naar Tartaglia. 'Wat denk jij?'

'Jennings weet dat we hem zoeken, maar denkt dat hij in die flat veilig is. Hij komt zoals gebruikelijk thuis en treft Simon en mij aan. Hij slaat door en begint te schreeuwen dat hij onschuldig is. Dan trekt hij zomaar een mes. Ik weet nog hoe hij keek. Hij was niet bang, hij was kwaad. Als iemand die...' Hij zocht naar het goede woord.

'In het nauw wordt gedreven?' stelde hij voor.

'Nee,' antwoordde Tartaglia. 'Niet in fysieke zin. Hij zag eruit als iemand die bang is dat hij wordt betrapt. Maar als hij weet dat er in zijn woning niets is te vinden, waarom zet hij alles dan op het spel? Hij zou rustig moeten zijn gebleven, zou zonder weerstand moeten zijn meegegaan, zoals de vorige keer.'

'Je hebt gelijk,' zei Turner, en hij knikte weer. 'Hij was wanhopig. Hij zou alles hebben gedaan om daar weg te komen.'

'Ik vermoed dat hij iets heel belastends heeft, iets wat zo belangrijk is dat hij mij aanvalt om het te beschermen. We weten dat het niet in die flat is, dan hadden we het gevonden. Maar nogmaals: als hij zich zeker had gevoeld over die verstopplek, zou hij zich niet zo'n zorgen hebben gemaakt.'

'Waar heb je het verder nog geprobeerd?' vroeg Steele.

'Ik heb een team naar zijn ouders in Tulse Hill gestuurd,' zei Turner, 'maar dat heeft ook niets opgeleverd. Hij is volgens zijn moeder al minstens een halfjaar niet thuis geweest.'

'We moeten zijn sleutels controleren,' antwoordde Tartaglia. 'Weet je nog wat zijn vriendin zei, dat hij het niet prettig vindt als iemand eraanzit?'

'Ik zal eens kijken,' zei Turner. 'De wachtcommandant zou ze moeten hebben.'

Steele keek naar Tartaglia. 'Wat verwacht je te vinden?'

'Om te beginnen zijn verkrachtingsuitrusting. Als hij hem voor zijn vriendin heeft gebruikt, moet hij bij de hand zijn. Maar ik durf ook wel te wedden dat hij Watsons foto heeft. Die is nooit gevonden. Het is heel waarschijnlijk dat hij die als aandenken heeft meegenomen, zodat hij de herinnering levendig kon houden en alles indien gewenst opnieuw kon beleven.'

Steele knikte en stond op. 'Dat klinkt logisch. Zet iedereen in die beschikbaar is om bij Jennings' vrienden en kennissen te gaan kijken. Zoek uit of hij iemand heeft gevraagd iets voor hem te bewaren.'

'Ik zal het ook aan Heather vragen, zodra ze bijkomt,' zei Tartaglia.

'Als ze bijkomt,' voegde Turner toe. 'Ze zag er niet al te best uit.'

Steele haalde haar neus op en pakte haar tas. 'Hoe is het met haar?'

'Ze leeft nog, maar haar toestand is kritiek,' antwoordde Tartaglia. 'Ik heb Jane naar de Spoedeisende Hulp gestuurd.' Jane Downes was een van de twee medewerkers van slachtofferhulp in het team en ze had enkele jaren ervaring in een specialistische eenheid die zich met verkrachting en huiselijk geweld bezighield. 'Jane en Karen zitten om de beurt bij haar in het ziekenhuis. Ze bellen zodra er nieuws is.'

'Mooi,' zei Steele. 'Laten we dan maar hopen, voor iedereen, dat ze de nacht overleeft.'

'Als ze bijkomt kunnen we haar misschien overtuigen een aanklacht wegens verkrachting tegen hem in te dienen,' zei Turner. 'Dat zou ons wat meer tijd geven.'

'Nee Simon,' zei Tartaglia gedecideerd. 'Dat is niet genoeg. Zelfs als ze het overleeft hebben we geen idee of ze dat aankan. Je zei al dat ze doodsbang voor hem is. Ik wil dat die klootzak wordt aangeklaagd wegens moord. We moeten alles op alles zetten om die foto te vinden.'

30

Tartaglia stapte iets na acht uur de volgende ochtend de lift uit op de tiende verdieping van de noordelijke vleugel van het St. Thomas ziekenhuis. Nadat hij het bewegwijzeringsbord had bestudeerd volgde hij een serie pijlen door een lange gang met een rechte hoek erin naar de receptie. Toen hij de laatste zware zwaaideuren had opengeduwd, zag hij het kleine, bolle lichaam van agente Jane Downes. Ze droeg een ruim, beigegeruit broekpak, had steil blond haar tot op de kin met een zware pony en stond met haar hand op haar heup naast het koffieapparaat, druk in gesprek met een Aziatische verpleegster, die achter de balie zat.

'Daar ben je, Jane,' zei hij terwijl hij op haar af liep.

Ze draaide zich om. 'O, ik schrik me een hoedje, meneer. Ik wist niet dat u er was.' Ze keek naar hem op met grote, vermoeide, uilige blauwe ogen en het lukte haar niet erg een gaap te onderdrukken.

'Ben je hier al de hele nacht?' vroeg hij, en hij was benieuwd wat haar man en drie kinderen daarvan zouden vinden.

Ze knikte. 'Ze was het grootste deel ervan onder zeil. U bent er sneller dan ik had verwacht.'

'Ik ben direct gekomen toen ik je bericht kreeg. Waar is ze?'

'In een privékamer op deze verdieping. Ik heb hen overgehaald er tijdelijk een voor haar te regelen. Het hoofd van de afdeling begreep gelukkig wat ik bedoelde toen ik vertelde wat er met Heather is gebeurd en dat we met haar moeten praten. Deze kant op.'

Ze glimlachte over haar schouder naar de verpleegster en leidde Tartaglia langs de receptie naar nog een stel zwaaideuren.

'Hoe is het met haar?' vroeg hij terwijl hij er een voor haar openhield.

'Het komt wel goed. Ik weet niet wat ze haar hebben gegeven, maar ze is pas een uur wakker. Ik heb meteen gebeld.'

Hij liep met haar de gang door en vertraagde zijn pas zodat ze hem kon bijhouden. 'Heb je haar al gesproken?'

'Een paar minuutjes. Ze is nog behoorlijk suf. Gezien wat ze heeft doorgemaakt en het feit dat jij nog met haar wilt praten, heb ik het rustig aan gedaan.'

'Maar je denkt wel dat ze wil praten?'

'Ik weet het niet. Ze was niet erg geïnteresseerd in mij.'

'Heb je haar verteld wat er in de flat is gebeurd? Dat we Jennings hebben gearresteerd?'

'Ze heeft absoluut gehoord wat ik heb gezegd, hoewel ze niet echt reageerde.'

'Je zei dat ze haar later vandaag ontslaan? Dan hebben we niet veel tijd.'

Ze zuchtte. 'Ik weet het. Ik zal vragen of ze toestemming geeft voor foto's van haar verwondingen, maar ze is niet van plan om hem aan te klagen wegens verkrachting en misbruik, als je dat hoopte.'

'Nou, blijf het toch maar proberen. Als we niets vinden, moeten we hem laten gaan.'

'Ik zal mijn best doen, maar als je haar spreekt, wees dan voorzichtig. Je bent een grote, sterke man, en behoorlijk intimiderend in dat leren pak.'

'Ik ben met de motorfiets. Moet ik me even gaan omkleden?'

'Nee. Maar wees wel extra vriendelijk. Vergeet niet dat dit haar door een man is aangedaan. En dat ze dergelijk misbruik tolereert betekent waarschijnlijk dat ze een geschiedenis heeft met mannelijk geweld. Het gaat vaak lang terug.' Downes bleef staan bij een deur aan het eind van de gang. 'Daar ligt ze,' zei ze, en ze klopte aan voordat ze opendeed. Tartaglia liep achter haar aan naar binnen.

Heather lag tegen wat kussens aan halfomhoog in bed, aan een infuus. Ze had een hoofdtelefoontje op en keek naar de televisie aan de overstaande muur. Haar blik ging kort naar Tartaglia en Downes toen die binnenkwamen, en toen weer terug naar het scherm. Op de kneuzingen rond hals en polsen na, die nu zwartpaars waren geworden, zag ze er nog steeds lijkbleek uit. Maar ze leefde tenminste nog wel en kon hun haar verhaal vertellen, als ze hen tenminste vertrouwde.

Aangezien er maar één stoel in de kamer stond liep Downes naar de gang om een tweede te zoeken terwijl Tartaglia zijn jack uittrok, de stoel naast het bed zette en ging zitten. Heather bleef naar de televisie kijken alsof hij er niet was. Hij bestudeerde haar gezicht en merkte op dat ze lichtbruine ogen had, geen grijze zoals Donovan, en dat haar gezicht veel smaller en hoekiger was. De oppervlakkige illusie van gelijkenis verdween en hij voelde zich vreemd opgelucht. Hij zag duidelijke duim- en vingerafdrukken in haar hals. Zo te zien had Jennings haar bijna gewurgd. De verwondingen zagen er recent uit, misschien van twee dagen geleden. De sporen van afbindingsdraad aan hals en polsen waren nu nog duidelijker zichtbaar en ze begon een blauw oog te krijgen, wat hem in haar slaapkamer niet was opgevallen. Zelfs als een goede advocaat zou proberen haar in diskrediet te brengen, spraken de verwondingen boekdelen. Hij hoopte maar dat ze zou toestaan dat ze foto's zouden nemen.

Nadat hij ongeveer een minuut was genegeerd stond hij op, reikte uit en trok zachtjes het hoofdtelefoontje van haar oren, alsof ze een kind was. Ze toonde geen weerstand. Hij zette met de afstandsbediening de televisie uit en ging weer zitten.

Ze bleef even naar het scherm staren, sloeg toen haar armen voor haar benige borstkas over elkaar en keek hem langzaam met een vragende, ongerichte blik aan.

'Ik ben Mark,' zei Tartaglia. 'Mark Tartaglia. En ik heb je hulp nodig, Heather.'

Ze zei niets en bleef hem wazig aanstaren.

'Ik ben hier vanwege Michael Jennings.' Hij sprak langzaam en gearticuleerd, gaf haar de tijd om de woorden tot zich door te laten dringen. 'Hij heeft iets heel, heel ergs gedaan. We denken dat hij een vrouw heeft vermoord: Catherine Watson.'

'Catherine Watson,' herhaalde ze langzaam, alsof ze de naam in zich opnam. Haar stem klonk slaperig en vreemd meisjesachtig en nasaal.

'Ja. Die heeft hij vermoord. En zoals ik al zei heb ik je hulp nodig.'

'Ben je van de politie?'

Hij knikte. 'Hij zit opgesloten, maar we moeten weten waar hij zijn spullen bewaart.'

Ze keek hem uitdrukkingsloos aan, alsof ze niet begreep wat hij bedoelde.

'Ik heb hier zijn sleutels.' Hij trok een doorzichtige plastic zak met de sleutelbos van Jennings uit zijn zak en hield hem naar haar op. Er bungelde een metalen Chinees symbool aan. Hij hoopte dat ze het zou herkennen en dat het haar zou geruststellen dat ze Jennings inderdaad hadden. 'Er zit er eentje aan van je flat, en een van de voordeur boven, een van zijn ouders, een van een hangslot...'

'Zijn fiets. Hij heeft een fiets.' Ze klonk zwak, alsof ze moeite had met spreken.

Hij glimlachte, blij dat ze reageerde. 'Inderdaad. Die hebben we in het kolenhok bij je flat gevonden. Maar er zitten er nog twee aan.' Hij schudde met het zakje om haar aandacht erbij te houden. 'Zo te zien zijn ze ook van hangsloten, maar we weten niet waarvan. Heb jij enig idee?'

Ze zuchtte en sloot haar ogen, alsof het allemaal te veel voor haar was.

'Alsjeblieft, Heather. Het spijt me verschrikkelijk dat ik je lastig moet vallen, maar het is heel belangrijk. We moeten weten waar hij zijn spullen bewaart.' Na ongeveer een minuut stilte vroeg hij: 'Heeft Michael je ooit een foto van Catherine Watson laten zien? In een houten lijstje?'

'Nee,' fluisterde ze, haar ogen nog dicht.

'Weet je dat heel zeker?' Ze gaf geen antwoord. 'Ik weet wat hij je aandoet, Heather,' zei hij zacht. 'Ik weet wat je moet doorstaan. Ik vraag je niet erover te praten als je dat niet wilt. Maar hij is echt gevaarlijk. Hij is ziek. Hij had je die dingen nooit mogen laten doen. Hij moet worden opgesloten zodat hij het niet nog eens kan doen.'

Hij wachtte op een reactie, maar die kwam niet. Misschien gaf ze ondanks alles toch nog om Jennings, hoewel ze hem had verlinkt voor het geld dat ze zo wanhopig graag had willen hebben. Misschien was ze zo gewend aan wat er met haar gebeurde, zo verdoofd, dat de gruwel van wat hij haar aandeed niet echt tot haar doordrong.

'Hij heeft een mes... meerdere messen. Klopt dat?'

Ze deed haar ogen open en staarde naar haar handen, wreef de rand van het laken zacht tussen haar vingers.

'Hij heeft er een verzameling van; hij stalt ze graag uit. Ze geven hem een machtig gevoel. Hij gebruikt ze om je mee te bedreigen, hè? Toch, Heather?'

Hij wachtte geduldig op een reactie. Heather knikte een paar seconden later, bijna onzichtbaar.

Hij ging aangemoedigd verder: 'En ik weet ook dat hij dingen gebruikt om je mee vast te maken: handboeien, plastic banden, knevels en dergelijke.'

Hij was even stil en bestudeerde haar gezicht op een reactie, maar die kwam niet. Het had geen zin te vragen waarom ze het had getolereerd. Jennings had zijn slachtoffer zorgvuldig geselecteerd. Ze was zo laag gezonken dat ze alles zou hebben gepikt. Dat had haar waarschijnlijk ook in leven gehouden, hoewel Jennings uiteindelijk een keer genoeg van haar zou hebben gekregen en Tartaglia wist wel wat er dan zou zijn gebeurd. Hij voelde zich plotseling plaatsvervangend heel erg kwaad. Hij zou Jennings te pakken krijgen, evenzeer voor Catherine Watson als voor haar.

'Praat alsjeblieft met me, Heather. We moeten die spullen vinden. Ze bewijzen wat hij doet. En we moeten bewijs hebben om hem voorgoed op te kunnen sluiten. Hij moet het ergens opbergen. We hebben in je flat niets kunnen vinden. Neemt hij het mee naar huis?'

Er biggelden tranen over haar wangen, maar ze maakte geen geluid. Ze keek in plaats daarvan weg, haar blik geconcentreerd op het levenloze televisiescherm.

'Hij moet een tas hebben of iets dergelijks. Je moet iets hebben gezien.'

Ze zei nog steeds niets en hij vroeg zich af of ze bang was dat Jennings erachter zou komen dat ze had gepraat en dat hij haar zou komen zoeken.

'Weet je, Michael heeft geprobeerd mij neer te steken toen we hem kwamen arresteren.' Hij ging iets harder praten, in de hoop haar aandacht te trekken. Misschien dat het zou schelen als ze zou weten dat hij bij haar in de flat was geweest. 'Michael heeft me aangevallen. Hij heeft geprobeerd me in het hart te steken. Als ik niet had geweten hoe ik mezelf moet verdedigen, was ik waarschijnlijk dood geweest.' Hij legde zijn vuist op zijn borst voor extra nadruk.

Ze draaide langzaam haar hoofd, verrast, haar mond een beetje open. 'Jou?'

Tartaglia knikte. 'Ja, ik was erbij, met rechercheur Simon Turner. Dat is die lange blonde man die je hebt binnengelaten. We hebben Michael gearresteerd en ik heb je hiernaartoe laten brengen. Ik maakte me zorgen om je, Heather.'

Ze keek nog steeds naar hem, alsof ze haar best deed het zich te herinneren. 'Ze zeiden... jij hebt mijn leven gered.

Dank je.' Haar stem was iel en zwak, hij verstond haar bijna niet. Ze zei het emotieloos, alsof ze hem bedankte voor iets triviaals.

Hij begon weer te glimlachen. 'Het is goed. Ik ben gewoon blij dat ik er was. Luister, Heather, we kunnen Michael nergens op pakken. Als we niets vinden waarmee we kunnen bewijzen dat hij in de flat van Catherine Watson is geweest, moeten we hem later vandaag laten gaan.'

Ze verkrampte en hij zag angst in haar ogen.

'Dat wil je toch niet?'

'Nee. Alsjeblieft...' Ze snakte naar adem en slikte moeizaam.

'Ik ook niet. Voordat hij Catherine Watson heeft vermoord, heeft hij haar vastgebonden, en dezelfde dingen met haar gedaan die hij jou aandoet. Zij heeft geleden, net als jij lijdt, maar zij is gestorven. Je hebt geluk dat hij jou niet ook heeft omgebracht.' Hij gaf haar even tijd om de woorden tot haar door te laten dringen en voegde toen toe: 'Hij heeft misschien nog een vrouw vermoord, twee weken geleden. We moeten hem opsluiten. Voor altijd. Zodat hij het niet nog eens kan doen. Denk alsjeblieft na.'

Ze veegde haar ogen en gezicht af met een hoek van het laken en staarde hem hulpeloos aan, alsof het buiten haar macht lag zich iets te herinneren.

Hij moest het blijven proberen. 'Ik denk dat een van de redenen waarom hij zo wanhopig was te vluchten en waarom hij mij is aangevlogen is dat hij in het bezit is van belastend bewijs. Hij is bang dat als we gaan zoeken voordat hij het kan verstoppen, we het misschien vinden. Klinkt dat logisch? Waar kan hij zijn uitrusting bewaren, de spullen die hij met jou gebruikt? Bij wie gaat hij op bezoek? Waar gaat hij naartoe zonder jou?'

Het bleef even stil en toen knikte ze. 'Mike heeft een tas. Ik weet wat het betekent als hij die mee naar huis neemt. Wat hij dan gaat doen.' Ze beet hard op haar onderlip en haar vingers grepen het laken zo stevig vast dat haar knokkels wit werden.

Hij wilde haar aanraken om haar te troosten, maar hij was bang dat ze daarvan zou schrikken.

'Dus hij neemt nu en dan een tas mee naar huis?'

'Als hij die bij zich heeft, fluit hij altijd, dan is hij... gelukkig. "Ik heb een verrassing voor je", zegt hij dan.'

'Maar het is geen verrassing.'

'Nee. Het is...' Haar stem ebde weg.

'Hoe ziet hij eruit?'

'Klein. Zwart. Als een dokterstas.'

'Waar is hij geweest als hij hem bij zich heeft? Naar zijn werk?'

Ze schudde haar hoofd en bestudeerde haar korte, afgekloven vingernagels. 'Niet als hij uit zijn werk komt. Nooit.'

'Wanneer gebruikt hij hem dan?'

Haar blik fixeerde zich weer even op het zwarte televisiescherm. 'Als hij naar de sportschool is geweest. Altijd na de sportschool.'

'Welke sportschool?'

'Hij gaat trainen,' zei ze zacht, alsof ze hem niet had gehoord, haar gedachten nog bij Jennings. 'Zijn vriend Daz werkt er bij de receptie. Mike mag gratis naar binnen. Mike valt voor Daz in. Als die ziek is... of te bezopen.'

'Waar is die sportschool?'

Ze zuchtte zwaar en sloot haar ogen weer, alsof ze het allemaal niet aankon. 'Onder de bogen bij Waterloo Station.'

'Weet je hoe hij heet?'

'Waterloo Green? Waterloo Place? Zoiets. Ik ben een keer met hem mee geweest. Niets voor mij.'

'Dank je, Heather,' zei Tartaglia, die opstond en zijn hand al in zijn zak had om zijn mobieltje te pakken. 'Heel hartelijk bedankt. Dan moet ik nu gaan.'

'Gaan?' Ze zag er gealarmeerd uit en greep zijn hand. 'Kom je nog terug?'

Hij kneep zachtjes in haar hand voordat hij hem teruglegde op het laken. 'Je bent hier veilig. Hij heeft geen idee waar je bent of wat er met je is gebeurd. Als je wordt ontslagen zoekt agente Downes, die net bij me was, een veilig plekje voor je. We zorgen voor je, dat beloof ik.' Hij keek diep in haar ogen terwijl hij dat zei, en wenste vurig dat ze hem geloofde.

Tranen stroomden over haar wangen en ze balde haar vuisten. 'Hij vindt me heus wel...'

'Nee. Dat beloof ik je.'

Terwijl hij die woorden sprak kwam Downes binnen, rood aangelopen en met een leunstoel in haar armen die bijna even groot was als zij.

'Ongelooflijk, wat een bureaucratie, en dat allemaal om een stoel,' zei ze hijgend terwijl ze de stoel naast de andere zette. 'Ik moest er zo'n beetje voor vechten.' Ze depte haar gezicht met een tissue, liet zich zwaar op de stoel ploffen en glimlachte naar Heather.

'Ik moet gaan,' zei Tartaglia. 'Heather wil graag even met je praten. Bel me maar als er iets te melden is.'

'Wacht even,' klonk het iel en piepend uit het bed.

Hij keek naar Heather. 'Ik moet echt gaan.'

Heather bleef Tartaglia aankijken en zei: 'Mike is ziek. Hij is bezeten. Je moet hem tegenhouden.'

Tartaglia knikte. 'Ik beloof je dat ik alles doe wat in mijn macht ligt om Jennings voorgoed achter slot en grendel te krijgen.'

31

'Herken je een van deze sleutels?' schreeuwde Tartaglia boven het gedreun van de muziek die uit de speakers aan het plafond kwam uit, en hij liet de twee sleutels in zijn hand zien.

Ryan Phillips, de assistent-manager van sportschool Waterloo Place, keek hem aan en schudde zijn hoofd. 'Leden nemen zelf een hangslot voor hun kluisje mee. Zodat we geen gelazer krijgen als er iets kwijtraakt.'

Hij was Zuid-Afrikaan, met dunner wordend zandkleurig haar, net aan zijn dienst begonnen, en droeg een pak met stropdas. Hij had eerst geprobeerd te weigeren de politie binnen te laten, tot Tartaglia hem gedetailleerd had uitgelegd wat hij allemaal mocht doen met een huiszoekingsbevel.

Tartaglia gaf de sleutels terug aan Donovan, die met Minderedes, Wightman en twee agenten in uniform in de ontvangsthal stond. Een lange blondine in een strak grijs trainingspak keek met open mond van achter de receptie toe. Er rinkelden meerdere telefoons op de balie voor haar, die ze allemaal negeerde.

'Wat ik wil weten is hoe het mogelijk is dat Michael Jennings hier binnenkwam zonder lidmaatschap,' vroeg Tartaglia aan Ryan.

'Hij kan een magneetkaart hebben geleend. Of iemand achter de balie kan hem naar binnen piepen.'

'Iemand die hier werkt, bedoel je?'

Ryan knikte.

‘Tot zover de beveiliging,’ zei Tartaglia, die om zich heen keek naar het chique interieur dat uit glas met chroom bestond en zich afvroeg hoe duur een lidmaatschap hier eigenlijk was. ‘Waarom doe je daar niets aan?’

‘Als we iemand betrappen, doen we dat wel. Het gebeurt gewoon. U vroeg ernaar.’

Tartaglia knikte. ‘Dank je dat je zo eerlijk bent. Stel dat iemand Jennings binnenlaat, waar kan hij dan allemaal gebruik van maken?’

‘Van alle ledenfaciliteiten.’

‘Niet van de personeelsruimtes?’

‘Dat is onwaarschijnlijk. Dan zou iemand hem zien en hem vragen te vertrekken.’

‘Dus als hij hier iets heeft verstopt, is dat in een kleedkamer?’

‘Ik zou niet weten waar anders.’

Tartaglia knikte naar Minderedes. ‘Heb je dat gehoord?’

‘Luid en duidelijk.’

‘Begin maar met de ledenruimtes, eerst die voor mannen. Probeer elk kluisje en hangslot dat je ziet.’

‘En als ze nergens passen?’ vroeg Minderedes.

‘Luister Assepoester, dan maak je alles toch open. Ik wil dat je alles hier bekijkt, dondert niet van wie. Ik wil dat alles is gezien.’

‘Is dat echt nodig?’ vroeg Ryan, die knalroze werd. ‘Er zijn leden aanwezig.’ Zijn kraagje en stropdas zaten behoorlijk strak en hij zag eruit of hij bijna stikte.

‘Ja, dat is echt nodig, meneer Phillips. De leden zullen het moeten slikken. En er mag niemand naar buiten tot we klaar zijn.’

Terwijl hij dat zei gleden de voordeuren open en twee zwaar opgemaakte vrouwen in een gewatteerd jasje en een spijkerbroek kwamen met een sporttas binnen lopen. Een van de agenten in uniform deed een stap naar voren en gebaarde hen terug naar buiten.

'Zorg dat er niemand naar binnen of buiten gaat,' zei Tartaglia tegen de andere agent. 'De rest gaat zoeken.'

Ze verdwenen bewapend met kopieën van de sleutels door een stel glanzende houten deuren de club in.

Tartaglia wendde zich weer tot Ryan. 'Werkt er hier iemand die Daz heet?'

'Daz Manzara, bedoelt u? Wat heeft hij gedaan?'

'Niets. Maar ik moet hem speken. Is hij aanwezig?'

Ryan keek naar het blonde meisje. 'Waar is Daz?'

'Die heeft pauze. Volgens mij is hij met Mitch naar een eetcafé.'

De telefoons rinkelden nog steeds. Ryan reikte over de balie, pakte de telefoons stuk voor stuk op en drukte ze uit. 'Ga hem halen. Zeg dat ik hem onmiddellijk moet spreken.'

'In je kantoor,' souffleerde Tartaglia.

'In mijn kantoor,' herhaalde Ryan tegen het meisje.

Tartaglia glimlachte naar haar. 'En niet zeggen waarom. Oké?'

Ze glimlachte aarzelend en knikte.

Ryan fronste zijn wenkbrauwen. 'Heeft Daz iets verkeerd gedaan?'

'Nee hoor. Kom, dan lopen we naar je kantoor.'

Ryan ging hem met een diepe zucht voor naar een ruimte met een bordje met MANAGER erop, achter de receptie. Het was een kleine, raamloze, felverlichte kamer, ingericht met een stel dossierkasten, een paar stoelen en twee bureaus tegenover elkaar, allebei leeg.

'Ga zitten,' zei Ryan, die zelf in de dichtstbijzijnde stoel plofte. 'Als hij in dat café zit, is hij er zo.'

'Ik blijf even staan.'

Een paar minuten later stak een gedrongen, donkerharige man zijn hoofd om de deur. 'Je wilde me spreken?'

'Kom binnen en doe de deur achter je dicht,' zei Tartaglia voordat Ryan kans had te antwoorden.

Daz keek Ryan verbijsterd aan.

'Doe wat hij zegt,' zei Ryan nors. 'Hij is rechercheur.'

Daz deed de deur dicht en keek Tartaglia nerveus aan. Hij droeg exact zo'n trainingspak als het meisje achter de balie, maar het zat minder goed. Hij had dezelfde bouw als Jennings, maar was waarschijnlijk een paar jaar ouder, met een getaande huid, een oorbel en een sikje.

Daz spreidde zijn handen en keek Tartaglia vragend aan. 'Waar gaat het over? Ik zou niet weten wat ik fout zou hebben gedaan.' Hij had een Australisch of Nieuw-Zeelands accent. Tartaglia kon die twee onmogelijk onderscheiden.

'Ga zitten,' zei Tartaglia, en hij gebaarde naar de stoel tegenover Ryan. 'Ben jij Daz?'

'Ja. Wat komt u doen?'

'Ik heb begrepen dat je Michael Jennings kent.'

Daz knikte. 'We zijn maten. Hoezo? Wat heeft hij gedaan?'

'Ik moet je wat vragen stellen en het is uitermate belangrijk dat je eerlijk antwoordt. En ik heb mogelijk een verklaring van je nodig.'

Daz haalde zijn schouders op. 'Prima. Maar waar gaat het over?'

'Ik onderzoek een moord, meneer Manzara.'

Daz' kleine bruine ogen werden groot. 'Moord?' Hij keek naar Ryan voor bevestiging, en die knikte. 'Wat heeft dat met Mike te maken? Is hij in orde?'

'Daar kan ik nu niet op ingaan,' zei Tartaglia, 'maar ik heb begrepen dat je hem af en toe gebruik laat maken van de club.' Hij zag Daz aarzelen en voegde eraan toe: 'Ik moet de waarheid weten.'

'Vertel het nou maar,' zei Ryan fel.

Daz keek terloops naar Ryan en haalde nogmaals zijn schouders op. 'Dat heb ik misschien weleens gedaan.'

'Wanneer was de laatste keer? Ik moet het precies weten.'

Daz zag er nog steeds ongemakkelijk uit en trok een gezicht. 'Misschien vrijdag of zaterdag. Ik weet niet meer precies. Wat heeft Mike gedaan?'

'Zat jij achter de balie? Heb je hem binnengelaten?'

Hij keek weer naar Ryan en knikte.

'Wat deed hij normaal gesproken?'

'Wat hij altijd doet. Trainen.'

'Dus hij was hier niet voor jou?'

'Dat ook.'

'Heb je tijd met hem doorgebracht?'

'Ja, we hebben even wat gedronken aan de bar. Mike een biertje en ik sap.' Hij keek steels naar Ryan. 'Ik had pauze.'

Ryan keek weg, alsof het hem niets kon schelen.

'Waar hebben jullie het over gehad?'

Daz' blik draaide terug naar Tartaglia en hij slikte iets weg.

'Ik ben niet op jou uit,' zei Tartaglia, die zijn verwarring opmerkte. 'Niet op dit moment in ieder geval. Geef maar gewoon antwoord.'

'Oké. Mike had het over een club waar hij naartoe wilde. Daar ging hij altijd heen, om meisjes op te pikken. En...' Daz aarzelde.

'Nou?'

'Hij wilde geld lenen... hij wilde scoren. Maar ik had net mijn huur betaald, dus ik was platzak.' Hij keek nog eens naar Ryan en sloeg zijn kleine handen met korte vingers voor zich ineen.

'Verder nog iets?'

'Hij is op zoek naar een woning. Hij wilde weg waar hij nu zit.'

'Dus hij wil bij zijn vriendin Heather weg?'

Daz fronste zijn wenkbrauwen. 'Ja, maar ze is zijn vriendin niet. Volgens hem tenminste niet. Hij hokt gewoon even bij haar tot hij iets anders heeft gevonden.'

'Weet je dat hij Heather in elkaar slaat?'

Daz greep de armleuningen van zijn stoel vast. 'Wat, Mike? U maakt een grapje. Die doet nog geen vlieg kwaad. Is ze dood? Waar gaat dit over?'

'Nee.'

'Ze is verslaafd. Als ze een overdosis heeft genomen, is dat niet Mike zijn schuld.'

'Dit gaat niet over Heather, tenminste niet op dit moment. Om terug te komen op wat je net zei: je hebt wat gedronken met Michael Jennings. En daarna?'

'Dat was het. Ik moest helpen met het schoonmaken van een van de toiletten. Een of andere stomme koe had over de vloer gekotst. Zal haar vinger wel in haar keel hebben gestoken. Dat gebeurt hier wel vaker.'

'Heb je Michael Jennings de club zien verlaten?'

'Ja. Toen zat ik weer achter de balie.'

'Weet je nog of hij iets bij zich had? Een rugzak, of een tas?'

'Ja, volgens mij wel.'

'Kun je het beschrijven?'

'Een tas. Een sporttas, niets bijzonders.'

'Hoe ziet hij eruit? Iets opvallends?'

'Donkerblauw met wit, met een of ander logo. Volgens mij van Nike.'

'Dus hij is niet van leer?'

'Nee.'

'Heb je hem weleens met een andere tas gezien?'

Daz schudde zijn hoofd.

'Echt niet?

Daz fronste zijn wenkbrauwen nogmaals en dacht diep na. 'Of eigenlijk had hij misschien wel een andere tas bij zich toen hij vertrok. Ja, hij droeg iets anders, maar ik heb er echt niet op gelet.'

'En dat was vrijdag?'

'Of zaterdag. Ik denk eigenlijk niet dat het vrijdag was.'

'En sindsdien heb je hem niet meer gezien?'

Daz schudde zijn hoofd.

'Is het mogelijk dat hij daarna nog terug is geweest?'

Daz ging anders zitten en keek hem schaapachtig aan. 'Hij heeft wel gevraagd of hij mijn magneetkaart mocht lenen. Hij zei dat hij zondag ook wilde komen.' Hij keek weer naar Ryan. 'Om zijn spullen op te ruimen, verder niets. Ik liet hem alleen sporten als ik er ook was.'

'Een laatste vraag: heeft Michael Jennings je weleens gevraagd iets voor hem op te bergen? Een doos, of een tas?'

'Ja... nu u het zegt. Hij heeft me een koffertje geven. Om voor hem te bewaren. Zijn waardevolle spullen zitten erin.'

'Zijn waardevolle spullen?' Tartaglia probeerde zijn opwinding te verbergen.

Daz krabde op zijn hoofd. 'Persoonlijke spullen, waarvan hij niet wil dat hij ze kwijtraakt of dat ze worden gestolen, neem ik aan. Hij zal Heather wel niet vertrouwen.'

'Heb je het opengemaakt?'

Daz keek gekwetst. 'Dat zou ik nooit doen. En er zit trouwens een enorm hangslot aan. Dat zou ik niet open krijgen, al zou ik het willen.'

Een van de telefoons op Ryans bureau begon te rinkelen. 'Neem maar even op,' zei Tartaglia tegen Ryan. Toen het gerinkel ophield, wendde hij zich weer tot Daz. 'Waar woon je?'

'Hier vlakbij. Ik deel een flat met een paar jongens die hier werken.'

Tartaglia stond op. 'Oké. We gaan ernaartoe. Ik moet die koffer zien.'

'Wat, nu?' Daz keek naar Ryan, die met een hand tegen de telefoon zat te praten. Het klonk alsof hij zijn baas uitlegde wat er aan de hand was.

'Ja. Het duurt niet lang. Ryan kan vast wel even je werk overnemen tot we terug zijn.'

Daz stond met een laatste aarzelende blik naar Ryan op en liep achter Tartaglia aan naar de deur. Tartaglia wilde hem net opendoen toen er werd aangeklopt en Donovan haar hoofd om de deur stak.

Ze glimlachte. 'Kan ik je even spreken?'

Tartaglia wendde zich tot Daz. 'Wacht even. Ik ben zo terug.'

Hij sloot de deur achter zich en liep met Donovan de receptieruimte in.

'We hebben hem,' zei ze, en ze ging met haar rug naar de balie staan, waar een man met een kaalgeschoren hoofd tegenaan leunde, die met het meisje praatte. 'Dave heeft hem in een van de kluisjes in de herenkleedkamer gevonden. Je moet even komen kijken, het is echt een monsterlijk ding. Handboeien, knevels, noem maar op. Vergeleken bij dit zijn de spullen die we in de flat van Rachel Tenison hebben gevonden kinderspeelgoed.'

'Fantastisch,' zei hij, en hij kon wel een gat in de lucht springen. 'En de foto?'

Ze schudde haar hoofd.

'Oké. Zeg tegen Dave dat hij meteen naar het lab gaat met die tas. En dan wil ik dat Nick en jij met mij meegaan. Neem die sleutels mee en vraag Nick of hij zijn gereedschap meebrengt, hoewel ik hoop dat we dat niet nodig hebben. We gaan naar een andere tas van Michael Jennings kijken.'

'Dat is hem,' zei Daz terwijl hij een kleine zwarte koffer van boven uit de slaapkamerkast zeulde. De ritsen zaten met een hangslot aan elkaar. 'Hij is behoorlijk zwaar,' zei hij terwijl hij het gewicht met zijn hand testte. 'Alsof er stenen in zitten.' Hij blies het stof van de randjes en zette hem op de bank, waar Minderedes een vel plastic op had gelegd.

'Dus niemand heeft hem aangeraakt sinds Michael Jennings hem drie maanden geleden aan je heeft geven?' vroeg Tartaglia.

Daz schudde zijn hoofd. 'Ik was hem helemaal vergeten, tot u erover begon.'

Tartaglia wendde zich tot Minderedes. 'Wil jij de honneurs waarnemen, Nick?'

'Heel graag.' Minderedes deed een stap naar voren met een kopie van de sleutel van Jennings. Hij trok een paar latexhandschoenen aan en stak de sleutel in het slot. Het klikte meteen los. Hij trok de rits open en daarna het deksel. Bovenop lag een stel hardcore sm-pornobladen, en daaronder een paar dvd's van hetzelfde genre.

'Allemachtig,' zei Daz, die over Minderedes' schouder keek. 'Ik wist helemaal niet dat Mike daarvan hield.'

'Aan de kant, alsjeblieft,' zei Minderedes, die een grote plastic boodschappentas uit de koffer trok, die was dichtgeknoopt. Hij keek naar Tartaglia. 'Zal ik hem openmaken? Of sturen we hem direct naar het lab?'

'Ik wil eerst weten wat erin zit,' zei Tartaglia. 'Maar laat alles erin zitten. Kijk er maar in en vertel of er een foto bij zit.'

'Wat voor foto?' vroeg Daz, die zijn nek strekte om mee te kunnen kijken.

'Als je je mond niet kunt houden, meneer Manzara, moet ik je vragen te vertrekken.'

'Het voelt als kleding of ander textiel.' Minderedes trok zijn haviksneus op en voelde in de zak. 'Jezus, wat een stank.' Hij snoof nogmaals. 'Het ruikt naar gedroogd bloed. Zeker weten...' Hij hield de overblijfselen van een roze damesblouse en een crèmekleurig kanten onderbroekje omhoog. Beide waren met iets scherps in reepjes gesneden. Ze waren bedekt met donkerbruine bloedvlekken.

'Jezus,' zei Daz, die zijn armen over elkaar sloeg en langzaam met zijn hoofd schudde, alsof hij zijn ogen niet kon geloven. 'En dan te bedenken dat dat al die tijd bij mij in de kast heeft gelegen. Is het bloed?'

'Ik vrees van wel,' zei Tartaglia.

'Denk je dat het van Catherine Watson is?' vroeg Donovan. 'Haar kleding van die avond is nooit gevonden, en die van Rachel Tenison mist ook nog.'

'Er zit van alles in,' zei Minderedes, die nog steeds in de zak voelde.

'Blijf er verder maar vanaf,' zei Tartaglia. 'Het moet naar het lab. Zeg alleen of er een foto in zit.'

'Volgens mij heb ik hem, meneer.' Minderedes trok een

kleine, ingelijste foto tevoorschijn en liet hem aan Tartaglia zien. 'Is dit hem?'

Catherine Watsons lachende gezicht keek hem aan.

'Ja,' zei hij zacht, 'dat is hem. Hij sloot even zijn ogen en voelde de duizelige misselijkheid waar je na intense spanning last van kunt hebben. Zijn geest sloeg op hol, maar hij moest rustig blijven. 'Doe alles maar weer dicht,' zei hij, en hij haalde diep adem om zichzelf te kalmeren. 'En ga er dan direct mee naar het lab. Je zult een formele verklaring moeten afleggen, meneer Manzara.'

Daz, die er nog steeds geschokt uitzag, knikte.

Tartaglia's telefoon ging terwijl ze naar beneden liepen. Het was Turner.

'Ik heb het lab net gesproken. Ze hebben een gedeeltelijke vingerafdruk van Jennings op een van die vellen papier uit Watsons flat gevonden.'

'Wat?'

'En raad eens: er zit sperma op. Het ziet ernaar uit dat die goorlap zich heeft afgetrokken en toen die papieren heeft vastgepakt.'

'Is het zijn DNA?'

'Ik heb gezegd dat het spoed heeft, maar ze hebben nog vierentwintig uur nodig. Het verklaart wel waarom er een paar pagina's misten. Jennings dacht dat hij al het bewijs van wat hij in die flat had gedaan had meegenomen, maar daarin heeft hij zich vergist. Zeg jij het tegen Sam? We hebben dit aan haar te danken.'

32

Donovan wist niet hoe ze zich meer voelde: uitgeput of opgetogen. Het was een lange en intensieve dag geweest, maar een goede. Toen ze het pad over naar haar huis liep en de voordeursleutel in het slot stak voelde ze zich voor het eerst in een tijdje tevreden. Dagen als vandaag maakten het werk de moeite waard.

Ze liet zichzelf binnen, trok haar jas uit en hing hem aan de haak bij de deur. Ze zette haar tas op het haltafeltje, naast een stapeltje ongeopende post, liep met de tas boodschappen die ze bij de Tesco had gedaan naar de keuken en haalde de fles Australische shiraz eruit. Er zat een mooi etiket met een groen-gouden libel op, en hij was 14,5%. Ze draaide de dop eraf, schonk een groot glas vol en nam een flinke slok. Hij smaakte vol en lekker. Precies wat ze nodig had, en ze voelde zich direct ontspannen.

Claire was naar een of andere zakelijke bijeenkomst en ze had het huis voor zichzelf. Ze stak *Back To Black* van Amy Winehouse in de cd-speler in de keuken en begon de boodschappen uit te pakken. Ze stopte even met opruimen om te bedenken wat ze vanavond zou opeten en dacht aan Michael Jennings. Hij hield ondanks de overweldigende bewijslast nog steeds stug vol dat hij onschuldig was en probeerde alles nu op Daz Manzara te schuiven. Hij was zo overtuigend dat ze hem bijna geloofde, als ze de inhoud van die koffer niet had gezien en niets over Heather Williams had geweten. Maar hij kon liegen dat het gedrukt stond. De vingerafdruk, en hopelijk zijn DNA, bewezen dat hij in de flat van Catherine Watson was geweest, samen met die foto en het ondergoed vol bloedspetters van Catherine Watson. Het enige losse eindje was de moord in Holland Park.

Ze ruimde de rest van de boodschappen op in de kast en wilde net even lekker gaan zitten met haar glas wijn toen haar mobieltje ging. Ze rende de gang in en groef in haar tas om het te pakken, en was net op tijd.

'Blij dat ik je tref,' zei Feeney. 'Iemand heeft een boodschap voor Nick achtergelaten, maar die is bezig met Mark en ik kan hem niet storen. Ik val jou ook liever niet lastig, maar het klonk belangrijk.'

'Wie was het?'

'Die vrouw die in galerie Greville-Tenison heeft gewerkt. Ze belde een uur geleden. Ze heet Amanda Wade. Nick heeft blijkbaar met haar ouders gesproken, en die hebben contact met haar opgenomen en gezegd dat we haar willen spreken.'

'Waar is ze?'

'Ze staat de hele week op een kunstmarkt in New York. Zal ik haar bellen, of doe jij het?'

'Ik doe het wel,' antwoordde Donovan. 'Weet ze wat er met Rachel Tenison is gebeurd?'

'Ze heeft het net gehoord. Ze klonk behoorlijk overstuur.' Feeney gaf Donovan het nummer, dat ze op de achterkant van een envelop op het haltafeltje schreef.

'Ik bel haar meteen.'

Donovan verbrak de verbinding en toetste het nummer in, maar er nam een man op, die zei dat Amanda ergens in de tentoonstellingshal was. Ze vroeg of Amanda wilde terugbellen en liet haar mobiele nummer achter, liep terug naar de keuken met de post en de telefoon, ging aan de tafel zitten en bladerde door de enveloppen. Tussen de gebruikelijke rekeningen en folders zag ze een envelop met alleen haar naam erop. Hij was zo te zien persoonlijk afgeleverd, aangezien er geen adres of postzegel op zat. Ze maakte hem open en trof een ansichtkaart met tekst aan:

Lieve Sam,

bedankt voor het gezellige dinertje zaterdag – bedank Claire ook even alsjeblieft – en dat je mij en mijn gezeur hebt aangehoord. Het wordt echt beter, dat beloof ik. Ik wilde je alleen nog even laten weten dat ik je aan je belofte ga houden, of je dat leuk vindt of niet!

Liefs Simon, xx.

PS Je vertelde dat je in Richmond bent opgegroeid, dus ik dacht dat je dit misschien een leuke kaart zou vinden.

De afbeelding op de voorkant was vaag bekend en ze las op de achterkant dat het een schilderij van de Theems was, vanaf Richmond Hill geschilderd door Turner. Het uitzicht was in bijna tweehonderd jaar nauwelijks veranderd. Ze bestudeerde het mooie, vredige, zonnige landschap, met grazende koeien op de voorgrond, en de rivier die lui de heiige verte in kronkelde. Iets zat haar dwars. Simon was erg attent, hoewel ze zich niet kon herinneren dat ze hem had verteld waar ze was opgegroeid. Misschien had Claire iets gezegd. De toon was tenminste wel zorgelozer en opgewekter dan hij zaterdag had geklonken. Ze had hem sindsdien nauwelijks meer gezien en had het zo druk gehad dat ze nauwelijks meer aan hun gesprek had gedacht, maar ze vroeg zich nu ineens af of ze beter niet tegen hem had kunnen zeggen dat ze met hem uit eten zou gaan. Ze wilde hem niet aanmoedigen.

Ze vroeg zich af of ze er iets over moest zeggen tegen hem toen de voordeurbel ging. Ze stond met tegenzin op om open te doen, verwachtte een collectant of een puber die geld vroeg voor een sponsorloop, aangezien iemand anders zo laat niet meer onaangekondigd zou komen. In plaats daarvan trof ze

Simon Turner op de bovenste trede van de trap aan, zwaaiend met een fles champagne, als een trofee.

'Simon. Wat kom jij doen?' vroeg ze, en ze probeerde niet té verrast of onvriendelijk te klinken. Hij glimlachte zijn gebruikelijke, vriendelijke scheve glimlach naar haar. 'Hoi Sam. Hoe is het? Ik hoop dat je het goedvindt dat ik onaangekondigd op de stoep sta, maar ik vond dat we wat te vieren hadden.'

'Wat een leuk idee,' antwoordde ze aarzelend.

'Als je het druk hebt, kom ik wel een andere keer.'

'Nee. Nee, hoor. Kom binnen.'

Hij leek plotseling zo enorm, en torende boven haar uit toen hij het halletje met laag plafond binnen liep en zich voorover-boog om haar een kusje op de wang te geven. Ondanks de kou buiten droeg hij geen jas, en aan zijn pak en stropdas te zien was hij zo uit zijn werk, via een slijter, naar haar gekomen.

'Ik dacht dat je alleen whisky dronk,' zei ze, en ze keek naar de fles, die er duur uitzag.

'En champagne, als er iets te vieren valt.'

'Nou, ga maar zitten dan.' Ze gebaarde naar de woonkamer. 'Dan pak ik glazen.'

Ze liep naar de keuken en zocht achter in de kast tot ze twee flûtes had gevonden. Ze waren al lang niet gebruikt en zagen er een beetje groezelig uit. Ze veegde ze snel schoon met een theedoek, hoopte maar dat Turner het niet zou zien en liep ermee naar de woonkamer, net op tijd om de zachte plop van de kurk te horen.

'Oeps,' zei Turner, die snel een glas uit haar hand pakte en het onder de overstromende fles hield. Hij schudde het schuim van zijn hand en likte zijn vingers af, toen hij ineens de natte plek op het kleed zag. 'Gelukkig laat het geen vlekken achter. Zal ik even een doekje gaan halen?'

'Nee, hoor. Dat kleed heeft veel ergere dingen doorstaan.'

Hij vulde beetje bij beetje de glazen en gaf haar er een, waarmee ze naar de leunstoel bij het raam liep. Hij ging met zijn glas midden op de bank recht tegenover haar zitten, liet zich met een zucht tegen de kussens zakken en strekte zijn lange benen voor zich uit onder de salontafel.

'Wat een dag.' Hij hief met een glimlach zijn glas. 'Proost, Sam. Op jou.'

'En op jou. Het moet heerlijk zijn om eindelijk de moord op Catherine Watson te hebben opgelost.'

Hij knikte en nam een grote slok champagne. 'Ik had nooit gedacht dat dat nog eens zou gebeuren. Ik hoop dat Alan Gifford meekijkt vanwaar hij ook is, de arme vent. Dat zal hem opvrolijken.' Er viel een stilte en toen zei hij: 'Mark zal wel reuzeblij zijn met zichzelf. De held van Carolyn Steele. En van hoofdinspecteur Cornish.'

Donovan keek hem vermoeid aan. 'Ga het nou niet verpesten, zeg. Je weet heel goed dat hij de meeste lof verdient. Hij is degene die heeft bedacht die foto's van Broadbent nog eens te bekijken, die ons aanleiding gaven Jennings te arresteren. En hij kwam op het idee dat Jennings ergens iets verborg, en het is hem gelukt Heather Williams aan de praat te krijgen over de sportschool en Jennings' vriend Daz.'

'Dat zal wel,' zei Turner nukkig.

'Kom op, Simon. Jij hebt ook je steentje bijgedragen. Jij hebt Jennings gevonden. Zonder hem hadden we niets kunnen doen.'

Hij schudde zijn hoofd. 'Mark zou hem natuurlijk veel sneller hebben gevonden, als hij die kans had gehad.'

'Doe niet zo verbitterd. Dat past niet bij je. We zijn hier om iets te vieren.' Ze hief haar glas. 'Op jou, Simon. En dat meen ik.'

Hij zei niets. Misschien had hij het gevoel dat hij geen lof verdiende.

'Hoe dan ook, het laatste wat Mark aan het doen is, is zelfgenoegzaam rondlopen. Hij zit nog met de moord in Holland Park. We hebben nog steeds geen idee hoe Rachel Tenison en Jennings elkaar hebben ontmoet, aangenomen dat hij de verantwoordelijke is.'

Turner haalde zijn schouders op alsof het hem niet interesseerde en nam nog een grote slok champagne.

'Ze moeten elkaar in een van de bars waar zij naartoe ging zijn tegengekomen,' ging Donovan verder. 'Maar de enige manier waarop we het verband kunnen aantonen is de foto van Jennings bekendmaken in de media en maar hopen dat iemand hen samen heeft gezien.'

Turner zat naar zijn glas te staren alsof hij was betoverd.

'Denk jij dat Jennings schuldig is?' Nog steeds geen reactie. 'Simon?'

Hij keek op en fronste zijn wenkbrauwen alsof ze zijn gedachten had onderbroken. 'Sorry, ik was er even niet bij. Wat zei je?'

'Ik vroeg of je denkt dat Jennings de moord in Holland Park op zijn geweten heeft.'

'Hij is wel een voor de hand liggende kandidaat, hè?' zei hij weinig enthousiast. 'Maar ik zie het hem in geen miljoen jaar toegeven. Ik ben bang dat Mark ermee zal moeten leren leven dat er geen veroordeling komt.'

Ze besloot dat het tijd was over iets anders dan Mark te beginnen en wilde hem net vragen of hij honger had toen ze haar telefoon in de keuken hoorde rinkelen.

'Wacht even,' zei ze, en ze zette haar glas neer en rende naar de keuken. Ze greep de telefoon van de tafel en klapte hem open.

'Hallo?'

'Met Amanda Wade. Spreek ik met rechercheur Donovan?'

'Ja. Fijn dat u terugbelt.'

Donovan liep naar de gang om pen en papier uit haar tas te pakken, en weer terug naar de keuken, waar ze aan de tafel ging zitten en uitlegde waarom ze haar wilde spreken.

'Hoe lang heeft u in de galerie gewerkt?'

'Maar vier maanden, tot vorig jaar kerst. Daarna ben ik gaan reizen.'

Ze had een meisjesachtig, hees Home-Countiesaccent, alsof ze zo van de hockeyvelden kwam. Donovan zag een kloon van de huidige galerieassistente voor zich, Selina, met glanzend blond haar, een minirok en eindeloze, bruine benen.

'Waarom maar zo kort?'

'Het was een uitzendbaan. Ik zou er maar een maandje of zo gaan werken, zolang ze geen vervanging hadden, maar ik ben er langer gebleven dan verwacht. Ik vond het er leuk en ze konden niet zomaar een ander vinden.' Ze zuchtte diep. Donovan wilde net haar volgende vraag gaan stellen toen ze eraan toevoegde: 'Ik vond Rachel aardig. Ze was een goede baas. Ik vind het vreselijk dat ze dood is.'

'Ik begrijp dat u van slag bent, mevrouw Wade. Wilt u liever een andere keer praten?'

'Nee hoor, het gaat wel. Zegt u het maar.'

'We proberen erachter te komen met wie mevrouw Tenison omging, vooral welke mannen ze zag, in het bijzonder romantisch. We hebben op dit moment helaas maar heel weinig. Kunt u zich iemand herinneren die ze zag, of met wie ze praatte?'

Het was even stil voordat Amanda sprak. 'Ze werd natuurlijk regelmatig door mannen gebeld. Maar behalve haar broer was er niemand in het bijzonder.'

'Er moet toch wel iemand zijn geweest?'

'Nou ja, misschien die journalist, Jonathan Nogwat.'

'Bourne?'

'Dat zou kunnen. Die belde weleens. Ze zei dat hij een vriend was...'

Donovan hoorde twijfel in haar stem. 'We weten wie hij is,' antwoordde ze.

Bourne was nog steeds een verdachte zonder alibi, maar als hij Rachel Tenison had omgebracht, was het niet duidelijk hoe hij aan de details over de dood van Watson was gekomen. 'Kunt u verder nog iemand bedenken? Al is het maar een vage kennis? Iemand op de achtergrond?'

Er viel een korte stilte. 'Nou, er was wel iemand. Ze zei over hem ook dat hij gewoon een vriend was. Dat hield ze heel nadrukkelijk vol, hoewel iedereen kon zien dat hij zijn ogen niet van haar kon afhouden. Hij is een paar keer naar de galerie gekomen, toen ik er niet was.'

'Bedoelt u een cliënt?'

'Hemel, nee. Die herken je meteen. En ze leek helemaal niet zo blij hem te zien. Elke keer dat hij kwam bonjourde ze hem zo snel mogelijk de deur weer uit, alsof ze het niet prettig vond dat hij er was, hoewel hij me heel aardig leek.'

Donovan vroeg zich af of het Jennings was, en vroeg: 'Viel hij haar lastig?'

'Toen niet, niet echt. Maar een andere keer wel. Er is een eetcafé, recht tegenover de galerie...'

'Dat ken ik, ja,' zei Donovan. Daar had ze met Minderedes koffiegedronken.

'Nou, op een dag zag ik hem aan een tafeltje op het terras zitten. Hij zat naar de galerie te staren, heel opvallend. Ik zag hem van achter mijn bureau en vond het heel raar. Een beetje griezelig.'

'Wist zij dat hij er was?'

'Ik heb een tijdje afgewacht en toen hij maar bleef zitten ben ik naar haar kantoor gelopen en heb het verteld. Ze kwam naar boven om te kijken. Toen ze zag wie het was zei ze: "Maak je geen zorgen; die gaat wel weer weg". Ze zei het op een toon die suggereerde dat het niet de eerste keer was.'

'En is hij inderdaad weggegaan?'

'Nee. Een halfuur later zat hij er nog en was nog steeds aan het kijken. Het was koud buiten, maar dat leek hem niet uit te maken. Er stond een kop koffie of iets dergelijks voor hem, maar ik heb hem er niet van zien drinken. Hij moet ijskoud zijn geweest, maar ze mochten niet bij hem afruimen. Ik ben nog een keer naar beneden gelopen om het te zeggen. Ik vond het echt griezelig.'

‘Waarom heeft u het niet tegen Richard Greville gezegd? Of de politie gebeld?’

‘Richard was er niet, dat weet ik zeker. Ik heb voorgesteld de politie in te schakelen, maar dat mocht niet van Rachel. Ze zei dat zij het wel zou afhandelen. Ze heeft haar jas aangetrokken en is naar buiten gelopen om met hem te praten.’

‘Heeft u gezien hoe dat ging?’

Donovan hoorde weer een aarzeling, en een zucht. ‘Nou, ik was wel nieuwsgierig, eerlijk gezegd. En ik maakte me zorgen, dus ik heb gekeken. Maar er gebeurde niets. Ze stak gewoon de straat over en zei iets tegen hem. Toen kwam ze terug naar de galerie en liep weer naar beneden.’

‘En wat deed die man?’

‘Die is nog heel even blijven zitten, en daarna is hij vertrokken.’

‘En hij is niet teruggekomen?’

‘Niet dat ik weet.’

‘Wanneer was dat?’

‘Net voordat ik vertrok. Begin december, denk ik.’

‘Kunt u hem beschrijven?’

‘Ja. Ja, dat kan ik wel. Hij was heel lang. Ik ben op hakken ongeveer een meter tweeënzeventig, maar hij torende boven me uit. Hij had heel kort lichtblond haar en heel bijzondere ogen. Heel opvallend.’

‘Op wat voor manier?’

‘Ze waren lichtblauw, zoals van die honden, husky’s.’

‘Weet u nog meer?

‘Ja, volgens mij zei hij dat hij politieman was, maar misschien vergis ik me.’

Donovans oog viel terwijl Amanda sprak op de ansichtkaart van Simon Turner. Ze wist ineens wat haar net had dwarsgezeten. Het was zijn handschrift: hetzelfde opmerkelijke, schuine handschrift dat ze op die kaart aan Rachel Tenison had gezien. Alleen de kleur inkt was anders. Dat had haar op het verkeerde been gezet. Ze herinnerde zich de woorden en de obsessieve, smekende toon. Het was net alsof iemand de radio op een andere zender zette en of ze in plaats van ruis ineens alles glashelder hoorde.

Haar adem stokte in haar keel. 'Een politieagent?' Ze hoorde het zichzelf nauwelijks zeggen.

'Ja. Of een rechercheur,' babbelde Amanda in de verte. 'Toen ik zei dat ik de politie wilde bellen, begon Rachel te lachen, en ze zei dat dat geen zin had. Ze zei dat het als water naar de zee brengen zou zijn. Misschien bedoelde ze wel dat hij privédetective was en dat hij haar in de gaten hield.'

'Weet u zijn naam nog?' Simon. Simon Turner. Terwijl ze wachtte tot Amanda antwoord zou geven, bedacht ze dat hij op luttele meters afstand van haar zat, in de andere kamer, met zijn champagne. Wat moest ze in vredesnaam doen? Ze hield met bevende hand de telefoon tegen haar oor en leunde tegen de muur alsof ze steun zocht. Ze moest zich rustig houden tot ze het telefoontje kon beëindigen.

'Nee. Ik weet zeker dat hij die nooit heeft genoemd.'

'Maar zou u hem wel kunnen identificeren, als u hem zag?'

'Ik denk het wel, hoewel ik niet weet of ik hem eruit zou pikken in een kamer vol Scandinaviërs.'

'Heeft u enig idee hoe ze elkaar hebben leren kennen?'

'Nee. Wacht even.' Donovan hoorde een mannenstem op de achtergrond en toen klonk Amanda weer. 'Het spijt me, maar er zijn net cliënten binnengekomen en ik moet afsluiten. Wilde u verder nog iets weten?'

'Ik denk dat we voor nu genoeg hebben. We hebben dit wel zwart op wit nodig. U wordt morgen gebeld door een van mijn collega's.'

Ze probeerde zich te concentreren op waar ze nu mee bezig was, bedankte Amanda en beëindigde het gesprek.

Toen ze de telefoon dichtklikte, hoorde ze Turners stem recht achter zich.

'Ik kwam je glas even bijvullen.'

Ze draaide zich om en staarde hem aan.

Hij droeg de fles en zijn glas, dat hij al had bijgeschonken. 'Sorry, ik wilde je niet laten schrikken,' zei hij, en hij zette de fles op tafel. Hij bestudeerde haar gezicht.

'Gaat het wel, Sam? Je ziet eruit of je een spook hebt gezien.'

33

Donovan voelde zich alsof alle lucht uit haar was geperst en staarde daas naar Turner. Ze kon niet helder nadenken. Kon niet helder uit haar ogen kijken. Beelden van Holland Park en Rachel Tenisons lichaam, geknield in de sneeuw, flitsten door haar hoofd, gevolgd door de foto's die ze uit het dossier van Catherine Watson had gezien; Turners zaak.

'Wat is er, Sam? Zeg het maar.'

Zijn stem trok haar terug naar het hier en nu. Ze bestudeerde de vriendelijke, bekende gelaatstrekken en nam zijn blik van oprechte warmte en bezorgdheid in zich op. Simon Turner een moordenaar? Was dat mogelijk? Er moest een andere verklaring voor zijn.

'Wat is er toch?' vroeg hij nogmaals.

'Ik weet het, van jou en Rachel Tenison.' Ze zag dat hij een kleur kreeg, dat zijn spieren zich aanspanden, dat zijn vreemd bleke ogen zich tot spleetjes samenknepen.

'Oké.' Hij nam een slok champagne en zette zijn glas neer. Hij haalde een pakje sigaretten uit zijn borstzakje en stak er een op, staarde haar bedachtzaam aan. 'Je bent een slimme dame, mevrouw Donovan. Ik snap alleen niet hoe je erachter bent gekomen. Ga je het me vertellen?'

Zijn toon was bijna blasé en dat raakte haar. Hij probeerde het tenminste niet te ontkennen. Ze dacht terug aan wat hij nog maar twee maanden daarvoor op de ansichtkaart aan Rachel Tenison had geschreven, aan de wanhopige toon: *Ik zie overal je gezicht en moet constant aan je denken. Waarom bel je niet terug?*

'Je was verliefd op haar, hè?'

Hij blies een wolk rook in de lucht. 'Ja. Heel erg. Hoezo, maakt dat uit?'

'Jezus, Simon,' schreeuwde ze. 'Natuurlijk maakt dat uit. Wat is er gebeurd?'

Hij zuchtte en trok een stoel onder de tafel vandaan, ging er achterstevoren op zitten en legde zijn armen op de rugleuning. 'Het is heel eenvoudig. Het ging thuis niet goed. Ik zal niet op de details ingaan, maar je kunt je wel voorstellen...' Hij keek haar aan, op zoek naar bevestiging, maar ze staarde hem alleen maar aan. Hij slaakte nog een diepe zucht. 'Op een avond sprak ik iemand in Notting Hill over een zaak waarmee ik toen bezig was. Tegen de tijd dat ik klaar was, was het laat, en ik was doodmoe. Zoals op de meeste avonden had ik geen zin om naar huis te gaan... ik wilde Nina eerlijk gezegd niet onder ogen komen. Dus ben ik ergens wat gaan drinken. In een tentje op weg naar het metrostation, waar ik een borrel voor mezelf heb besteld. Rachel zat aan de bar, we raakten aan de praat en hebben samen wat gedronken.'

Hij nam met fronsend voorhoofd nog een trekje van zijn sigaret, alsof de herinnering pijnlijk was. 'Verbijsterend, hoe gemakkelijk je met een vreemde praat,' ging hij na een korte stilte verder. 'Vooral als je gedeprimeerd en moe bent. Dan lijkt iedereen zo benaderbaar, en ze was mooi. Beeldschoon, eerlijk gezegd. Ze had een strak zwart topje aan... nou ja, ze zag er echt heel goed uit. En ze rook ook zo lekker, droeg altijd hetzelfde parfum. Iets zoets, een of andere bloem. Nadien rook ik het nog op mijn kleren. Hoe dan ook, ze luisterde naar me. Ik denk dat ik eenzaam was, en zij ook. De rest kun je zelf wel invullen.'

'Jezus, je doet alsof het heel eenvoudig is.'

Hij haalde zijn schouders op. 'Niet echt. Zoals gebruikelijk was ik weer veel te impulsief. Om te beginnen was ik gewoon op zoek naar iets om even niet aan thuis te hoeven denken. Afleiding, als je het zo wilt noemen. Iets om de dag op te fleuren.'

'Was dat alles wat het was?'

Hij schudde zijn hoofd. 'Weet je, het was het eerste beetje opwinding en aandacht dat ik in lang had gehad. Ik ging er niet van uit dat het verder zou gaan. Ik werd erdoor overrompeld. Voor ik het wist zat ik er middenin en had ik er geen controle meer over. Ik was verslaafd, echt verslaafd. Ik zou alles voor haar hebben gedaan. Maar hoe meer ik haar wilde, hoe minder geïnteresseerd zij in mij was. Zo gaat dat soms.' Hij staarde haar door een waas van rook aan.

Ze zag hem al helemaal voor zich, overrompeld door een golf van emotie, gevangen en in een trance, blind voor de signalen, wanhopig, idealistisch volhardend waar een ander allang had opgegeven.

'Is dat waarom Nina bij je is weggegaan?'

'Nee. Ze weet het niet, van Rachel. Ze is opgestapt om haar eigen leven op een rijtje te krijgen, dat is tenminste wat ze zei. Ik heb je al verteld dat ik dacht dat ze een ander had.'

Ze dacht terug aan wat Karen Feeney had gezegd: 'Ze heeft helemaal geen ander, dat heeft Simon verzonnen.' Ze vroeg zich nu af of Turner al die tijd tegen haar had gelogen over wat er tussen hem en Nina was gebeurd, en of hij nu ook loog.

Turner nam nog een diepe hijs van zijn sigaret en stond op. Hij zette de stoel opzij en kwam op haar af. 'Luister, ik ben niet trots op wat ik heb gedaan. Ik weet dat het fout was, maar ik boet er al heel lang voor. Jezus, ze heeft het me wel ingewreven. Ik moest altijd aan haar denken en ik dacht dat ik gek werd van verlangen. Ik probeerde met haar af te spreken, maar ze nam mijn telefoontjes niet aan, wilde niet met me praten. Ze behandelde me als een hondendrol die ze van haar schoen moest schrapen.'

Ze zag hem voor zich aan het tafeltje op dat terras, wanhopig wachtend tot hij een glimp van Rachel zou opvangen. Ze zag voor zich hoe ze naar buiten kwam en iets wreeds en pijnlijks zei dat hem deed afdruipen. Ze zou hem niet hebben gespaard. Ze zou meedogenloos zijn geweest. Er was geen discussie, geen ruzie. Hij onderging zijn straf gewoon alsof hij niets beters verdiende.

'En de laptop en de telefoon? Je bent naar haar flat gegaan en hebt ze meegenomen.'

Hij schudde zijn hoofd. 'Nee, dat heb ik niet gedaan.'

'Lieg niet, Simon. Natuurlijk wel. Je probeerde je sporen uit te wissen.'

'Dat was ik niet, dat zweer ik. Ja, ik heb Rachel sms'jes gestuurd en ik heb haar gebeld. Ik heb er zelfs speciaal een telefoon voor gekocht, zodat Nina er niet achter zou komen. Maar ik heb haar nooit gemaild. Dat wilde ze niet, en ik was bang dat een bemoeial op het bureau het zou ontdekken.'

Misschien had hij Rachel Tenisons flat in de gaten gehouden. Hij moest hebben geweten dat er die nacht iemand bij haar was en misschien had hij Bourne de volgende ochtend vroeg wel zien vertrekken. Hij moest hebben staan wachten toen ze het pand uit kwam om te gaan joggen en haar het besneeuwde park in zijn gevolgd. Misschien had hij alleen met haar willen praten en wilde ze niet luisteren. Misschien had ze hem geprovoceerd, had ze hem zo kwaad of jaloers gemaakt dat hij haar had vastgepakt om haar te laten stoppen. Of misschien was het idee dat een ander haar had te ondraaglijk.

'Liz Volpe heeft jou in het park gezien, hè?'

Turner leek haar niet te horen. Hij inhaleerde meer rook en leek zichzelf te verliezen in zijn gedachten. Hij pakte zijn glas van tafel en nam nog een grote slok champagne, staarde naar de bubbels die in het glas borrelden, alsof hij een andere wereld in keek.

'Geef antwoord, Simon. Die rozen waren van jou, hè?'

Hij keek op. 'Een onnadenkend, sentimenteel gebaar, ik weet het. Maar ik voelde me er wel iets beter door.'

'Iets beter? Je voelde je toch wel schuldig? Je had toch wel wroeging?'

'Nee. Ik heb geen spijt. Ik hou nog steeds van haar, stomme idioot die ik ben. Verblind door liefde.'

Hij had zijn sigaret helemaal opgerookt, liep naar de gootsteen en hield de peuk even onder de waterstraal voor hij hem in de prullenbak gooide. Hij draaide zich om.

'Het spijt me, Sam. Ik weet dat ik je over Rachel had moeten vertellen, maar het leek me beter van niet. Ik wist dat je niet voor me zou liegen en ik wilde niet dat iedereen het zou weten. Ik moet hier zelf op de een of andere manier in het reine mee zien te komen. Begrijp je dat?'

Ze staarde hem diep geschokt aan, had nog steeds moeite te verwerken dat hij zo'n ongelooflijk gebrek aan medeleven toonde en dat hij zoiets gruwelijks had gedaan. Hij was de controle kwijt. Hij was labiel. Het moest een ongeluk zijn geweest, iets wat in het heetst van de strijd was gebeurd, toen hij zoals altijd in de greep was van zijn emoties. Ze kon zich niet voorstellen dat hij iemand in koelen bloede zou vermoorden, laat staan de vrouw van wie hij hield.

'Als je denkt dat je dit alleen kunt oplossen, of dat je Jennings ervoor kunt laten opdraaien, ben je gek,' schreeuwde ze. 'Ik ga nu meteen Mark bellen.'

Haar telefoon lag achter haar op tafel en ze reikte ernaar.

'Leg neer,' zei hij fel, en hij kwam op haar af. 'Alsjeblieft, Sam. Wacht. Laten we het er eerst over hebben. Waarom moet Mark het weten? Dat verandert niets.'

Ze had de telefoon in haar hand en aarzelde, zag weer in flitsen voor zich wat er moest zijn gebeurd. Ja, het moest een ongeluk zijn.

'Leg alsjeblieft de telefoon neer, Sam,' herhaalde hij, feller en harder.

De woorden drongen tot haar door en ze voelde zich voor het eerst bang. Hij ging haar niet laten bellen. Hoe kon ze zich zo in hem hebben vergist? Ze had de telefoon nog vast, maar liet haar hand naast haar zij zakken en slikte iets weg. 'Als je denkt dat ik je ga dekken... als je denkt dat ik voor je ga liegen, ben je gek.' Ze zocht naar woorden. 'Ik weet zeker dat je niet van plan was haar te vermoorden...'

'Haar vermoorden? Ik?' Hij fronste zijn wenkbrauwen en zijn mond viel open. 'Denk je dat ik haar heb vermóórd?' Hij reikte naar haar uit.

'Raak me niet aan,' zei ze. Ze deed een stap achteruit en stootte tegen de tafel.

'Jezus, je meent het echt, hè? Je denkt dat ik het heb gedaan! Je denkt verdomme dat ik haar heb omgebracht! Sam, dat meen je niet.'

Hij schudde ongelovig zijn hoofd, reikte naar zijn glas en dronk het in één teug leeg. Hij knalde het op tafel. 'Hoe kun je nou denken dat ik Rachel heb vermoord?'

'Het hele plaatje klopt.'

Hij wreef met zijn handen over zijn gezicht. 'Jezus, niets klopt, Sam. Geloof me.'

'Lieg niet.'

Hij liep met uitgestrekte handen op haar af. 'Luister,' zei hij, en zijn gezichtsuitdrukking verzachtte even. 'Ik zou tegen jou nooit liegen. Ik heb haar niet vermoord. Hoezeer ik haar ook haatte om hoe ze me behandelde, ik hield nog steeds van haar.'

De emotie in zijn stem raakte haar en ze begon aan zichzelf te twijfelen. 'Als je haar niet hebt vermoord, waarom heb je alles dan geheimgehouden? Waarom heb je niemand verteld dat jullie minnaars waren?'

'Vanwege Nina. Na alles wat ze heeft moeten doorstaan wilde ik niet dat zij het wist. Ik was bang dat ze het niet zou aankunnen. En ik dacht dat er nog een kans was dat we het zouden bijleggen, dat we opnieuw konden beginnen.'

'Dat is gelul.'

'Ik ben misschien een idioot, maar het is de waarheid.'

'Je was vast blij dat Steele je erbij haalde, of heb je dat zelf zo geregeld?'

'Absoluut niet! Hoe kun je dat zeggen? Dat was wel het laatste wat ik wilde, dat ik op de een of andere manier bij de moord op Rachel zou worden betrokken. Het was een kwelling om te moeten aanhoren wat er was gebeurd, om het dossier te moeten lezen, de foto's te moeten bekijken. Stel je voor.'

'Dat kan ik niet.'

Hij deed nog een stap naar haar toe. 'Jezus, Sam. Hoe kun je nou denken dat ik haar heb vermoord?' Zijn ogen boorden in haar.

Ze gaf geen antwoord. Ze wist niet wat ze moest doen, wat ze moest zeggen. Hij zou haar toch niets aandoen?

'Denk na, Sam. Je kent me. Waarom zou ik haar vermoorden? Waarom in godsnaam?'

'Je was jaloers, geobsedeerd,' zei ze, en ze deed zijdelings een stap van hem vandaan. 'Je wilde niet dat een ander haar zou hebben.' Het had geen zin te proberen te vluchten; ze had geen schijn van kans. Haar enige hoop was dat Claire zou thuiskomen.

'Nee. Zo was het niet.'

Hij reikte zonder waarschuwing naar haar uit en greep haar bij haar polsen, trok haar naar zich toe en pinde haar met zijn gewicht tegen de tafel. De telefoon viel uit haar hand en kletterde op de vloer.

'Kijk me eens aan, wil je? In godsnaam, Sam, je moet me vertrouwen. Alsjeblieft.' Hij tilde haar bijna op terwijl hij tegen haar praatte.

'Je doet me pijn,' schreeuwde ze. 'Laat me los.'

Zijn gezicht glinsterde van zweet en hij stond zo dichtbij dat ze een zure zweem van champagne en sigaretten rook. Ze vroeg zich af of hij haar angst rook. Ging hij haar slaan? Zou hij haar ook proberen te vermoorden, om haar ervan te weerhouden te praten? Ze probeerde zich los te wrikken, maar hij was veel te groot en sterk.

'Je moet me geloven,' zei hij, en hij had haar hand nog steeds vast. 'Ik heb er niets mee te maken.'

Ze dacht aan het gedicht. Professor Spicer had het een liefdesgedicht genoemd. Hij had het voor het eerst gezien in de flat van Catherine Watson. Misschien dat Rachel Tenison hem aan haar had doen denken door wat ze hem met haar had laten doen. Misschien had hij er zelfs van genoten. Dat moest zijn wat hem op het idee had gebracht om de moord aan de onopgeloste zaak-Watson te verbinden.

'Vertel eens over dat gedicht,' zei ze in de hoop wat tijd te rekken. 'Raakte het een gevoelige snaar? Betekende het iets voor je?'

'Jezus, ik geloof mijn oren niet,' schreeuwde hij, zijn gezicht luttele centimeters van dat van haar. 'Ik heb toch gezegd dat ik me dat ding niet eens uit de flat van Catherine Watson kan herinneren? Dat was geen leugen. Luister alsjeblieft naar me. Ik heb Rachel Tenison niet vermoord.' Hij schudde haar bij elk woord dat hij uitsprak.

Ze kneep haar ogen dicht en wachtte op de klap.

'Luister nou, stom mens dat je bent. Ik heb een alibi. Hoor je me? Ik heb een alibi.'

Het duurde even voordat de woorden tot haar doordrongen. Ze deed verbijsterd haar ogen open. Tranen stroomden over haar wangen terwijl ze hem aankeek. Zijn gezicht was knalrood en hij leek compleet de kluts kwijt.

'Ja. Ik heb een godvergeten waterdicht alibi.'

Hij liet haar handen los en duwde haar van zich af. Ze verloor haar balans en viel tegen de tafel. Hij pakte de fles eraf en begon eruit te drinken alsof hij ongelooflijke dorst had. De champagne droop over zijn kin en hals.

Ze ging moeizaam rechtop staan en trok zich terug in een hoek van de ruimte, wreef over haar polsen, niet in staat haar blik van hem af te wenden. 'Ik geloof je niet.'

Hij keek op. 'Nou, je zult wel moeten,' zei hij terwijl hij de fles in een hand hield en zijn mond met de rug van zijn ande-

re droogwreef. 'Als je maar niet slecht over me gaat denken.'
'Hoe bedoel je?'
'Als je me maar niet gaat veroordelen, oké? Ik was er echt heel, heel slecht aan toe. Ik ben de avond voor Rachel stierf terug geweest naar die bar, in de hoop haar te zien; ik wilde het uitpraten. Ik heb er die hele week en de week ervoor bijna elke avond gezeten. Ik ben nauwelijks thuis geweest, alleen om te slapen. Zoals ik al zei weigerde ze met me te praten of me terug te bellen. Ik wist dat het voorbij was, maar ik wilde haar laten weten hoe ik me voelde, hoeveel pijn ze me had gedaan, dat het verkeerd is om iemand zo te behandelen. Hoe dan ook, ik ben er weer naartoe gegaan, maar ze was er niet. Ik heb wat gedronken, waarschijnlijk te veel, en raakte aan de praat met een vrouw aan de bar. En ik ben met haar naar huis gegaan, nou goed?' Hij haalde zijn schouders op alsof het onontkoombaar was. 'Een geluk bij een ongeluk, hè?'
'Geluk?'
'Ze kan me een alibi verschaffen.'
Was dat ook gelogen? 'Weet je dat heel zeker?'
Er ging een zweem van een glimlach over zijn gezicht. 'Ja, ze weet het nog wel. We hebben het leuk gehad.'
Ze wilde hem keihard in zijn gezicht slaan, die opschepperige grijns eraf meppen, en haar hoofd tolde nog van twijfel.
Hij zette de fles neer, liep weer naar haar toe en pakte haar slappe handen vast. Er dropen druppeltjes zweet over zijn gezicht. 'Sam, luister alsjeblieft. Voor de laatste keer: ik heb Rachel echt niet vermoord. Je hebt geen idee hoe het voor me was om alles stil te moeten houden, om er met niemand over te kunnen praten. Wat ik ook voor stomme, stomme dingen heb uitgehaald, ik ben geen moordenaar. Je moet me geloven.'
Sam wist het niet zeker, maar als hij echt een alibi had... Maar misschien loog hij. Haar hoofd tolde. Ze kon niet helder nadenken.
Hij keek haar nog steeds aan, bestudeerde haar, probeerde

haar reactie in te schatten. 'Geloof me alsjeblieft, Sam. Ik zou nooit iemand kunnen vermoorden.'

Hij staarde haar zo wanhopig aan dat het onmogelijk was niet met hem mee te leven, ook al was ze er nog steeds niet van overtuigd dat hij de waarheid sprak.

'Geloof je me?'

'Ik weet niet wat ik moet geloven.'

'Geloof dit dan.' Hij boog zich zonder waarschuwing voorover en probeerde haar te zoenen.

'Simon, hou op,' schreeuwde ze, en ze trok haar hoofd weg en duwde haar vuisten tegen zijn borstkas. 'Dat maakt het niet beter en dat weet je.'

'Misschien dat ik me dan beter ga voelen.'

'Daar gaat het niet om,' zei ze met walging in haar stem. Hij leek in zijn wanhopige toestand gedreven door het moment, niet in staat iets goed te overdenken, volledig door zichzelf in beslag genomen. Hij was net een kind.

Hij haalde zijn schouders op en draaide zich om, greep de theedoek van het handvat van de oven en veegde zijn gezicht ermee af.

'Nou, bedankt voor het luisteren.' Hij sprak op een toon alsof de kous daarmee af was. 'Dan ga ik maar.'

'Je moet het aan Mark vertellen.'

'Nee. Het gaat hem geen moer aan.'

'Het moet, Simon.'

'Echt niet. Dat kost me mijn kop.'

'Je hebt geen keus.'

'Jawel hoor. En die heb ik al gemaakt. Hij heeft Jennings. Hij heeft zijn moordenaar. Ze hoeven niets te weten over mij en mijn smerige verhoudinkje.'

'Je moet de waarheid vertellen.'

'Nee. Dat zou mijn ondergang zijn. Is dat wat je wilt?' Hij staarde haar kwaad aan.

'Waarom zou het je ondergang zijn? Je hebt alleen informatie achtergehouden. Zoals je al zei heeft het geen gevolgen voor het onderzoek. We weten wie de moordenaar is. Als je uitlegt dat je je huwelijk probeerde te redden, begrijpen ze dat misschien wel.'

Hij schudde wild zijn hoofd en begon met zijn handen in zijn zakken door de keuken te ijsberen. 'Misschien dat ik de gevangenis niet in hoef, maar ik zou het bij Moordzaken verder wel kunnen schudden. En wie wil me dan nog? Vertel dat me maar. Zie je me al in een uniform achter een bureau zitten? Ik dacht het niet.'

'Wat er ook gebeurt, dat is wat je moet doen.'

'Nee.'

'We gaan nu naar Mark. Je hebt te veel gedronken om nog te rijden.'

Hij staarde haar razend aan. 'Waarom? Waarom moet dat?'

'Dat hoef ik je niet te vertellen. Dat weet je zelf ook. En als je niet met hem wilt praten, moet je naar Carolyn Steele. Je moet het vertellen.'

Hij schudde zijn hoofd. 'Nee. Ik ga niet.'

'Als je onschuldig bent, als je niets met de moord op Rachel Tenison hebt te maken, is dat wat je gaat doen.'

'Nee. Het is te laat. Bedankt voor de gastvrijheid en zo. Je wilt me vast graag de deur uit hebben, dus dan ga ik maar. Ik heb nog een borrel nodig.'

Hij draaide zich voordat ze hem ervan kon weerhouden om en liep de gang in. Ze rende achter hem aan, greep hem bij zijn arm toen hij stilstond om de voordeur open te doen. Hij schudde zich van haar af alsof ze niets meer was dan een irritante vlieg. Hij rukte de deur open en marcheerde naar buiten en het pad af.

'Simon, wacht. Kom terug.'

Hij stond al bij het hek. Ze rende naar hem toe en hij knalde het hek voor haar neus dicht, hield het vast zodat ze er niet langs kon.

'Ik heb veel voor je over, Sam. Maar dit niet.'

Ze sloeg haar armen om zichzelf heen; ze rilde. 'Je weet dat het verkeerd is. Dat weet je.'

'Misschien. Maar het is wat ik moet doen.'

'Dat geloof ik niet! Je plaatst me in een vreselijke positie.'

'Daar kan ik niets aan doen, Sam. Zoals je weet ben ik gek op je, en ik ben dankbaar voor alles wat je voor me hebt gedaan. Maar dit moet ik alleen oplossen. Zo moet het zijn.'

Voordat ze iets kon tegenwerpen leunde hij over het hek heen en zoende haar vol op haar mond.

'Bedankt voor alles.' Toen draaide hij zich om en beende weg.

'Als ik over een halfuur nog niets van je heb gehoord bel ik Mark, begrepen?' schreeuwde ze achter hem aan. 'Een halfuur. Hoor je me?'

Ze dacht dat ze hem zijn schouders zag ophalen, maar hij liep door en keek niet om.

Toen hij om de hoek verdween liep Donovan onwillig terug naar binnen en deed de deur dicht. Haar armen en benen voelden als elastiek en ze moest even zitten. Zij had ook een borrel nodig. Ze liep naar de woonkamer en Simons woorden weerklonken in haar hoofd; ze wist nog steeds niet wat ze moest geloven.

Haar halflege glas rode wijn stond nog op de salontafel, maar daar had ze geen zin meer in. Ze had behoefte aan iets sterkers. Ze liep naar het dienblad met sterkedrank op de kast in de hoek van de kamer en bestudeerde de kleine verzameling flessen met felgekleurde vloeistof erin. De meeste waren in een opwelling door Claire op vakantie aangeschaft. Er stond niets aanlokkelijks tussen, tenzij je wanhopig was of van mierzoete likeur hield, wat zij niet deed. De enige andere optie was de fles whisky die Turner had meegenomen, waar verrassend genoeg nog een paar centimeter in zat. Ze was niet dol op whisky, maar het was beter dan niets.

Ze vroeg zich af hoe lang ze hem zou geven voordat ze Tartaglia zou gaan bellen, vulde in de keuken een glas met ijs en schonk een flinke borrel voor zichzelf in. Toen ze hem naar haar mond bracht en de sterke, turfachtige geur opsnoof, hoorde ze de voordeurbel.

Hij was godzijdank zo slim om terug te komen, hoewel ze hem eigenlijk niet wilde zien. Ze zette haar glas neer en ging de deur opendoen, maar het was Simon Turner niet.

34

Nina stond in de portiek, het licht aan het plafond wierp een schaduw over haar gezicht.

'Nina.'

'Mag ik binnenkomen? Ik vind dat we moeten praten.'

Ze had haar werkkleding nog aan, en ze zag er met haar strak naar achteren getrokken paardenstaart gespannen en vreemd bleek uit, haar donkere ogen leken diepe vegen in haar gezicht. Er was iets mis.

'Ik wilde net naar bed gaan,' antwoordde Donovan, die haar verrassing niet kon verbergen. 'Wat kom je doen?'

'Ik wil met je over Simon praten.'

'Simon?' Ze bestudeerde de strakke, harde lijnen in Nina's gezicht en vroeg zich af wat er was. 'Mag dat een andere keer? Ik ben ontzettend moe.'

'Nee, Sam. Het kan niet wachten. Mag ik alsjeblieft binnenkomen?'

Donovan was toch wel nieuwsgierig waarom Nina haar zo dringend wilde spreken en deed een stap opzij om haar binnen te laten. Ze liep achter Nina aan de woonkamer in.

'Zijn favoriete merk, zie ik,' zei Nina scherp terwijl ze haar tas op de salontafel naast Turners fles whisky zette.

Donovan sloeg haar armen over elkaar en hoopte maar dat dit niet lang ging duren. 'Waar wil je het over hebben?'

'Hoeveel heeft hij je verteld?'

'Waarover?'

'Over ons. Over ons huwelijk.'

'Niet zoveel,' zei ze verbaasd. Ze wist niet wat ze moest zeggen of wat Nina verwachtte.

Nina knikte. 'Typisch. Daarom ben ik hier. Ik dacht dat je misschien niet wist hoe het zat. Heeft hij je verteld dat ik naar hem terugga?'

Donovan zette haar handen op haar heupen en zuchtte. 'Luister, ik begrijp niet waarom je het er met mij over wilt hebben. Dat is tussen jullie en gaat mij niets aan.'

Nina werd rood en haalde diep adem, alsof ze het ergens heel moeilijk mee had. 'Wil je alsjeblieft niet tegen me liegen, Sam? Ik heb jullie net samen gezien. En hij was hier laatst ook. Ik weet wat er aan de hand is.'

Donovan schudde vermoeid haar hoofd. Dus daar ging het over. Nina was jaloers. Maar hoe wist ze in vredesnaam waar Turner was geweest? Ze woonden toch niet samen? Misschien had hij iets gezegd en niet beseft hoe het klonk.

'Er is niets aan de hand,' zei ze kalm. 'Je hoeft je nergens zorgen om te maken.'

'Ik dacht al dat je dat zou zeggen. Mag ik even gaan zitten? Ik heb de hele dag gestaan.'

'Ik vind echt dat je hier niet zou moeten zijn.'

'Ik ben nog niet klaar,' zei Nina, die op het randje van de bank ging zitten en haar rok gladstreek. 'Weet je wat zo grappig is,' zei ze terwijl ze met een beschuldigende vinger wees, 'jij bent de laatste achter wie ik dacht dat hij aan zou zitten.'

'Luister. Ik zie dat je van streek bent, maar hij zit niet achter me aan. Hij was hier voor het werk.'

'Hij kwam met een fles champagne en ik zag hem je net zoenen. En ga me nou niet vertellen dat het een vriendschappelijk kusje was, want ik heb het gezien en de blik in zijn ogen sprak boekdelen.'

Donovan voelde dat ze een kleur kreeg. 'Je hebt het mis, echt. Het stelt niets voor.'

'Misschien niet voor jou, maar hoe denk je dat ik me voel?

Ik ben met hem getrouwd.' Nina's stem klonk schril en hoog, en Donovan zag de verbitterde blik in haar ogen.

'Waarom was jij hier? Bespioneer je hem?'

'Ik moet weten wat hij van plan is. Ik wil weer naar hem terug en onze relatie nog een kans geven, maar als hij wat met jou heeft, schiet dat niet op.' Ze bestudeerde haar lange roodgelakte nagels even en keek toen weer naar Donovan. 'Je bent een prima mens, Donovan. Ik heb je altijd gemogen. Ik ben hier om te vragen of je hem wilt opgeven.'

Ze had tranen in haar ogen en Donovan voelde met haar mee. Het moest haar heel wat moed hebben gekost om haar trots in te slikken en hiernaartoe te komen. 'Ik heb niets op te geven. Maar als je zoveel voor hem voelt, waarom heb je hem dan in de eerste plaats verlaten? Ik heb gehoord dat je een ander hebt.'

Nina keek haar verbijsterd aan. 'Ik? Nee. Is dat wat Simon zegt?' Ze schudde haar hoofd alsof ze het niet kon geloven. 'Weet je, hij zegt alles om zijn zin te krijgen. Ik denk weleens dat hij niet eens weet wat de waarheid is. Hij is degene die mij heeft verlaten.'

'Maar jij bent opgestapt.'

'Ja, maar vraag je maar eens af waarom. Nadat ik onze baby had verloren voelde ik me eenzamer dan ooit. Ik zag hem nauwelijks. Hij had natuurlijk de gebruikelijke excuses over werk en zo. Maar hij zat gewoon liever in de pub met zijn vrienden dan bij mij. Het was net alsof hij niets meer met me te maken wilde hebben.'

Donovan kon zich niet voorstellen dat Turner zo gevoelloos zou doen. Hij was impulsief, onnadenkend misschien, maar niet wreed. Ze herinnerde zich wat hij had gezegd over Nina's depressie. Over hoe ze de controle was kwijtgeraakt, over hoe buitengesloten hij zich voelde. Elk verhaal had twee kanten. Ze keek naar Nina, met haar starende donkere ogen en haar gespannen mond met dunne lippen, haar handen strak ineengestrengeld op schoot, en kreeg de indruk dat ze op het randje balanceerde, dat ze op het punt stond in te storten.

'Het spijt me, ik...'

'Ik hoef je medelijden niet,' onderbrak Nina haar fel. 'Ik vertel het omdat je moet weten hoe hij is.'

'Heus, Nina. Dit doet ons allebei geen goed. Wil je nu alsjeblieft gaan?' Ze liep naar de deur en hield hem open, maar Nina vertrok geen spier.

'Wil je niet weten waarom ik ben weggegaan?' Ze ving Donovans blik en glimlachte zwakjes. 'Hij had een verhouding. Ik herkende de signalen. Ik had het al met iemand anders meegemaakt. Als ik Simon zag, als hij de moeite nam om thuis te komen, tenminste, was hij ergens anders met zijn hoofd. Hij was door haar geobsedeerd. Ik rook haar parfum af en toe op hem en heb eens een streng haar van haar om een knoopje van zijn overhemd gevonden. Hij was zo slordig; bijna alsof hij wilde dat ik erachter kwam. Het was net alsof ik er niet meer was, alsof ik onzichtbaar was. Daarom heb ik besloten te vertrekken. Het was het enige wat ik kon bedenken in een poging om hem tot inkeer te laten komen.'

Donovan schudde verdrietig haar hoofd, dacht aan hen samen en aan wat Turner eerder had gezegd over Rachel Tenison. 'Ik hou nog steeds van haar, stomme idioot die ik ben. Verblind door liefde.' Wat een afschuwelijke situatie. Haar hart ging uit naar Nina, hoewel ze duidelijk misleid was. Niets zou Turner tot inkeer laten komen op de manier waarop zij het wilde. Ze was hem kwijt.

'Je moet dit niet vertellen,' zei ze zacht. Ze voelde zich een indringer, tussen hen in gevangen.

'Misschien niet, maar ik hou vreselijk veel van hem. Ik wil hem vergeven en ik wil hem terug. Dus vraag ik jou om hem alsjeblieft met rust te laten. Hij betekent niets voor je. Je kunt zo een ander vinden.'

'Ik sta je echt geen strobreed in de weg, Nina. Echt niet.'

'Maar jij moet het zijn. Ik weet dat hij niemand anders ziet.

Die andere vrouw is nu buiten beeld, maar hij zegt dat hij wil scheiden.'

'Dus je weet het van Rachel Tenison. Je wist wie ze was en dat hij een relatie met haar had. Heeft hij het je verteld?' Ze bestudeerde Nina's donkere ogen op een reactie.

Nina lachte bitter. 'Hij heeft het me niet verteld, maar ja: ik wist het. Rachel. Rachel. Hij bleef haar naam maar herhalen in zijn slaap. Het was niet moeilijk erachter te komen waar hij naartoe ging en wie hij zag. Maar het was geen relatie. Het was alleen seks. Zo is Simon, zoals zo veel mannen. Hij heeft nooit echt om haar gegeven.'

'Godallemachtig, jij was de forensisch coördinator,' zei ze, en ze zag Nina voor zich; hoe ze die ochtend over de besneeuwde parkeerplaats van Holland Park had gelopen. Ze had er volkomen rustig uitgezien. 'Waarom heb je toen in godsnaam niet meteen iets gezegd?'

'Dat kon niet. Het was zondag. Tracey had zich ziek gemeld en ik was de enige andere dienstdoende coördinator. Wat moest ik dan? Die zaak afwijzen? Haar daar zo laten liggen? Het heeft geen invloed gehad op hoe ik mijn werk heb gedaan.'

'Je had toch iets moeten zeggen. Er had iemand anders bijgehaald moeten worden, hoe lang dat ook had geduurd.'

'En mijn vuile was voor de hele wereld buitenhangen? Me door iedereen laten uitlachen omdat mijn echtgenoot niet met zijn poten van andere vrouwen kan afblijven?'

'Niemand zou je hebben uitgelachen,' antwoordde Donovan, verbijsterd over de rare situatie. 'Maar je bent naar het park geweest en hebt haar hele flat overhoop gehaald. Je bent daar dagen binnen geweest. Hoe...'

'Hoe het me is gelukt?' vroeg Nina. 'Hoe ik daar aan het werk kon blijven terwijl ik hem in die flat voor me zag, bij haar, met zijn tweeën in dat grote bed van haar terwijl ze samen dingen deden met die smerige spullen uit die kist? Ik heb het uit mijn hoofd gezet en mijn werk gedaan. Het maakte niet uit wie ze was. Ze was dood. Het had geen zin me nog zorgen om haar te maken.'

De manier waarop ze het beschreef was bijna voyeuristisch en Donovan werd misselijk. 'Kan het je niet schelen, wat er met Rachel Tenison is gebeurd?'

'Nee. Ze heeft haar verdiende loon gekregen. Ze heeft geprobeerd mijn echtgenoot van me af te pakken. En als hij haar heeft vermoord, kan dat me niet schelen.'

Donovan beet op haar onderlip, verrast, ze wist niet of Nina een grapje maakte. 'Denk je echt dat Simon haar heeft vermoord?'

'Ja,' zei Nina zacht. 'Misschien dat het een ongeluk was. Maar zoals ik al zei: het kan me niet schelen.'

'Maar Simon heeft een alibi. Hij was bij iemand.'

'Bij jou?'

'Nee.'

Nina schudde vermoeid haar hoofd. 'Hij liegt weer. Hij was bij haar. Dat weet ik. Ik wilde met hem praten en ben naar huis gegaan, maar hij was er zoals gebruikelijk weer niet. Ik heb de hele avond gewacht, maar hij is niet thuisgekomen. Toen ik hem de volgende dag zag, was hij een wrak, en hij stonk naar drank. Natuurlijk was hij bij haar.'

Donovan haalde diep adem, alles wat Turner eerder tegen haar had gezegd gierde door haar hoofd. Ze dacht aan hoe hij ineens had willen vertrekken; hij had niet snel genoeg weg kunnen komen en had geweigerd met Tartaglia te gaan praten. Misschien was het stom dat ze hem had geloofd, maar Nina had in ieder geval één ding mis. Jonathan Bourne was die avond bij Rachel Tenison, niet Turner. Als Nina de waarheid vertelde en Turner was de hele avond weg geweest, waar was hij dan naartoe? Hij kon geen uren op straat hebben gelopen. Zelfs als hij in zijn auto had gezeten, zou hij zijn versteend van de kou. Hij moest ergens binnen zijn geweest. Ze had hem geloofd, had zijn verhaal over hoe hij in een bar een vrouw had opgepikt en met haar mee naar huis was gegaan overtuigend gevonden, compleet met de zelfgenoegzame, jongensachtige grijns op zijn gezicht toen hij het had verteld. 'We hebben het leuk gehad.' Het klonk overtuigend.

Nina zat geconcentreerd naar haar te kijken. Ze zag de felle, betweterige, kwade blik in Nina's ogen en fronste haar wenkbrauwen. 'Ik geloof hem,' zei ze stellig, maar ze begon zich wel van alles af te vragen.

Als het Turner niet was, als ze gelijk had over hem, wie wilde Rachel Tenison dan dood zien? Wie wist er verder nog details over de zaak-Catherine Watson... Behalve Simon? Nina.

Het beetje kleur dat Nina nog had gehad was uit haar gezicht verdwenen en ze stond op, een beetje onvast. Donovan hoorde in de keuken haar telefoon rinkelen. Misschien was het Turner wel. Misschien Tartaglia. Ze moest met iemand praten. Ze moest hier weg.

'Mijn telefoon,' mompelde ze, en ze draaide zich om om weg te lopen. 'Ik ga even...'

Ze hoorde een plotselinge beweging achter zich en voelde een scherpe pijn op haar achterhoofd. Ze zakte door haar benen en viel naar voren, met haar gezicht op de vloer. De kamer tolde. Ze werd misselijk. Ze sloot haar ogen, maar dat maakte het nog erger. Ze hoorde ergens door de mist heen het zwakke geluid van een bel, toen in de verte gebonk, en een stem. Iemand riep haar naam. De stem werd harder, maar klonk alsof hij van onder water kwam. Ze probeerde iets te roepen. Probeerde iets te zeggen. Toen voelde ze een tweede, scherpe pijnscheut op haar achterhoofd, en alles werd donker.

35

Donovan mocht bijna zesendertig uur later pas bezoek ontvangen op de kleine afdeling van het St. Mary ziekenhuis in Paddington. Ze lag diep in de kussens op bed, haar hoofd helemaal ingezwachteld, en voelde zich een beetje suf nadat ze net wakker was van een paar uur slapen. Maar Tartaglia was opgelucht te zien dat ze ondanks haar verwondingen wel wat kleur op haar wangen had, en ze had vaag naar hem geglimlacht toen ze hem zag.

'Hoe is het?' vroeg hij terwijl hij de gordijnen om haar bed helemaal dichttrok.

Hoewel de hemel zwaarbewolkt was, was het grijze, winterse ochtendlicht dat door de ramen naast haar bed naar binnen scheen veel te fel voor haar. Hij wilde ook de oplettende blik van de oudere dame die in het bed tegenover haar lag buitensluiten, die niets beters te doen leek te hebben dan staren, met een opzij gezakt hoofd, mond halfopen, alsof ze wilde meedoen met het gesprek.

'Het kan vast erger,' antwoordde Donovan terwijl Tartaglia een stoel aanschoof en naast haar kwam zitten. 'Het voelt een beetje als een monumentale kater. Ik heb alleen niet de lol gehad die er normaal gesproken aan voorafgaat. Als ik me beweeg, tolt alles om me heen en word ik vreselijk misselijk. En ik ruik niets.'

'Ik hoop maar dat dat snel weer over gaat.'

'Het schijnt heel normaal te zijn, als je een klap op je achterhoofd hebt gehad. Volgens de dokter is er nu nog niets over te zeggen.'

'Maar verder gaat het wel?' vroeg hij angstig terwijl hij haar gezichtsuitdrukking bestudeerde.

'Ja, mentaal wel, tenminste. In ieder geval heel wat beter dan de vorige keer dat ik in het ziekenhuis lag, als je dat bedoelt.'

Hij glimlachte ook, opgelucht dat ze op zo'n normale manier naar de Bruidegomzaak verwees. Hij had zich zorgen gemaakt dat een tweede ziekenhuisopname, maar een paar maanden later, onaangename herinneringen zou bovenhalen. 'Weet je nog wat er is gebeurd?'

'Nee. Niets. Het ene moment stond ik op straat met Simon te praten en toen was ik weer in huis. Ik herinner me vaag dat Nina er was, maar verder niets. Het is net een zwart gat. En toen werd ik ineens hier wakker en stond er een zuster naar me te staren; ze nam mijn pols op of iets dergelijks. Ik ben behoorlijk geschrokken.'

'Dat kan ik me voorstellen.' Het zou fijn zijn geweest precies te weten wat er was gebeurd en wat Nina had gezegd, maar het was een zegening dat Donovan het niet meer wist. Je kon geen nachtmerries krijgen over iets wat je je niet kon herinneren.

'De artsen zeggen dat ik het me waarschijnlijk wel weer ga herinneren, maar ze weten niet zeker wanneer. Eerlijk gezegd hoeft het van mij niet zo nodig.'

Hij reikte naar haar uit en kneep in haar kleine hand, en hoopte maar dat ze zich niet voor hem groothield. 'Ik heb Trevor trouwens gesproken vanochtend, en je krijgt de groeten. Hij vraagt of hij op bezoek mag komen.'

'Wat lief, hoewel ik hem liever thuis ontvang. Ik mag morgen weg, als mijn scan goed is. Anders wordt het overmorgen.'

'Ik zal het doorgeven. Mooie bloemen,' zei hij, en hij keek terloops naar de enorme, overvolle vaas oudroze rozen en lelies, vroeg zich af wie ze had gestuurd en verwenste zichzelf dat hij onderweg niets had meegenomen. Je rook ze zelfs boven de medicinale ziekenhuisgeur uit, zoet en overweldigend. Ze had geluk dat ze ze niets rook.

'Volgens het kaartje, dat de verpleegster me heeft voorgelezen, zijn ze van Simon. Ik sliep toen hij er was.'

'Is hij bij je op bezoek geweest?' vroeg hij, verbijsterd dat Turner zijn gezicht had durven laten zien en onverklaarbaar geïrriteerd dat hij haar die bloemen had gegeven.

'Ja.'

'Dat is ook wel het minste. Zijn die bonbons ook van hem?'

'Nee. Die zijn van Karen. Die was hier vlak voordat jij kwam.'

'En ik maar denken dat ik je eerste bezoek was.'

'Dan zul je de volgende keer sneller moeten zijn,' zei ze, een beetje fel. 'Vertel eens wat er is gebeurd. Ik weet dat Nina...'

'Ze is officieel aangeklaagd, hoewel ze alles ontkent. Ze probeert het op Simon te schuiven.'

'Simons alibi... heb ik dat gedroomd?'

'Nee hoor. Aangenomen dat die vrouw de waarheid vertelt, en we hebben geen reden om aan te nemen dat ze liegt, klopt het. Dus hij hoeft zich geen zorgen te maken, tenminste niet waar het een moordaanklacht aangaat, hoewel ik niet weet hoe het met zijn carrière verder zal gaan.'

'Maar er is bewijs tegen Nina?'

'Ja. Ze blijkt een van de forensisch onderzoekers te zijn geweest bij Catherine Watson. Ze wist van het gedicht en de manier waarop Catherine was geposteerd. We hebben Rachel Tenisons laptop en telefoon nog steeds niet gevonden, maar die missende foto lag ingepakt in een onderbroek in een van Nina's koffers bij haar moeder thuis. Hoewel we haar niet op de plaats delict kunnen plaatsen, zegt de openbaar aanklager wel dat er genoeg is voor een proces, samen met het motief en het indirecte bewijs.'

Ze slaakte een diepe, tevreden zucht. 'Denk je dat ze het allemaal van tevoren heeft gepland?'

Tartaglia tuitte zijn lippen. 'Dat is moeilijk te zeggen, hoewel ik vermoed van niet. Je zou met haar achtergrond toch denken dat ze het dan anders zou hebben aangepakt, perfecter en minder geïmproviseerd.'

'Maar de sneeuw... het wás perfect. De beste manier om bewijs weg te werken, als dat er was. Als het lichaam pas zou zijn gevonden nadat die was gesmolten...'

Hij haalde zijn schouders op. 'Wie weet. Als ik het zo tussen de regels lees, gebaseerd op het weinige wat ze heeft losgelaten en wat we tot nu toe hebben, denk ik dat ze Simon en Rachel een tijdje goed in de gaten heeft gehouden. Ze zal wel hebben geweten dat Rachel 's ochtends over het algemeen ging joggen. Nina dacht dat Simon die avond bij haar was, hoewel we weten dat dat niet zo is, en toen Rachel naar buiten kwam om te gaan rennen, denk ik dat Nina gewoon een gelegenheid zag en die heeft gegrepen. Ik durf te wedden dat ze haar midden op het pad heeft vermoord. Ik denk dat ze pas nadien heeft bedacht om het op de Watson-moord te laten lijken, toen ze tijd had erover na te denken.'

Donovan zuchtte nogmaals en sloot haar ogen.

Hij stelde zich voor dat Nina in paniek was geraakt, mogelijk diep geschokt over wat ze had gedaan. Hij zag haar voor zich, op het slecht verlichte, besneeuwde pad, neerkijkend op het lichaam van Rachel Tenison, en een deel van hem weigerde haar als koelbloedige moordenares te zien, hoewel ze helder genoeg was geweest om het lichaam te verbergen. Het was haar op de een of andere manier gelukt het lichaam van het pad te slepen of trekken, het bos in, uit zicht in de struiken, waarschijnlijk onder een van de grote hulstbomen in de buurt vanwaar het lichaam twee dagen later was gevonden. Daar had het ongestoord gelegen tot Nina later was teruggekomen, die nacht of vroeg op zondagochtend.

'Misschien probeerde ze Rachel te confronteren,' vervolgde hij; hij probeerde nog steeds te verklaren wat er was gebeurd. 'Misschien was ze niet van plan haar te vermoorden. Probeerde Rachel weg te komen en wilde ze haar tegenhouden, haar dwingen te luisteren. Hoe het ook is gegaan, ze was nadien berekenend genoeg om naar de flat te gaan en de laptop en telefoon weg te halen.'

'Ze zal willen hebben zien wat ze elkaar hadden geschreven, om te begrijpen hoe het echt tussen hen zat. Dat zou ik hebben gewild... als ik haar was.' Ze sprak zacht en haar stem ebde weg.

'Misschien heeft ze toen ze in de flat was om zich heen gekeken en die foto's en de inhoud van de kist gezien. Misschien dat dat haar aan de zaak-Catherine Watson en het gedicht deed denken. Het paste in ieder geval bij Rachel. Misschien is ze daarna terug naar het park gegaan om het lichaam zo te posteren dat het leek op hoe Catherine Watson was gevonden.'

'Ze moet door een hel zijn gegaan toen ze in die flat was en die spullen vond, ze moet hebben gedacht dat Simon...'

Hij reikte uit en raakte haar hand nogmaals aan. 'Maak je daar nu maar geen zorgen om.'

'Ik kan niet anders. Ik kan niet anders dan eraan denken. Voel jij sympathie voor haar?'

'Ik?' De vraag verraste hem, hij vroeg zich af waarom het haar zoveel deed. Maar ze beschuldigde hem er weer van dat hij niet meeleefde, waardoor hij even aan zichzelf twijfelde. Hij leefde gek genoeg wel een beetje mee met Turner, hij begreep heel gemakkelijk hoe die was gevallen voor de charme van een vrouw als Rachel Tenison, en hij wist hoe wreed ze hem zou hebben behandeld. Maar voor Nina voelde hij niets. 'Misschien zou ik sympathie voor haar hebben gehad als ze jou niet bijna had vermoord. En ze wilde je ook echt vermoorden, dat weet ik zeker.'

Donovan zei even niets. Toen knikte ze langzaam. 'Misschien heb je wel gelijk. Misschien ben ik te sentimenteel. Maar wat is er nou gebeurd? Karen zei dat Simon me heeft gevonden, dat hij om de een of andere reden is teruggekomen naar mijn huis.'

'Ja. Dat heb jij tegen hem gezegd; volgens hem, tenminste. Je zou hem een of ander ultimatum hebben gesteld?' Hij keek haar vragend aan en vroeg zich af wat zich precies had afgespeeld tussen die twee, en of het meer dan vriendschap was, tenminste wat betreft Donovan. Hij begreep niet hoe ze een man als Turner aantrekkelijk kon vinden, maar hij wist wel beter dan dat hardop te zeggen. Wat er ook was gebeurd, ze had geluk gehad dat Turner was teruggegaan en dat hij Nina's auto in de straat had zien staan. 'Toen je niet opendeed, begon hij zich zorgen te maken.'

'Waarom heeft ze me niet vermoord?'

'Simon was op tijd. Hij keek door het raam en zag je voeten achter een stoel vandaan steken. Hij heeft de deur ingetrapt.'

'Oké. En wat is er met Nina gebeurd?'

'Die is door de achterdeur gevlucht; dat zegt hij tenminste.' Hij vroeg zich nogmaals af wat zich echt in dat huis had afgespeeld, of Turner en Nina elkaar hadden gesproken en of hij Nina had laten gaan.

'Maar jullie hebben haar gepakt?'

'Ze heeft zichzelf aangegeven. Weet je, ik denk dat Simon misschien wel vermoedde dat Nina bij jou was. Misschien had hij haar al gezien.'

'Nee,' zei ze, en ze schudde haar hoofd een beetje, wat zo'n pijn deed dat ze ervan huiverde en haar ogen sloot. 'Hij kon het niet weten, dan was hij niet...' Ze was even stil en keek naar hem op, met gefronste wenkbrauwen, alsof ze moeite deed het allemaal te begrijpen. 'Als hij wist dat ze er was, waarom is hij dan weggegaan? Ik weet zeker dat hij haar niet heeft gezien. Dat weet ik zeker.'

'Je hebt vast gelijk,' zei hij in een poging haar gerust te stellen.

'En waarom zou hij zich zorgen om mij maken als hij haar auto zag, tenzij hij wist...' Haar stem ebde weer weg.

'Denk daar nu maar niet over na,' zei Tartaglia stellig, bezorgd dat ze meer met Turner bezig leek dan met wat anders.

Hij wist in zijn achterhoofd zeker dat Turner al die tijd had geweten of vermoed dat Nina Rachel had omgebracht. Maar hij had geen enkel bewijs, en Turner had het herhaaldelijk ontkend tijdens de meerdere keren dat hij was ondervraagd door zijn superieuren nadat Nina was gearresteerd. De officiële versie leek te worden dat Turners woord werd geaccepteerd, maar toch klopte het niet. Wie kon er verder nog in verband worden gebracht met zowel Watson als Rachel Tenison? Turner moest het zich toch hebben afgevraagd. En dat hij niets over zijn verhouding had gezegd om zijn huwelijk te redden sneed ook geen hout. Dat huwelijk was al voorbij, tenminste wat hem betreft. Hij had niets te riskeren. De enige logische verklaring was dat hij Nina beschermde uit oude liefde, of uit een of andere mengeling van schuldgevoel en schaamte. Zijn obsessie had drie levens gekost en moest zwaar op hem leunen, hoewel Tartaglia er niet van was overtuigd dat hij een geweten had. Maar het laatste wat hij nu wilde, was zijn vermoeden hardop uitspreken tegen Donovan. Hoe minder zij aan Turner dacht, hoe beter. Ze moest herstellen, en hopelijk zou Turner niet bij dat herstel worden betrokken.

'Nee, het is niet logisch,' ging ze nadrukkelijk verder, alsof ze het helemaal had doordacht. 'Simon kan niet hebben geweten dat Nina Rachel heeft omgebracht. Weet je nog hoe hij was? Hij was wanhopig, sleepte zich met moeite de dagen door. Volgens mij dacht hij nergens logisch of helder over na. Als hij iets had vermoed, zou hij het hebben gezegd. Hij hield echt van Rachel Tenison.'

'Ik hoop dat je gelijk hebt,' zei hij, hoewel hij dacht van niet. 'Hoe dan ook, het ziet ernaar uit dat Nina zowel Simon als Rachel Tenison een tijdje heeft gevolgd. Toen we een foto van haar aan de assistente van de galerie en aan de portier van het appartementencomplex van Rachel lieten zien, konden ze zich haar allebei herinneren. Ze is een paar keer in de galerie geweest en heeft zich voorgedaan als potentiële klant. De portier weet ook nog dat ze vragen heeft gesteld, ze heeft gezegd dat ze een oude schoolvriendin was. Aangezien ze een vrouw is en verder niets verdachts deed, waren ze het allebei weer vergeten.'

'Arme Nina. Ze heeft die vrouw voor niets gedood. Simon zou sowieso nooit naar haar zijn teruggegaan.'

Hij staarde haar even aan, vroeg zich af wat hij moest zeggen. Haar gebruikelijke gezonde verstand leek haar in de steek te hebben gelaten; ze kon niet accepteren dat Turner een rol speelde in wat er was gebeurd.

'God mag weten wat zich afspeelt tussen twee mensen en wat haar ertoe heeft aangezet,' zei hij venijnig, en hij weigerde Turner van verdenking te ontheffen.

'Nou.' Hij hoorde aan de scherpte in haar toon dat ze het er verder niet meer over wilde hebben.

Er klonken plots stemmen aan de andere kant van het gordijn, aan de overkant van de kamer, waar een van de andere vrouwen op de kamer haar bezoek begroette. 'Ik hoop dat ik morgen naar huis mag,' zei Donovan. 'Een van de dames hier snurkt, en een andere praat in haar slaap. Ik word hier hartstikke gek. Behalve mijn hoofd is er niets mis met me.'

'Nou, als je naar huis mag, heb je dan zin om in het weekend iets te doen?'

'Uitgaan? Zo?' Ze legde een hand tegen haar verbonden hoofd.

'Ja. Zó erg zie je er niet uit.'

'Zó erg? Dank je.'

'Ik dacht gewoon dat je misschien even de deur uit zou willen. Een van mijn neven speelt in een band...'

'Welke neef is dat? Je hebt er zoveel dat ik het niet kan bijhouden.'

'Alessandro. Hij heeft een succesvolle makelaardij in Milaan, maar in zijn vrije tijd speelt hij in een band. Ze zijn heel goed. Ze spelen covers, van de Beatles tot U2. Ze treden op op een liefdadigheidsfeest van een van zijn cliënten...'

'En je wilt dat ik meega?'

'Ja, je vindt het vast leuk. Als je geen andere plannen hebt.'

'Komt Nicoletta ook?'

'Vast wel.'

'En haar vriendinnen?'

'Ze zei dat ze Sarah misschien zou meenemen.'

'Sarah?'

'Die laatste aan wie ze me probeert te koppelen. Dat had ik toch verteld?'

'Oké.' Ze begon te glimlachen en sloot even haar ogen. Hij vroeg zich af wat ze zo grappig vond. 'Als ik me goed genoeg voel, zou ik dat heel leuk vinden. Dank je,' zei ze na een korte stilte. 'Maar ik heb geen zin om als je bodyguard te fungeren. En je hoeft niet op me te passen, als dat soms is wat je denkt?'

Hij vervloekte zichzelf voor zijn woordkeus, hoewel ze van die buien had dat hij niets goed kon zeggen. 'Dat doe ik niet. Dat bedoelde ik niet. Ik dacht alleen...'

'Klop, klop,' zei een vrolijke vrouwenstem aan de andere kant van het gordijn. Voordat Tartaglia kon uitleggen wat hij had bedoeld, stak Claire haar hoofd tussen twee gordijnen door.

'Hoi Mark. Hoi Sam. Ik stoor toch niet? Anders kom ik zo wel terug, hoor.'

'Nee, blijf,' zei Donovan. 'We zijn klaar voor nu. Tenzij je nog iets wilde zeggen?' Ze keek vragend naar Tartaglia en glimlachte nog steeds. 'Alessandro? Leuke naam. Laat me maar weten waar en wanneer.'

Dankwoord

Mijn dank gaat uit naar een aantal mensen voor hun geweldige advies, en ik bied mijn excuses aan dat ik het hier en daar opzettelijk heb genegeerd omdat dat in het fictieve verhaal beter uitkwam. Scènes die niet met de werkelijkheid stroken komen allemaal voor mijn rekening.

Van de Metropolitan Police dank ik in het bijzonder communicatieadviseur en praktisch leidinggevende David Niccol, en van de afdeling Forensische Opsporing Tracy Alexander, niet in het minst om hun geduld, welwillendheid en fijne gezelschap. Ook wil ik brigadier Mike Christensen en inspecteur Mick Duthie hartelijk danken voor hun hulp. Dank ook aan sensei Stephen Nicholls en British Kodenkan, voor hun informatie over de fascinerende kunst van jujitsu, en dr. Nick Hunt van Binnenlandse Zaken voor zijn kleurrijke en creatieve verhalen over pathologische zaken. Ik ben zoals altijd dankbaar voor de vriendschap van mijn medeschrijvers en misdaadliefhebbers Cass Bonner, Gerry O'Donovan, Richard Holt, Keith Mullins, Kathryn Skoyles, Nicola Williams en Margaret Kinsman. Speciale dank gaat uit naar mijn agent Sarah Lutyens, naar Jane Finigan en Susannah Godman van Lutyens & Rubinstein, naar mijn redactrice Jane Wood, naar Charlotte Clerk en iedereen bij Quercus, en naar Lisanne Radice voor woorden van oneindige wijsheid. Als laatste dank ik Stephen Georgiadis en Jeann Scott-Forbes voor hun steun en inbreng.